牛津西方哲学史

A NEW HISTORY OF WESTERN PHILOSOPHY

第三卷

近代哲学的兴起

THE RISE OF MODERN PHILOSOPHY

[英] 安东尼 · 肯尼 — 著

杨平 — 译

吉林出版集团股份有限公司

内容提要

CATALOGUE
目录

第三章　从休谟到黑格尔

第四章　知识

第五章 物理学

第六章 形而上学

第七章 精神与灵魂

第八章 伦理学

第九章 政治哲学

第十章　上帝

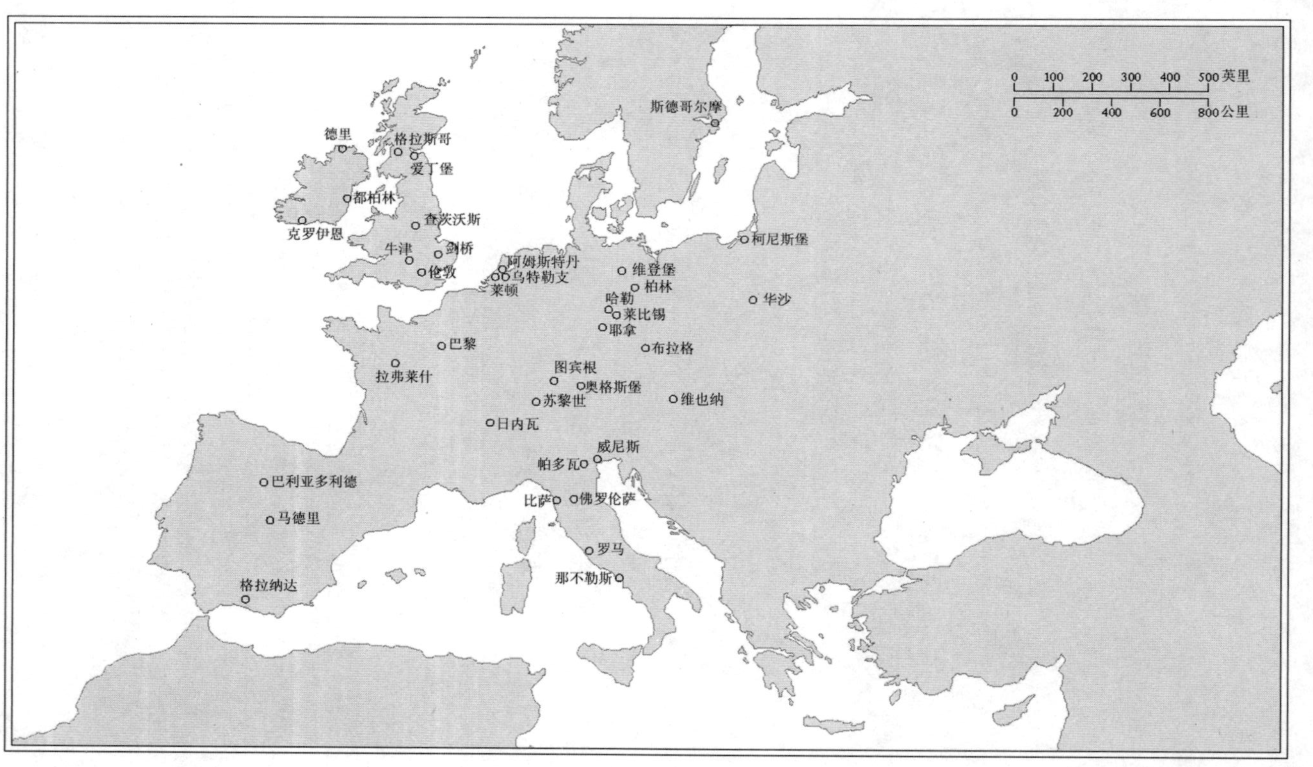
0 100 200 300 400 500 英里
0 200 400 600 800 公里
斯德哥尔摩
德里
格拉斯哥
爱丁堡
都柏林
克罗伊恩
查茨沃斯
牛津
剑桥
伦敦
阿姆斯特丹
乌特勒支
莱顿
柯尼斯堡
维登堡
柏林
哈勒
莱比锡
耶拿
华沙
巴黎
布拉格
拉弗莱什
图宾根
奥格斯堡
苏黎世
维也纳
日内瓦
威尼斯
帕多瓦
巴利亚多利德
比萨
佛罗伦萨
马德里
罗马
那不勒斯
格拉纳达

导言

这部书是计划中的从开端到现在的四卷本哲学史的 xi
第三卷。第一卷《古代哲学》(2004 年出版)叙述古希腊和罗马早期的哲学。第二卷《中世纪哲学》(2005 年出版)经历从圣奥古斯丁(St Augustine)到文艺复兴人文主义者的转变。这一卷从 16 世纪初叙述到 19 世纪初。第四卷计划包括从马克思(Karl Marx)与密尔(John Stuart Mill)的时代一直到现在的哲学史。

本卷与前两卷结构相同。在前三章,我按时间先后顺序概述这一时期的哲学家。在余下的章中,我根据主题不同,探讨非常重要的特定的哲学论题。一些读者对哲学史感兴趣主要是因为它阐明昔日的人们与社会。其他读者研究那些去世的伟大哲学家旨在寻求阐明当下哲学研究的主题。以这种方式安排本书,我希望满足这两类读者的需要。那些主要兴趣在历史上的读者可以关注年代顺序的概要,必要时才涉及并扩展到哲学论题的部分。那些主要兴趣在哲学的读者会更多地集中各卷的论题部分，回到年代的概要旨在将特定的观点置于语境之中。

这部哲学史主要为大学二、三年级的读者撰写，这适合他们的研究水平。然而，许多读者对哲学史感兴趣并选修并非必然是哲学的课程。相应地，我不尝试假设他们熟悉当代哲学的方法或术语。再有，除这个时期思想家的原创
xii 文本之外，我没有包括除英语之外其他语种的参考文献。我也尽量避免学术术语，打算撰写一部非常清晰的哲学史，从而吸引读者的目光，他们并不以课程为目的而是旨在开启心智与业余爱好。

这样更容易处理，因为就许多历史主题而言，我写作的必要性不是作为一种专业而是作为一种爱好。在一个时代中，对以往哲学家的学术研究已成倍地阐释时，没有人可以只阅读大量二手文献的一部分，近年来，围绕本书所谈论的每位思想家，相关的研究文献已出版了不少。我自己从学术角度研究了近代早期的伟大哲学家，特别是笛卡尔；同时我也出版了本书主题章所包含的哲学专题的著作，比如，心灵哲学与宗教哲学。但是，当我为本卷书汇编参考文献时，我认识到，与我熟悉材料的数量相比，还有大量的材料没有阅读。

任何单一的作者尝试撰写整个的哲学史，他会迅速地认识到，在与细节有关时，与那些从事单个哲学家研究并成为那个领域的专家相比，他处于一个巨大的劣势之中。弥补的方式是，一个人撰写的历史可能强调哲学史的诸多特征，而这些特征在专家的著作中更不明显，正如一幅航拍的照片可能呈现一处景观的诸多特征，而这些特征几乎看不到接近地面的那些特征。

从古代和中世纪背景来理解近代早期哲学，在哲学观点上，这个时代最为显著的特征是亚里士多德（Aristotle）的缺席。确实，在本卷书所涵盖的时期，在学院建立过程中，亚里士多德研究在继续，在牛津大学，自从学院研究创立之后，就从来没有教授过亚里士多德。然而，这个时期的另一个显著特征使其不同于中世纪与20世纪的是，正是这个时期哲学不是在大学里而是在大学之外最具活力。在17世纪和18世纪的伟大思想家中，在沃尔夫和康德之前，没

有人获得过哲学教授职位。

哲学抛弃亚里士多德时，存在好与坏的结果。就哲学而言，在宽泛的意义上——在大部分时期里，哲学被理解为包括物理科学，即“自然哲学”——消除 xiii
亚里士多德死亡之手是一个巨大的恩惠。亚里士多德物理学是完全错误的，这已在6世纪尽可能早地被揭示出来；中世纪对其物理学的遵从严重阻碍科学进步。但就哲学而论，从狭义的意义上说——哲学如今在大学中作为一门明确的学科而实践——抛弃了亚里士多德，得失并存。

两个哲学巨人伫立在这一时期，一个在开端，一个在末端，笛卡尔（Descartes）在前，康德（Kant）在后。笛卡尔是一个反对亚里士多德的旗手。在形而上学中，他拒斥潜在性与实在性的观念，在哲学心理学中，他用意识代替理性作为精神的表征。霍布斯（Hobbes）与洛克（Locke）创立了英国经验主义学派，旨在回应笛卡尔的理性主义，但是他们与笛卡尔分享的那些假设比起他们之间的那些分歧的观点更加重要。在人类理解的哲学中，康德的天才调和了感觉与理智的不同贡献，经验主义者与理性主义者都已割裂和扭曲了这些不同的贡献。

笛卡尔二元论的特点是心灵与物质的区分，将意识从日常研究中区分出来。这开启了一个深渊，它妨碍了这一时期的形而上学事业。一方面，思辨的思想家建立了诸多体系，这些体系对普通读者的轻信带来了更大压力。无论亚里士多德的形式质料说有多大缺点，他的实体——像猫与卷心菜这样的东西——在生活世界中的确至少有不可置疑的存在价值，不像未知的实体、单子、本体与绝对精神。另一方面，更具有怀疑精神倾向的思想家不仅解构了亚里士多德的物质形式，而且解构了主要与次要特征、质料的实体以及人类心灵本身。

黑格尔（Hegel）在哲学史演讲集前言中警告反对索然无味的历史，在其中，体系的连续性只是体现许多观念、错误与怪诞的思想。在这些著作中，他论道:“整个哲学史成为覆盖死者骸骨的战场;它不只是一个由死亡与无生命的个体组成的王国,而且是由驳倒的与精神死亡的体系构成的王国,因为每一个都杀死和埋葬另一个”(*LHP*, 17)。[①]

xiv 尽管我试图真实地记录这一时期系列哲学家的观念,我希望本书不会在黑格尔的责难中失败。我相信虽然通过抛弃一些最有价值的工具阻碍他们自身,哲学在古代和中世纪为自身铸造了这些工具,这一时期的哲学家作出了许多具有永久价值的贡献,这些贡献在主题的章中得到了证明和描述。在本书的写作过程中,我希望描绘出得失的曲线图。我相信,甚至研究黑格尔所谓的“思想英雄”的奇想中,有许多需要去认识。在每个时代,伟大哲学家都产生过巨大的错误:尝试揭示他们看似已屈从的许多混乱不再是不敬的事情。

在本卷书中,在两个方面,论题的区分不同于前两卷书。首先,没有专章属于逻辑学与语言学,因为在这一时期,与中世纪的或者 19 世纪与 20 世纪的贡献相比,哲学家在这些领域根本没有贡献。(事实上,这个时期拥有一位天才的逻辑学家莱布尼茨[Leibniz];但是他的逻辑学著作直到 19 世纪才产生影响。)其次,本书首次为政治哲学专设一章。对于与当代讨论相关的政治哲学家的洞见,正是从马基雅维利(Machiavelli)与莫尔(More)时期开始的,当时的政治体制初步具有充分类似我们当下生活的政治体制。论物理学的一章比起前两卷书更为简要,因为,就牛顿(Newton)而言,物理学史成为科学史的一部分而不是哲学史的一部分,留给哲学家的,至少暂时只是空间与时间观念的抽象探讨。

我感谢牛津大学出版社的彼得·蒙特克里夫及其同事,同时感谢三位匿名的读者帮助我完善本卷的最初手稿。

---

① 本书所引文献均采用文中缩略语的注释方式,举凡括号中各注释所指代的文献,请参考书后列出的引用文献缩写与常例。例如,此注(*LHP*, 17)表示:Hegel, *Lectures on the History of Philosophy*(《哲学史演讲集》), trs. E. S. Haldane and F. H. Simpson, 1966, p. 17.

第一章

十六世纪哲学

人文主义与宗教改革

1511 年,这个十年的开端可以看做是文艺复兴的高 1
潮。在梵蒂冈,拉斐尔(Raphael)正在教廷宫殿墙上创作壁画,同时米开朗基罗(Michelangelo)正在绘制西斯廷天庭画。在佛罗伦萨,自从改革家萨沃纳罗拉(Savonarola)时期就开始流亡的梅迪奇家族,重新获得权力并资助艺术。一位昔日共和国的官员,马基雅维利(Niccolò Machiavelli),如今成为阶下囚,正利用强制的空闲时间撰写一部政治哲学经典《君主论》,这部著作给统治者如何获得和保持权力提出平实的建议。文艺复兴艺术与思想向北流布,直至德国和英国。米开朗基罗在威斯敏斯特修道院为亨利七世国王设计陵墓的一位同事,那个时代最著名的学者,荷兰人伊拉斯谟(Desiderius Erasmus),在亨利七世的儿子亨利八世统治的早期就在剑桥发表演讲。伊拉斯谟是托马斯·莫尔(Thomas More)家的常客,莫尔是一位律师,正步入使其成功的政治生涯,简单说来,成为在英国仅次于国王的最有影响力的人物。

伊拉斯谟和莫尔及其朋友们在北欧针对性地提出了人文主义者的思想,这些思想在上一世纪已在意大利扎根。在那时,“人文主义”并不意味着用世俗的人文价值代替宗教价值的一种愿望:伊拉斯谟是一位牧师,他撰写了诸多畅销的神学著作,莫尔后来为他的宗教信仰殉难。人文主义者,确切地说,是相信希腊和罗马古典的“人文文献”(*Literae humaniores*)的教育价值。他们研究和模仿古典作家的风格,由于新的成熟的印刷技术,新近重新发现和正在出
2 版古典作家的许多文本。他们相信,他们的学问用来阐释古代异教徒文本,就会复兴在欧洲长期被忽略的艺术与科学,同时用来阐释《圣经》与古代基督教作家,就会帮助基督教徒更纯粹与更真切地理解基督教的真理。

与中世纪学者崇尚技术性哲学研究相比,人文主义者高度评价语法、语文学以及修辞。他们鄙视拉丁语,它已成为中世纪大学通用语,在风格上远离西塞罗(Cicero)和李维(Livy)的著作。伊拉斯谟在索伯勒有过不愉快的研究经历,莫尔嘲讽他曾在牛津教授的逻辑学。在哲学领域,两人回溯到柏拉图而不是亚里士多德及其中世纪众多的追随者。

莫尔在1516年发表一个虚构的理想国蓝图,以此向柏拉图致敬。在莫尔的《乌托邦》中,正如在柏拉图的《理想国》中,特征是一样的,在军队中,妇女与男人一起服役。莫尔在一个探索和发现的时代写作,他假定国家实际上位于沿海的岛上。然而,像柏拉图一样,他正运用对一个虚构国家的描述作为一种工具来建构理论上的政治哲学与批评当时社会。①

伊拉斯谟更加怀疑柏拉图作为政治学导师的地位。1511年,在献给莫尔的反讽著作《愚人颂》中,他嘲讽柏拉图的断言,即哲学王将统治最幸福的国

① 在第九章详尽地探讨马基雅维利与莫尔的政治哲学。

3

藏于卢浮宫的霍尔拜因创作的伊拉斯谟肖像画。

家。历史将证明，他认为，“没有任何国家已如此被其统治者染上瘟疫，尤其当权力落入到哲学半吊子的人手中时”（M，100）。但是，在《乌托邦》出版的同一年，他出版了《基督君主的教育》，他只是重复在柏拉图与亚里士多德那里发现的思想，并无新意。基于这个理由，他的政治哲学著作从来没有获得同马基雅维利与莫尔一样的声誉。

伊拉斯谟更感兴趣的是神学而不是哲学，他更关心圣经研究而不是思辨神学。他抱怨，经院哲学家比如司各脱（Scotus）与奥卡姆（Ockham）只是用荆棘堵塞诸多道路，早期思想家已经打通这些道路。在过去伟大的基督教教师中，他最喜爱的是圣杰罗姆（St Jerome），他已将《圣经》从希伯来文和希腊语译成拉丁文。伊拉斯谟花了许多年注释拉丁语的《新约》，并决定出版他自己的拉丁语版本，以修正已逐渐出现在通行文本（the Vulgate）中的变
4 体，在必要的地方亲自完善杰罗姆的译本。1516 年，他出版了他自己注释的新的拉丁语版本，作为附录，他几乎增加了一个《新约》的希腊语文本——第一个已印刷的文本。在他的拉丁语版本中，在努力忠实于希腊原文的同时，他毫不犹豫地修改了那些最受欢迎与最严肃的文本。在第四《福音书》中的第一句话，*In principio erat verbum*，成为 *In principio erat sermo*：开始的不是“言语”而是“格言”。

虽然还能在剑桥国王学院的礼拜堂窗户上读到伊拉斯谟的拉丁版本的某些段落，但是这个版本并没有得到普及。然而，他出版的希腊文本成为了 16 世纪伟大的白话圣经的基础，而这又是以路德（Martin Luther）在 1522 年出版的具有里程碑意义的德文版本为开端的。

路德是一个奥古斯丁式的修道士，直到因为伊拉斯谟的修道贡献而得到罗马教皇的宽恕被解放出来之前，伊拉斯谟一直是修士。与伊拉斯谟一样，路德对圣保罗的使徒书与罗马人的关系做过细致研究。他因此从根本上质疑文艺复兴时期天主教的精神。在出版伊拉斯谟翻译的《新约》的那一年之后，路

德在维登堡大学发表演讲，公开谴责教皇权威的滥用，特别谴责迷恋（免除原罪的惩罚）提倡一种丑闻式的东西，从而回归到圣彼得在罗马创立的新的伟大的基督教传统。

与路德一样，伊拉斯谟与莫尔同样关切许多高级僧侣的腐败：他们在著作中谴责这种腐败，伊拉斯谟严厉地嘲讽教皇尤利乌斯二世（Julius Ⅱ），莫尔在《乌托邦》中运用慎重的反讽手法。但是，当路德继续谴责基督教教义体系的主体部分同时告诫唯一需要拯救的是信仰或者信仰基督的功绩时，他们二人却退却了。1520 年，教皇利奥十世（Leo X）谴责路德教义的四十一篇文章，在路德焚烧赎罪券后进一步采取行动将他逐出教会。在莫尔的帮助下，国王亨利八世（Henry Ⅷ）出版《七宗圣事的主张》，这部著作为他赢得了教皇赐予的“信仰守护者”的美名。

伊拉斯谟竭力缓解这种对立，但这是徒劳的。他尽力说服路德使用委婉
的语言，让他屈从教会不公平的裁定。另一方面，他质疑教皇的天谴权威， 5
1521 年，他劝说国王查理五世（Charles Ⅴ）在沃蒙的迪特给路德举行一次听证
会。但是路德拒绝妥协，继续生活在帝国的限制之下。教皇利奥十世去世后，
伊拉斯谟的荷兰校友登基，即教皇阿德里安六世（Andrian Ⅵ）。新教皇敦促伊
拉斯谟用笔反驳宗教改革者。伊拉斯谟极不情愿地答应了，他攻击路德的著
作直到 1524 年才问世，那时教皇阿德里安已经去世。

原罪、善良与自由

伊拉斯谟选取论战的根据是路德论意志自由的观点。这已成为那些论题的主题，那些论题已在 1517 年贴在维登堡大学的大门上。在教皇利奥十世谴责的命题中，“原罪后的自由意志只是一个空洞的命题”也在其列。作为回应，

路德强化了他的观点,“自由意志真是一个幻影和没有实在的标签,因为人力根本无法掌控任何的邪恶与善良”(WA VII.91)。

在《论自由意志》(*Diatribe de Libero Arbitrio*)中,伊拉斯谟堆砌旧约与新约以及教会博士与教义的文句,阐明人类具有自由意志。他的永恒主题是,如果是必然性而不是自由意志决定善或恶的行为,那么,在圣经文献中发现的各种劝说、诺言、命令、威胁、责备以及诅咒就会失去一切意义。圣经阐释的问题在伊拉斯谟著作与路德更长的回应著作《论意志的捆绑》(*De Servo Arbitrio*)中占据首要位置。

从哲学上看,伊拉斯谟是不敏锐的。他提及但是没有改进瓦拉(Valla)关于自由意志的对话。他重复几个世纪以来经院哲学争论的陈词滥调,这不足以回应调和神的先知与人类自由的问题。比如,他坚持认为,甚至人也知道未来将发生的许多事情,譬如日食。自由意志理论比起轨道上的星星并没有给我们更多的自由,这并没强有力地回应路德。但伊拉斯谟竭力回避哲学的复杂性。正如经院哲学所做的那样,这是一种漠视宗教的好奇研究,研究先知是
6 偶然的还是必然的。

路德对经院哲学并不友好,发现它是不道德的,“如果这不是宗教的、好奇的与多余的,”他追问,“那么何为宗教的、严肃的与有益的知识?”路德坚持认为上帝不能预见偶然的东西。“上帝根据他不变的、永恒的与绝对正确的意志预言、打算与做各种事情。这个霹雳将自由意志扔出去并最终摔成碎片”(WA VII.615)。

路德支持康斯坦茨议会归因于威柯利夫的观点:一切事情必然发生。然而,他区分了“必然性”的两种意义。人类意志附属于“不变的必然性”:对邪恶而言,它无力在内在欲望中改变自身。但是它不附属于另一种必然性的形式,即冲动:缺乏善意的人不时与有意地做坏事。人的意志就像一头负重的野兽:如果上帝驾驭它,它愿意并将顺其所愿;如果撒旦驾驭它,它将随撒旦所

愿。它没有选择骑手的自由。

路德倾向于全部放弃"自由意志"术语;在他之前与之后的其他作者已经将他接受的自发性作为唯一的东西,这种东西可以真正地由这个术语指涉出来。[1] 路德的主要关切意在否认自由意志,这种意志在拯救与诅咒之间做出区分。在其他场合,他似乎承认在多种境遇中行为做出真正选择的可能性。人具有自由意志,不是尊重人类之上的东西,而是尊重人类之下的东西。比如,罪人能在各种原罪中做出选择(WA VII.638)。

正如伊拉斯谟极力呈现的,《圣经》包含暗示人的选择是自由的诸多段落,同时也包含宣称人类命运是由上帝决定的诸多段落。在几个世纪中,经院神学家尽力通过做出细致的区分调和这些冲突的观点。"为上帝之善的辩护付出太多的辛劳,"路德说,"不断地攻击人类意志,在这里,在上帝的日常意志与上帝的绝对意志之间,在结果的必然性与随之发生的必然性之间以及许多其他之间,不断地捏造出那些区分。但是通过这些强加于未知之上的手段,我们一无所获。"路德认为,我们不应该把时间浪费在竭力解决不同圣经文本的冲突之上:我们应该走向另外一极,彻底否定自由意志,把
一切归因于上帝。 7

并非只有路德厌恶经验哲学的繁琐:伊拉斯谟和莫尔也具有同样特质。莫尔自己也卷入了自由意志的争论,并与路德的英国崇拜者,《圣经》翻译者泰德勒(William Tyndale)产生冲突。莫尔运用一种回归到斯多亚哲学讨论命运的策略来反驳路德式的决定论:

> 他们教派的人在阿尔梅勒遇到一个好机会,他抢劫一个男人并被带到法官面前,他不会否认那种行为,但是认为这是他命中注定所做的事,因此,

---

① 参阅第一卷,论自发性自由与冷漠性自由的区分,197 页(即边码——译者注)。

> 他们不会谴责他；在他自己的学说之后，他们为他辩解，假如偷盗也是他的命运，因此他们必须宽恕他，那么吊死他也是他们的天命，因此他也必须相信他们也被宽恕。(More 1931:196)

如果决定论是真理的一切，这是可争辩的，这种断言无疑会受到路德的反驳，因为他相信如果公正地处罚罪人，罪人只能去做坏事。

从哲学观点看，这些早期对自由与决定论的宗教改革争论仅仅详细阐释了诸多观点，这些观点是古代与中世纪哲学的陈词滥调。然而，他们论证了人文主义教育的消极一面。如果有时是乏味的话，那么经院哲学的争论通常也是严肃的与有节制的。比如，阿奎那(Thomas Aquinas)总是急于对于他不赞同的那些论题提出可能最好的解释。伊拉斯谟也具有阿奎那的和平主义精神；但是莫尔和路德用更激烈的责骂彼此攻击，这些言辞借助优雅的拉丁语变得简洁，不过只会变得更加粗俗。人文主义者争论的好斗习惯是一种因素，这从而引发并加剧了宗教改革各方观点之间的分歧。

权威与良心

自由意志的争论不断在16世纪乃至以后发酵，正如我们在后面几章看到的那样，更加睿智的冲突者将新的精妙方式引入哲学主题的探讨。当下而论，由路德引入到争论的最重要的新元素并不只是对经院哲学而是对哲学自身的
8 普遍敌视。他谴责亚里士多德，特别是把他的《伦理学》看做是“美德的最邪恶的敌人”。他轻视无益的理性力量是他信仰的结果，他相信亚当堕落中人性已经彻底的堕落与无能为力。

从某种意义上，路德怀疑哲学思辨是中世纪经院哲学晚期强力趋势的延

续。因为斯多亚哲学家的时代已极不情愿地宣称只有理性能够确定神性特征的本质、圣命内容或者人类灵魂的永恒性。[①] 基督教权威接受日益增长的哲学怀疑的抗衡,这在基督教传统以及教皇与教会的宣告中得到表述。在伊拉斯谟论著的开头可以发现这种表述的特征:“我极大地厌恶诸信念以至于我倾向于接受怀疑的观点,怀疑圣典的绝对权威和教会决定”(*E*, 6)。

凭借抛弃这种平衡力,路德宗教改革给予这种怀疑浪潮一种新动力。的确,《圣经》作为一种决定性的权威得到保留和强调:至于圣典教义,路德坚持认为,基督徒没有资格去怀疑(WA VII. 604)。但是《圣经》的内容不再受到经过哲学训练的神学家的专业审查。路德认为每个基督徒有能力分辨和判断在信仰问题中何谓正确何谓错误。泰德勒嘲笑,与最博学的神学家相比,他的翻译会让一个男孩更轻松更好地理解《圣经》。悲观主义紧密联系乐观主义,前者关于没有美德帮助的训练有素的理智的道德能力,后者关于由信仰启示的未受到训练的心灵的理智能力。在二者之间的挤压之后,在虔诚的新教徒中,哲学发现自身作用正在急剧地消失。

个人良知不受普遍权威的约束,不愿将信仰服从理性的专断,这些路德的问题开始产生信仰的多样性。法国与瑞士的宗教改革者,像加尔文(Jean Calvin)和茨温利(Ulrich Zwingli)在反对教皇权威方面赞同路德,但是在理解基督
圣体显灵与上帝选择的命令方面又不同于路德。加尔文像路德一样,将个人 9
灵魂的宗教真实作为最终标准:每位虔诚的基督徒自身经验到天堂般启示的奇妙信念,这比推理更令人信服。但是,一个人如何能辨别谁是虔诚的基督徒呢?如果他只考虑那些宗教改革的观念,那么加尔文的标准则是可以考虑的问题;另一方面,如果他考虑所有那些施洗的人,这产生一种信仰的混乱。

新教徒争论教会不是终极的权威,因为他的断言取决于圣经文本。天主

① 参阅第二卷,247,274 页。

教徒援引奥古斯丁(Augustine),宣称接受《圣经》的唯一理由是它已由教会赋予我们。在欧洲宗教改革中,那些引起争论的问题既不是通过理性推论也不是通过内在启蒙而得到最终解决。在许多国家,军事力量与刑法裁断出冲突的答案。在英国,亨利八世(Henry Ⅷ)为梵蒂冈拒绝解除他的厌倦婚姻而苦恼,他与罗马教廷断绝关系,并因为莫尔效忠教皇而将他处决。在他的儿子爱德华六世(Edward Ⅵ)手中,国家信仰从天主教转向加尔文教,他的女儿玛丽(Mary)统治时,信仰则转向反宗教改革的天主教,她的妹妹伊丽莎白女王(Elizabeth)上台后,信仰则最终走向一种妥协。这种变换的历史引发好几百起宗教屠杀,既有新教又有天主教;但英国避免了血腥的宗教战争,这些战争在欧洲大陆持续了数十年。

到16世纪中期,教义派的观念已僵化成一种形式,它们已存在400余年。路德的助手麦兰顿(Melancthon)1530年在奥格斯堡构想出一种信仰忏悔形式,以此检验正统。1555年,在同一城市,一个赞同的附和者规定,神圣罗马帝国中每个国家的统治者可以决定他的臣民信仰路德教还是天主教:这个原则后来被称为“统治者的宗教乃人民的宗教”(*cuius regio*, *eius religio*)。加尔文的《基督宗教的制度》(1536年)为瑞士、法国以及后来苏格兰的新教提供标准。在罗马,教皇保罗三世(Paul Ⅲ)(1534—1539)推动了反宗教改革的运动,制定了一种新的耶稣宗教原则,在特兰托召开了一次教会会议,改革教会制度。这次会议谴责通过信仰本身而获得正当理由的路德派学说,以及谴责加尔文派学说认为上帝注定邪恶者下地狱先于任何罪孽。这次会议坚持认为,亚当堕落从未毁灭自由意志。它重申转世的学说以及传统的七种圣礼。到那时,特兰托公会已完成它的任务,1563年,路德寿终正寝,加尔
10 文则危在旦夕。

一幅同时代的西班牙雕版画再现特兰托公会最后一次会议。

基督教分裂是一个不必要的悲剧。神学观点使得路德和加尔文与他们的天主教对手互相对立，而这些观点已在中世纪争论过，但是没有引发宗教战争；在21世纪的天主教徒与新教徒中，如果在神学方面没有受过专业训练，很少有人认识到对立理论之间差异的真正本质，这些理论有关圣餐、善、宿命，这在16世纪引发革出教门与杀戮。当然，与教义问题相比，权威问题更容易理解但更难以裁断。但基督教界的统一在教皇服从普遍教会惯例中得到了维护，正如奥卡姆已提议的，在15世纪，这得到了践行，莫尔甚至在他生命中更 11
加灿烂时期也笃信教会的神圣制度。

逻辑学的衰落

文艺复兴与宗教改革运动相关联的结果使得16世纪哲学在大多数领域都黯淡无光。逻辑学可能是遭殃最严重的哲学分支。逻辑学的确还在大学中讲授,但是人文主义学者对它漠不关心,认为它的术语是粗疏的,复杂琐碎的。拉伯雷(Rabelais)谈到过它们,在《巨人传》(1532年)中,他嘲笑逻辑学家研究在一个真空中发出嗡嗡声的怪兽可以吞噬第二意向。斯多亚已使这门学科取得绝大多数进展,中世纪逻辑学家缺席了400年。相反,在初级水平的大众教科书中,讲授的是亚里士多德的混乱版本。

在16世纪中期,开始用英语出版这些著作。1551年,威尔逊(Thomas Wilson)的《理性原则》是出版的第一部英语著作,他将其献给爱德华六世:他是第一个使用英语词汇的逻辑学家,这些词汇如今已是普通的术语,比如“命题”。其他人则拒绝这种拉丁化的方式并竭力创作一种盎格鲁—撒克逊的专门术语。莱文(Ralphe Lever)认为逻辑学应该称为“智艺”;他想在他的教科书中解释一个冲突的命题包含两个命题时,一个是肯定的,另一个是否定的,在类似主题中,对于谓语与动词,他得出如下结论:“毋庸置疑的言论是两种言说,一个是肯定的,另一个是否定的,变化不是向前,逆流不是动词。”①

这些英语的逻辑学著作几乎没有影响。在法国,情况则完全不同:拉莫斯
12 (Pierre de la Ramée,1515—1572)获得的永久声誉远远超出他对逻辑学的实际贡献。据说他争辩亚里士多德已教授的一切东西是错误的,他因此获得硕士学位。当然,他随后出版了一部篇幅不长的反亚里士多德派的专著。在罗亚尔学院获得教授职位后,他在批评亚里士多德的二十部著作中继续坚持反对

① W. and M. Kneale, *The Development of Logic*(《逻辑学的发展》,1979),299页。

的立场。他的《辩证法》1555 年在法国出版，1556 年出版拉丁版，1574 年出版英文版，这部著作意味着它取代以往所有的逻辑学著作。他首次主张确定主导人们自然思考的原则。

他告知大家，逻辑学是教授人们如何争论得好的艺术。它分为两个部分：发明与判断，他的书专门对此探讨。他罗列“发明”的方法有九种或九个主题，人们可以找到论据来支持他想辩护的结论。它们是原因、结果、主题、附件、对立、比较、名称、区分以及定义。他阐明每个这样的主题都可以在经典作家中找到可靠的引用，这种论述几乎占他第一部小书的一半篇幅。比如，拉莫斯定义“附件”作为“附属于一个主体的附带的东西，犹如美德与堕落被看做是身体或者灵魂的附属物；简言之，所有东西都有机会附属于除本质之外的主体，因而称为附属物”。他大段引用西塞罗的一篇演讲，从而论证这一点，一开始：

> 难道不是他的头和刮掉与刮伤的眉如此干净表明他是恶毒的与狡诈的？难道他们不说或者哭诉他是一只狡猾的狐狸？（*L*,33）

尽管他公开蔑视亚里士多德，然而他列举的绝大多数的论证主题来自亚里士多德文集的不同地方，并以同样的方式定义。唯一新颖的是探讨方式，在著作最后，他称之为“自然的”论证的事例包括神谕的宣告以及法庭中人的证词。

第二部著作更加接近于逻辑学的传统主题。拉莫斯再次在陈述不同种类的分析以及不同形式的三段论的分析中受到亚里士多德的深刻影响。他主要的革新在于，论证包含恰当的术语，比如“卡瑟尔厌倦他的祖国、图纽斯不厌倦他的祖国，图纽斯因此不是卡瑟尔。”（*L*,37） 13

近代逻辑史家在拉莫斯著作中几乎找不到有价值的或者原创性的东西，在他死后很长一段时间，继续存在亚里士多德派与拉莫斯派之间的激烈争论，甚至存在于半拉莫斯主义者的诸多团体。1561 年,拉莫斯成为加尔文主义者,1572 年,在圣·巴塞洛缪节那一天,在新教徒大屠杀中被害。他作为殉教者的地位给予他著作一种声誉,他的著作永远不会获得这种名声,他的影响持续数世纪。比如,弥尔顿(John Milton)在完成《失乐园》五年之后,出版了一部拉莫斯主义的逻辑学。拉莫斯派著作的普及很久以来导致逻辑学止步不前。在模态与反实在逻辑的形式化方面,没有取得任何进展。中世纪逻辑学家沉迷其中,他们自己的许多著作也逐渐被遗忘。

怀疑论、神圣与亵渎

不只是天主教杀害异教徒。1553 年,塞尔维特(Michael Servetus),一位西班牙医生,发现肺的血液循环,因为否定耶稣的三位一体与神圣性而被烧死在加尔文的日内瓦。一个名叫卡斯泰利奥(Sebastian Castellio)的法国古典主义者在巴塞尔教书,为塞尔维特之死感到震惊,他撰写了《异教徒是否应该受到宗教迫害》(Magdeburg,1554),他在书中祈求宽恕。他的论证主要引用权威文本并诉诸基督的事例。“哦,上帝,他们生活在地球上,没有人对错误更温和,更仁慈以及更有耐心……如果他们,哦,上帝,已下令这些迫害与折磨,那么他要去与魔鬼生活在一起干什么呢?”①但在晚期的《怀疑的艺术》中,卡斯泰利奥形成更具有认识论的论证。制定宗教问题的法则时,我们应该谨慎地处理圣典阐释的难题以及基督教派系的各种观念。的确,存在某些超越怀疑的真理,比如上帝存在与善;但在论及其他宗教主题时,没有人有充分的理由为屠杀异教徒的人辩护。卡斯泰利奥的声音在那个时代是孤独的;但后来宽

① Quoted by O. Chadwick, *The Reformation*(《宗教改革》)(Harmondsworth:Penguin,1964),p. 402.

恕的支持者追认他为先驱。

某些同时代的人将他看做是宗教极端怀疑论者,并在非宗教领域里开始 14
认识到怀疑论的魅力。在16世纪中期,重新发现在中世纪彻底被遗忘的古希腊怀疑论者恩披里柯(Sextus Empiricus)的著作,这种认识得到强化,恩披里柯的怀疑论观点通过法国贵族蒙田(Michel Eyquem de Montaigne)(1533—1592)的一篇文章得到普及,这篇文章名义上是关于自然神学百年的评论,并在他父亲的要求下由他自己翻译过来。《向雷蒙·瑟·班德致歉》以清晰与机智的法文写成,成为近代怀疑论的经典之作。①

《向雷蒙·瑟·班德致歉》更多地重复古代怀疑论观点。在呈现它们之前,蒙田努力将其读者的理智谦逊导向合适的程度,人类倾向于将自身看做是创造顶峰中的存在者;但是,难道人真的高于与他们共享地球的其他动物吗?"当我与猫嬉戏时,"蒙田追问,"谁知道是否她花时间同我玩不少于我花时间与她玩呢?"(ME,2,119)

与我们相比,不同动物具有自己更加敏锐的感官;它们能靠敏锐的直觉而获得信息,而人需要费尽周折才能获得这些信息。它们与我们一样具有需要和情感,在更非凡的程度上,它们展示了人类引以为豪的同样品质与美德。蒙田搜集了大量有关忠诚与有雅量的狗以及报恩的与温顺的狮子的故事,以此对照人类的残忍与欺骗。有关野兽聪明的事例大多来自希腊与拉丁文本,比如,具有传奇色彩的会逻辑的狗,追随一种气味来到一个十字路口时,它嗅两条路,它不用进一步的嗅就立即发出一条明确的指令,并沿着第三条路前进。但蒙田也诉诸自己的经验,比如导盲犬引导盲人,他的某些动物使用工具的事例没有跳出论文的框框,由于科学进步,在如今,也讨论这些联系。

蒙田特别对鸟与鱼的迁徙本领印象尤其深刻: 15

① 蒙田的怀疑论观点将在第四章中探讨。参阅第一卷,175页。

春天来临时，我们看到燕子寻找房子的所有角落：难道它们不加判断地寻找，不加审慎地选择，在千处地点只有一处最适合它们栖息？在筑巢过程中，它们选择方形而不是圆形，钝角而不是直角来筑最好的与最漂亮的巢：难道它们没有认识到恰当的条件与结果而这样做？（ME，2，121）

蒙田让我们确信，金枪鱼不但在几何学与算术上与人有一拼，而且在天文学方面实际上超过人。几万条金枪鱼游成一个完美的立体形状。在冬至，它们停留不动，在那儿它们，直到春分才游动起来（ME，146）。

蒙田相信动物的娴熟表现证明如同我们一样，同样的思想掠过它们的脑际。一只狐狸竖起耳朵听以便在一条封冻的河流上找到一条最安全的道路。“因此，我们无疑有理由判断，同样的过程穿越它的脑际，正如同穿越我们脑际一样，进行从感觉到结论的推理：什么发出声音？运动；什么运动？是不凝固的物体；不凝固的是流动的；流动处则避让”（ME，127）。

哲学和宗教是人类首先可以炫耀自己拥有独一无二天才的两大领域。蒙田做出勇敢的尝试，描述蚂蚁的葬礼仪式以及大象的太阳崇拜证明我们崇拜能力并非独一无二。当他表明人们为他们的宗教信仰与活动几乎不感到自豪时，考虑到各种冲突的学说，以及考虑到宗教实践中通常受到贬低的本质，他更具有说服力。至于哲学，他轻而易举地指出从来没有这样一位哲学家，他的体系能经受其他哲学家的批评。像他之后的其他许多人，他推崇西塞罗（Cicero）的一句格言：“宣称任何东西如此荒谬以至于某个哲学家或者其他的哲学家从来没有谈论它，这是不可能的”（ME，211）。

蒙田在《向雷蒙·瑟·班德致歉》中贬低人性，这是米兰多拉（Pico della Mirandola）1486 年出版的《论人的尊严》的人类荣耀的反题。[①] 重新发现经典

① 参阅第二卷，109 页。

文本所产生的乐观主义与文艺复兴时期佛罗伦萨视觉艺术的繁荣，这让位给受宗教战争撕裂的法国反宗教改革运动的自然悲观主义。蒙田将欧洲国家有教养的与文明的公民缺点与最近发现的新大陆居民的淳朴与高贵相对照。 16

然而，蒙田对人类理智限度的强调并没限制他宣扬与确信天主教的真理。相反，他宣称在他哲学怀疑论中他正在追随圣保罗（St Paul）在《哥林多书》中的脚步："难道上帝没有使这个世界的智者变傻？在上帝智慧中，借助智慧世界并不了解上帝，通过愚蠢的告诫拯救他们的信仰，从而让上帝愉悦。"除引用恩披里柯的段落比如"所有是肯定的也就是没有任何东西是肯定的"之外，诸如使徒圣保罗的文本也染上蒙田研究的色彩。

为调和他的怀疑论与正统观念，蒙田强调他抨击的是人类理智的狂妄，以便通过自身努力而达到真理。但是信仰不是一种成就，它是上帝的一种自由天赋：

> 我们不是通过推理或者理解而是通过来自上帝的权威与命令皈依宗教。我们判断的弱点与它的力量相比更有益，盲目比清晰的洞见更有益。正是通过无知，而不是通过认识，我们随神性智慧变得有智慧。（ME, 166）

反宗教改革的哲学

蒙田排除理性的兴奋启示——正如逐渐被称为的"信仰主义"——在反宗教改革运动中并不典型。在回应反对路德坚持认为人类理智与意志由于亚当的罪孽而彻底堕落时，天主教的争论者趋向强调基本的宗教真理存在无助的人类理智领域之中，信仰本身需要理性的支持与辩护。

17

波佐创作的罗马圣伊纳爵教堂天庭画，描绘宗教社会创建者的荣耀。

耶稣会会士，新耶稣会成员处在反宗教改革运动的乐观主义冲击的前沿。这种法则由西班牙退伍战士罗亚纳(Ignatius Loyola)创立，1540 年，教皇保罗
18 三世认同了这个原则。除宗教命令中所有成员接受贫穷、贞洁与服从的起誓

之外,耶稣会进一步发誓对教皇不可置疑的忠诚。在世界许多地方,在教育与传教工作方面,耶稣会成员不久将自己区别开来。在欧洲,他们在反宗教改革运动中愿意冒着宗教屠杀的危险;在美国、印度与中国,与许多其他的基督教徒比如天主教徒或者新教徒相比,他们显然更加同情本土宗教。在大学里,在哲学与神学方面,他们不久就能与长期确立的宗教地位比如方济各会与多明我会展开竞争。正如他们理解它一样,他们提出了一种新的与改进的经院哲学的观念。

虽然中世纪经院主义哲学家已将他们的大学讲演建立在经典文本诸如亚里士多德著作以及朗巴德(Peter Lombard)的句子的基础之上,[①]大学里的耶稣会开始用自立的哲学与神学课程代替注释课程。到 17 世纪早期,多明我会与方济各会已采纳这种模式,与较早期所呈现的一般差别相比,这导致哲学体系与神学之间的一个更加深刻的区别。革新哲学使之成为一门独立教科书形式的运动先驱是耶稣会会士苏亚雷斯(Francisco Suarez),他的《形而上学的争辩》(1597 年)可能是第一部这样处理经院哲学的系统性著作。

苏亚雷斯 1548 年出生在格拉纳达,1564 年加入耶稣会,他的整个职业生涯是大学教授,他在西班牙的六所大学与罗马的耶稣会学院教学。他是一位虔诚与博学的人,就完全的理智能力而言,他有强有力的理由宣称他是 16 世纪最令人钦佩的哲学家。然而,在哲学史中,由于两个原因,他并没有获得与他天才相称的地位。首先,他的绝大多数著作只是中世纪主题的老调重弹与修修补补,而不是探索新领域。其次,作为一个著作家,他不但总共留下 28 卷的文集而且都是单调乏味的。就他对后世哲学的影响而言,更少的是通过这
些著作而是更多地借助模仿者产生的。 19

他确实影响的两个领域是形而上学与政治哲学。他非常推崇阿奎那,但

① 参阅第二卷,56 页。

作为形而上学家，他在阿维森纳（Avicenna）与司各脱（Duns Scotus）的思想而不是在阿奎那的思想中前行。矛盾的是，在17世纪、18世纪以及19世纪，由于托马斯主义的许多已成过去，这些逝去的思想更接近于苏亚雷斯的形而上学而不是《异教徒驳议辑要》（*Summa Contra Gentiles*）。在政治哲学中，苏亚雷斯的贡献是1621年的《法律篇》（*De Legibus*），这部著作成为更加著名的思想家的许多观念的潜在根源。在他自己的时代，关于君权神授，他与詹姆士一世（James Ⅰ）的冲突使得他最加有名，他抨击世俗君主的君权神授理论。詹姆士国王因此将他的书公开付之一炬。①

16世纪区分天主教与新教阵营的哲学观念，没有比人的自由意志更步履维艰的东西，在反对路德的决定论以及加尔文的前定论的特兰托公会中，它已经被公开地提出来。耶稣会使得他们成为解释人的自由的胜利者。苏亚雷斯及其他的耶稣会同仁莫利纳（Luis de Molina）就更具行为多样过程中的可能性而提出自由代理者的定义——“冷漠性自由”逐渐为人所知。“那种代理者称为自由的，在所有必要条件的存在中，对于行为可以行动并受到来自行为的限制，或者能做一件事情同时也能做与它相对立的事情。”

对于人认识自身的选择及其他们对其他人责任的特征，这种定义具有充足的理由。但与更严谨的自由解释相比，它使得解释人的自由行为的上帝预言变得非常困难，天主教徒与新教徒忠于这些行为。莫利纳在他著名的《肯考迪娅》（*Concordia*）（1589年）中，根据上帝综合认识每个世界中的每种可能的行为，从而详尽地解决了这个问题。② 虽然它是巧妙的，但是莫利纳的解决方式不仅在新教徒中而且在天主教的同教者中不受欢迎。

在多明我会神学家中，巴勒兹（Thomist Domingo Banez）（1528—1604）是最有名的一位，他认为耶稣会神学家正过度赞美人的自由而不尊重神力。这两

---

① 在第六章详细探讨苏亚雷斯的形而上学以及在第九章探讨他的政治理论。

② 在第九章详细探讨莫利纳的“中间认识”理论。

种宗教观点的争论如此激烈以至于1605年教皇克雷芒八世(Clement Ⅷ)也无 20
力解决这个争议问题,于是禁止双方的争论。具有讽刺意味的是,在宗教改革后的阵营中,一个莱顿的名为阿米纽斯(Arminius)的神学家阐释了诸观念,这些观念类似莫利纳的观念,即使没有后者深刻。1619年,多特的斯洛德(Synod)公开宣称它们与加尔文的正统学说势不两立。

布鲁诺

16世纪末期最具魅力的哲学家远远超出无论是天主教还是新教的正统学说的界限。布鲁诺(Giordano Bruno)(1548—1600)出生在那不勒斯附近,1565年成为一位多明我会会员。到1576年,他因为信仰异教而受到怀疑并被逐出教会。他逃亡到北部的日内瓦,但那里同样不欢迎加尔文教徒。他在法国获得较大成功,他在图卢兹与巴黎研究与讲学,一段时间里,享受着亨利三世国王的恩惠。

布鲁诺第一部重要著作《观念的阴影》将详尽的新柏拉图哲学体系与记忆术实践观念联系起来。在最低层级人的观念中,存在观念的等级秩序,而在最高层级中,在上帝心中,神的观念构成一个整体。它们自身对于我们是不能穿越的;但是它们在自然中表达出来,这是上帝的普世结果。与人间的世界意象相比,天体世界的意象更接近于上帝;因而,如果我们希望用这种方式构成我们的认识,那么我们可以从体系上回想它,我们应该在黄道十二宫的符号模式中处理我们的思想。

1583年,布鲁诺来到英国并访问牛津大学,在那里他做了许多演讲。他的停留并不成功。他并不是最后一位访问这所大学的大陆哲学家,同时发现自己格格不入,随后他认识到他的哲学主顾更感兴趣的是语言而不是观念。在更普遍的哲学关切的观念之外，他蔑视牛津的学院气息，在 1584 年的一系列对话中，以《圣灰星期三的晚餐》为开端。他似乎已写就这些，同时在伦敦作为双重代理人为法国与英国的情报部门服务。

布鲁诺的对话难读。除神秘情形之外，它们充满伟大的存在，像瓦格纳的
21 诸神与托儿肯的生命，在不确定限制的力量以及孱弱的理智动机中。虽然具有古典神性的名称，它们离荷马（Homer）与维吉尔（Vergil）相当遥远。譬如，拉丁语中的墨丘利（Mercury）不仅对应希腊的赫尔墨斯（Hermes），而且对应埃及的透特月神：他通常代表流行的赫尔墨斯教教义。依据最近发现的文献，这些可信的文献可回溯到埃及的摩西时代。用布鲁诺的观点看，赫尔墨斯主义优于基督教并注定要取代它。

在这些对话阐释的体系中，我们观察到的现象是世界心灵的结果，这种心灵使自然充满活力并使得它成为一个单一的有机体。自然界是无限的，没有边缘、表面或者限制。但是，世界的无限性不同于上帝的无限性，因为世界有诸多不是无限的部分，然而上帝在整个世界中是整体的，他的每个部分也是整体的。这种差异足以区分布鲁诺的观念与泛神论，但上帝与世界的关系仍然模糊不清。这并没有由布鲁诺令人敬畏的构型澄清，即上帝是创造自然的自然（*natura naturans*）而宇宙是自然创造的自然（*natura naturata*）。

布鲁诺体系的两个特征已引起历史学家与科学家的注意：他运用哥白尼式的假定与多元宇宙的假设。布鲁诺认同正是地球围绕太阳转，而不是太阳围绕地球转。他继续以一种大胆的与戏剧化的方式发展了哥白尼的观念。地球不是宇宙的中心，然而太阳也不是。太阳只是其他星星中的一颗，在无边的空间中有许多太阳系。太阳或星星不能看做是宇宙的中心，因为所有位置是相对的。

地球与太阳系没有任何独一无二的特权。对于我们知道的一切，在宇宙的其他时代与位置中，可能存在智慧的生命。特定的太阳系来来往往，暂时阶

段在单一无限有机体的生命中,这个有机体的灵魂是世界的灵魂。在宇宙中,每个智慧的存在是一个有意识的、邪恶的原子,在自身中映照整个创造。如果说在他对上帝与自然融合的阐释方面,布鲁诺先于斯宾诺莎,那么在他对理性原子的阐释方面,他先于莱布尼茨。

布鲁诺信奉赫尔墨斯主义以及多元宇宙的理论挑战了正统学说,这种学
说认为,上帝是耶稣独一无二的化身同时基督是确定的神启。离开英国后,他 22
作为一个路德教徒在维登堡停留一段时间,1591 年在苏黎世讲学。不明智的是,他接受威尼斯总督的邀请,1592 年,他发现自己身处当地宗教裁判所的监狱。一年后,他被转移到罗马的宗教裁判所,在一次拖延近七年的审判后,1600 年,他作为一个异教徒被烧死在鲜花广场,在这里如今屹立着他的雕像。

毫无疑问,布鲁诺著作所表现的观念是非正统的。对他审判的非同寻常的是,他在捍卫他的观念时表现得如此坚定,这让他的审判者花如此长的时间寻找他异端的罪名。但是,尽管多元宇宙的理论再次在宇宙学家中流行,然而布鲁诺被看做是科学的殉道者,这是一个错误。他的沉思不是基于观察或实验而是基于神秘的传统与一种先天的哲学化的思想。他受到谴责不是因为他维护哥白尼体系,而是因为他实践巫术并否定基督的神性。

伽利略

我们转向意大利的另一位哲学家,伽利略(Galileo Galilei),他也受到宗教裁判所的控制,而问题是非常不同的。伽利略生于比萨并在比萨大学学习,他比布鲁诺小十二岁,是一个与莎士比亚同时代的人,1589 年最终成为数学教授。1592 年他移居帕多瓦,在那里担任教授十八年,他会记得他生命的最幸福的时光。

伽利略已是一个年轻男子，他开始批评仍占主导地位的亚里士多德的物理学，而不像布鲁诺，在新柏拉图主义的形而上学的基础上，是作为观察与实验的一个结果。他在比萨的岁月出名，因为他进行的一次观察以及他可能并没有做的一次实验。他观察教堂的一个吊灯运动时，发现钟摆的时间只取决于自身的长度，不是取决于它的重量或摆动范围。他当然不会，正如传说中所言，用不同重量的球从教堂斜塔滚下证明，亚里士多德错误地认为越重的物体比轻的物体下降得越快。然而，同时代的亚里士多德反对者没有做这样一次实验，他们的结果更接近于他的预言而不是亚里士多德的：一个 100 磅球击中
23 地面几乎不快于一个 1 磅球击中地面。

正是在帕多瓦，伽利略的确通过实验证实——用球在倾斜平面上滚下——不同种类的物体，在缺少阻力的情况下，以相同的时间滚过固定的距离，同时它们以同样一致的速率加速。他的实验也意在阐明亚里士多德物理学的根本原则的错误，除非有外在运动的来源施加影响，没有任何东西会运动。相反，他坚持认为，运动的物体将持续运动，除非施加一个反作用的力，比如摩擦力。这个论题使他鄙视冲动的观念，早期的亚里士多德的批判家比如菲洛普努斯(Philoponus)已援引解释不断运动的对象。[①] 这为后来笛卡尔与牛顿提出的惯性原则做准备，任何运动对象，除非来自外在对象的作用力，将继续在一条直线上以恒定的速度运动。伽利略自己并没有发现这条原则，因为旨在解释行星的轨道，他假定惯性运动基本上是圆性的。

靠自己的努力，伽利略在力学上的贡献使他位列伟大科学家之中，他在流体静力学也有重大发现，但是，正是他的天文学研究给他带来名声与磨难。运用新发明的望远镜，他自己主要完善它，他能够观测到木星的四颗卫星，他称之为“梅迪奇星”，献给托斯卡纳的科西莫二世大公(Cosimo Ⅱ)。他发现月

① 参阅第二卷，180 页。

亮上的山脉以及太阳变化的点;正如亚里士多德认为的,这种发现表明天体不是由统一的精华结晶构成,而是由像地球一样的同种物质构成。这些发现在1610年发表在一部著作中,题为《星座信使》(*Sidereus Nuncius*)。这本著作献给科西莫公爵,他给伽利略安排了一个终身职位,作为托斯卡纳的宫廷哲学家与数学家。

不久以后,伽利略观察到行星金星经历的阶段类似月亮的阶段。这唯一能解释的是,他断定,如果金星围绕太阳而不是地球转:他在哥白尼假说之下
做出了一个有力的论证。发现在行星轨道上围绕木星旋转的行星,这个发现 24
已被当做是最具说服力的一个论据,这促使反对日心说,即月亮只能够在地球轨道上运行,如果地球本身是静止的。

伽利略最初审慎地公开发表他的天文学发现得出的结论。然而,在罗马宗教委员会正式确认他的重要观点后,他开始在范围广泛的朋友圈中宣传日心说,1613年,在一部论太阳黑子的著作的附录中,他宣称他坚持哥白尼的学说,在佛罗伦萨多明我会会士在一个戒律中("耶,伽利略派,为何凝视天堂?")谴责日心说与圣经文本冲突,比如约书亚告诉太阳停滞不前,以至于以色列人可以完全胜过费里斯提人。伽利略决定前往罗马澄清他的神学观点。

在动身之前,他写信给有影响力的枢机主教,贝拉米尔(St Robert Bellarmine),敦促神圣的作家只是运用陈词滥调谈论太阳运动而没有打算教授算术。贝拉米尔将这件事情交给宗教裁判委员会,它裁定太阳是宇宙中心,这是异教的,而地球运动的观念至少是错误的。在教皇保罗五世的指令下,贝拉米尔告诉伽利略无须坚持或维护这两种观念。如果有一个日心说的真正论据,他告诉伽利略的一个朋友,那么我们不得不重新考察看似与他冲突的圣经文本;但正如问题所呈现的,哥白尼学说只是一个未经证明的假说。的确,伽利略自己的日心说体系,虽然它更好地符合现象,几乎像他的对手地心说体系一

样复杂,需要不断地诉诸行星。① 他已发现的证据并不能证明他坚持的论点的确定性程度。

人们常常认为,在这次交流中,与同时代的最伟大的科学家相比,贝拉米尔显示出更正确地把握了科学哲学,与同时代最著名的神学家相比,伽利略显示出更合理地理解了圣经注释。这种矛盾是一致的,但这并非公平地呈现了每一方的争论观点。此外,无论案件有多少价值,其结果是,虽然伽利略的著
25 作没有受到谴责,但他接下来沉默了几十年。

1624 年,伽利略再次前往罗马,保罗五世与贝拉米尔如今已去世,一个不同的教皇加冕,乌尔班八世(Urban VIII),他作为红衣主教巴贝里尼已经表明自己是伽利略天文学发现的崇拜者。伽利略被允许撰写系统解释托勒密与哥白尼的模式,在这种情况下,他没有在偏好日心说中公正地解释它们。

1632 年,在教皇审查批准下,出版了《两个重要体系的对话》。在这本著作中,一个人物是萨尔维亚蒂(Salviati),代表哥白尼体系,另一个是西姆普林茨(Simplicius),为传统体系辩护。“西姆普林茨”是亚里士多德主义的辩护者的合适名称,虽然这曾是亚里士多德的希腊注释家的负担。然而,它也可以解释为“傻瓜”,当教皇发现他自己的言语在西姆普林茨口中说出时,他感到愤怒。他断定,与他的对手相比,伽利略已在一种更受欢迎的方式中呈现哥白尼体系,因此偏离了允许出版的轨道。1633 年,伽利略被传唤到罗马,受到宗教裁判所审判,在酷刑威胁下被迫公开放弃日心说。他被判处终身监禁,直到他 1642 年去世时才做出这个判决,在他杰出朋友的房子中服刑,并最终在佛罗伦萨外面的贝罗斯斯瓜多他自己家中服刑。

虽然被软禁,但他被允许接待来访者。其中有弥尔顿,他在《论出版自由》中记载:“我寻访到著名的伽利略,他年事已高,宗教裁判所的一个囚犯,因为

① 伽利略没有吸纳开普勒发现的行星椭圆形运行轨道观念,这需要日心说适当的简化。

在天文学中思考除方济各会与多明我会之外的人思想。”马萨诸塞英联邦的哈佛创立一所新学院，邀请他作为一位访问教授，他礼貌地回绝了。即使失明，伽利略仍继续写作《关于两种新科学的阐释与数学的证明》，以此总结他一生工作的成果，1638 年，它在莱顿出版，成为他著作中影响最广泛的著作。

与布鲁诺以及宗教裁判所的许多其他囚犯相比，伽利略受到更人性地对
待，但整个欧洲感受到他被迫害的恶果。意大利的科学研究开始衰落：“这么 26
多年来，没有写过任何东西，”弥尔顿抱怨，“除了奉承与夸夸其谈。”甚至在新教的荷兰，笛卡尔多年来遭受伽利略的命运而被禁止出版他的科学宇宙学。1992 年，教皇保罗二世（John Paul Ⅱ）为教会对伽利略的不公判决公开致歉时，这种道歉已迟到 350 年。

培根

伽利略同时代的英国人，培根（Francis Bacon），一样反感亚里士多德，但与科学方法的实践相比，他更喜欢理论。培根 1561 年出生在伦敦，在剑桥三一学院接受教育，在格雷的律师协会研究法律。1584 年他进入议会，后来成为伊丽莎白女王最喜爱的宠臣艾塞克斯伯爵（Earl of Essex）的座上客。1598 年，艾塞克斯密谋造反时，培根深陷诉讼当事人的贿赂之中。在被詹姆士一世接纳后，他成为初级律师并被授予爵士。1606 年，他出版他重要哲学著作的第一部《知识的进展》，这部著作是关于科学学科的分类体系。

培根人生生涯的顶峰是 1618 年被封为大法官，并赐予维鲁拉姆男爵的封号。他计划写作一部宏伟的著作《伟大的复兴》，它将给所有的知识划清地盘。他只完成两部分：第一部是《知识的进展》的修订版，第二部是《新工具》，这是有关科学方法的主要著作。1621 年，在议会质询中，他恳请法院控告他接受贿

培根的《知识的进展》的牛津版扉页(1640 年)。

赂，他为此名誉扫地并短期入狱。他完成其他科学与历史的著作以及诸多论文，因为这些他如今被人们铭记。1626 年他死于海格特。传说他是科学的献身者，在探索实验制冷的原因中不惜冒生命危险；据说，他死时正用寒冷的雪包上一只母鸡来观察这种寒冷能否保存肉。

“人类知识的部分”，培根在《知识的进展》的第二卷论道，“涉及人的知性的三个部分，这是知识的地盘：历史涉及记忆，诗涉及想象，哲学涉及理性”
(*AL*，177)。诗，不但包括诗而且包括散文体的小说，受到培根敷衍对待：他最 28
推崇的诗的类型是带有道德说教的故事，像伊索寓言。但是历史与哲学得到了详尽的探讨，并做出进一步细分。

历史中最重要的部分是自然史与文明史。“文明史”是我们如今称为历史的东西：培根亲自撰写亨利七世统治的历史。“自然史”是一门具有宽泛领域的学科，包含三个门类：“自然过程中的、变换或变化的自然的，以及改变的或精心改变的”历史。因而，它将包括自然科学的论著，记录非凡的奇迹以及技术的指南。培根自己对自然史的贡献包括两部编辑的研究资料，风的历史以及生死的历史。他认为，“自然变化的历史”应该包括记录有关魔法与巫术的迷信叙述，以便确定归因于迷信的诸结果多大程度上归因于自然原因。但是，第三种细分，“机械的历史”，对于自然哲学是最根本的与最有用的，根据培根的观点，它的价值尤其体现在实践的运用与效用之中。

在哲学分类中，培根首先提出的便是“神的哲学”或自然神学，据他说，它足以反驳非神学，但不足以确信宗教。他将哲学区分为自然哲学与人的哲学。自然哲学可能是思辨的或起作用的：思辨的类型包含物理学与形而上学，实用的类型包括机械学与巫术。机械学是物理学的实践应用，而巫术是形而上学的实践应用。

这种轻易的与挑衅的哲学剖析并不像它看似的那样清晰，培根赋予各种学科诸多名称并以特定方式得到使用。他告知我们，他的“自然的巫术”必定严格地与炼金术和占星术的“轻信的与迷信的自负”区别开来。在他心中,这根本不清楚:他似乎提出作为事例的东西是水手的指南针。我们可能追问,为何这是“巫术”而不是“机械学”的问题?

当我们理解物理学处理事物的动力因与物质因,而形而上学处理目的因与形式因时,一个答案暗示出本身。因此,给予船动力的帆在物理学领域中运
29 用,指引船航向的指南针则在形而上学领域发生作用。培根坦承他以一种新颖的方式使用“形而上学”。其他人称为形而上学的,他称之为“第一哲学”或“概要的哲学”:据他说,这是一种容器,因为所有普遍的法则并不排除在特定学科之外。(一个事例是“如果同样的东西附加在不同的东西上,结果将是不一样的。”他相信的一条公理既适用于法律又适用于数学。)

但基于亚里士多德四因说的物理学与形而上学之间的区分本身就是一种误导。培根对自然巫术的规划没有给目的论留下真正的地盘:据他说,“目的因研究是没有结果的,就像一个处女奉献给上帝不能产生任何东西。”当他谈论“形式”时,他没有考虑亚里士多德的实在形式——比如一头狮子或者水的形式——因为他相信这些变化多端以及太复杂而不能被发现。不研究这些,我们应该进一步寻找进入它们结构的更为单纯的形式,以字母构成词的这种方式。形而上学的任务旨在研究与单个字母相对应的更加单纯的形式:

> 研究感觉的、自由运动的、植物的、色彩的、重力的与轻率的、密度的、细微的、热与冷的以及所有其他本质与特征的形式,就像字母表并不是太多,所有生物本质(由物质维护)如今的确存在。(*AL*, 196)

与伽利略在他完成的世界之书中宣称数学图形与符号是字母表相比,培根的初级形式具有含混的特征。但是最大可能的是,他论及形式时,他考虑到暗含的物质结构,这种结构强调事物公开的现象与行为。

自然哲学就谈到这里。人的哲学，这门学科的另一个重要分支，包括两部分，一部分考虑“人分”，另一部分考虑“人合”。第一部分相当于解剖学、生理学与心理学，第二部分包括如今所谓的社会科学。培根列举的详尽细分是武断与随意的。身体科学包括医学、“美容术”、“运动”以及包括实践的笑话的“骄奢淫逸术”。灵魂本质的研究是神学的问题，但是存在人的科学，它研究心 30
灵的运用。这些分成两类，一类属于知性或理性，其功能是判断，另一类属于意志或爱好，其功能是行动或者实行。在培根最初的人类能力分类中占据特殊地位的想象力又是怎样的呢？

> 想象力在两大领域是一个代理人或信使，既司法又管理。在理性做出判断之前，感觉派遣想象，在判决能够执行之前，理性派遣想象；想象在自由运动之前：除此之外，想象力的两面神具有不同的面孔；面向理性的面孔具有真理的印记，面向行动的面孔具有善的印记。(*AL*, 217)

但想象力并不单是其他能力的仆人，培根坚持认为：它能战胜理性，这发生在宗教信仰领域。

显然，培根设想心灵作为内在社会的一种类型，具有不同的能力，这些能力在尊重力量区分的一种制度中得到合适的安排。他在考察社会科学本身时，提出另外一种三分法，联想与友谊、事业与政府一致。政治理论是公民哲学的一部分，人的哲学的分支关系到人源于社会生活的那些利益。

完成分类之后，培根可以宣称“我已规划出这如同理智世界的一个小小的地球”(*AL*, 299)。看似在他的明确分类中的各种科学根本不是处在一个类似的发展阶段上。他认为，有些已经达到完善的程度，但其他的有缺陷，某些科学几乎是不存在的。逻辑学是最有缺陷中的一门学科，逻辑学的缺陷也削弱了其他的科学。问题是逻辑学缺乏科学发现的理论。

> 如果船员使用的指南针最初没有发明，就像西印度人从来没有发现一样，虽然一个是巨大的地域，另一个是小的运动物件；如果科学没有得到深入地发现，如果发明或发现的本领被置之不理的话，不可能发现奇迹。(*AL*, 219)

培根开始弥补这种缺陷并给科学研究者提供一个指导方针。这就是《新工具》的任务。

培根将学科引入研究的策略具有消极的与积极的因素。研究者首要的、
31 消极的任务是警惕将偏见引入其研究中的那些因素。培根罗列了这些当中的四种，并称之为“诸偶像”，因为它们是盲目崇拜物，这些让我们偏离追求真理的轨道：有种族偶像、兽穴偶像、市场偶像以及剧场偶像。种族偶像在整个人类中具有地方特色，比如通过表面现象判断事物的倾向，附和流行信仰的倾向以及从人兽同型的角度理解自然的倾向。兽穴或洞穴的偶像是个性气质的特征，这些特征妨碍了客观性：比如，某些人太保守，其他人则太容易追求新奇。每个人具有“他自己的个体的某个洞穴，这中断与扭曲自然之光”。市场偶像（或者可能是“院中偶像”——*idola fori*）潜伏在我们使用的语言圈套之中，这包含无意义的、晦涩的以及错误定义的词汇。最后，剧场偶像是错误的哲学体系，这些只是舞台表演，无论是像亚里士多德“严密的”，还是像同时代的炼金术士“经验的”，或者是像将哲学与神学相混淆的新柏拉图主义者“迷信的”。

研究者的积极任务是归纳，通过特定个案的系统研究发现科学法则。如果这不是从自然不充足的标本中轻率地归纳出来，那么我们需要一个详细计划的步骤，表明我们如何逐步从特定的事例上升成为普遍的公理。培根提出了一系列详细的原则来指导这个过程：

> 假设我们具有某种现象 X，同时我们希望发现它的真正形式或解释。我

> 们必须首先做出一个存在物的表格——也就是说，我们列举项A、B、C、D……当X出现时，它们就存在。我做出一个不存在物的表格，列举项E、F、G、H……当X不出现时它们出现。再次，我们做一个程度的表格，记录J、K、L、M……当X在更大程度上出现时，它们在更大程度上出现，当X在更小程度上出现时，它们在更小程度上出现。

这只是方法上的预备步骤，当我们开始排除X的形式候选者时，真正的归纳工作才开始。为保证成功，候选者必须在存在的表格中出现的每个场合中存在，以及在缺席的表格中出现的每个场合中缺席。培根用热的事例阐明他的方法。我们列示诸事例，当热存在时（比如，太阳光线以及燧石的火星）以及 32
热不存在时（比如，在月亮以及星星的光线）的实例。既然在列举不存在的表格中，光线存在，我们能排除光线作为热的形式。经过进一步的排除之后，以及运用程度的表格（比如动物运动得越多，它们越热），培根推断热是运动的一种特殊种类（“检查扩展的运动以及通过微粒推动它的方式”）。

培根从未完成他最初在《新工具》提出的系列指导原则，不能认为他的体系只是一种“归纳逻辑”。然而，他的确确立这种重要的观点，即在确立法则过程中，反面事例比正面事例更有价值。20世纪哲学家已愿意给予他赞誉，因为他是第一个指出自然法则不能得到确定性的证实，而只能得到确定性的伪造。

培根坚持准确与重复观察的重要性与一种理解密切合作，即科学只有通过大量协作的努力才能取得进步。在《新大西岛》中，一部死后出版的未完成的残篇中，一艘船的全体船员在南洋登上一处岛屿，岛上存在一种名为所罗门宫的非凡制度。这最终成立了一个科学研究中心，在这里，科学家一起工作体现了培根的科学实用的理想，为人类的完善拓展了人类控制自然的能力。他们的项目计划研究电话、潜水艇以及飞机。研究中心负责人描述它的目的：

> 我们的根本目标就是认识因果关系、事物的神秘运动以及拓展人类帝国的界限,一直到所有可能事物的效果。(*B*,480)

所罗门宫是一种乌托邦幻想;但在真实世界中确立一个对应物,在《新大西岛》问世35年后,在下一代中,培根的同胞创建了伦敦皇家学会。

第二章

从笛卡尔到贝克莱

笛卡尔

17 世纪不像 16 世纪那样诞生许多天才的哲学家。 33
笛卡尔(René Descartes)通常被看做是现代哲学之父。他生于 1596 年,大约那时莎士比亚正在创作《哈姆雷特》,笛卡尔的出生地在托瑞勒的一个小村庄,在他去世之后,那个地方现在被称为拉—哈伊—笛卡尔。一个孱弱的孩子,在学校可以免上早操,同时养成躺在床上冥思的生活习惯。从 11 岁到 17 岁那段岁月里,他在拉弗莱什耶稣学院学习古典学与哲学。他一生都是一个天主教徒,但是他选择并生活在盛行新教的荷兰,并在那里度过了他成年的大部分时光。

1616 年,在波提尔获得法学学位后,笛卡尔有一段时间放弃了研究。在分裂欧洲的宗教战争中,他参加两边的军队。首先,他作为无偿的志愿者加入欧瑞格王子的新教军队;后来他又在巴伐利亚的马克西米兰(Maximilian of Bavaria)公爵的天主教军队中服役,那时公爵与英国詹姆士一世国王的女婿选帝侯腓特烈(Palatine Elector Frederick)作战。笛卡尔离开军队后,并没有找到一份工作。不像中世纪那些伟大的哲学家,他在传教与教书方面都是外行。他从未在大学教书,他只是像一个绅士那样独自地生活。他并不是在有学问的拉丁世界而是在友好朴素的法国完成他最著名的著作。正如他提及它,“甚至妇女”都能读懂它。

在军队服役时,笛卡尔有一种信念,即哲学是他的天职。他在1619年冬
34 天的一整天蜷缩在一个火炉旁,沉思默想。他设想独立的事业观念,人类认识的改进将显示所有学科被视为一门单一的丰富科学的诸分支。他的天职信念得到强化,当那个晚上他做了他视为预言的三个梦之后。但直到许多年后,他才确立永久从事哲学研究。

从1620年到1625年,他在德国、荷兰与意大利旅行,1625年到1627年间,他结交巴黎社会名流,冒着极大风险并陷入一桩爱情的决斗。他遗留的早期著作显示出他对力学以及数学问题的兴趣,并包括一部简短的论音乐的著作。1627年,在巴黎,他令人印象深刻地涉入一场伟大的公共演讲的讨论之中:一位在场的红衣主教劝他献身于哲学改革。

一年后,笛卡尔前往荷兰,在这里他一直生活到1649年,不久与世长辞。他选择这个国家生活是因为它的气候以及宽容的名声:他期望一种避免城市纷扰和晨访者的生活。在他二十年的旅居生活中,他居住在十三处不同的房子里,除亲近朋友之外他的地址是保密的。在新教环境中,他一直信奉天主教。

笛卡尔通过书信与文明世界保持联系。他的主要通信者是一位方济各会会士神甫麦瑟勒(Marin Mersenne),他是一个博学的国际网络的中心,麦瑟勒作为笛卡尔的文献助手,处理他的著作出版事宜以及让他熟悉最新的科学发

现。在笛卡尔十卷本著作的标准版中,他的书信占了五卷,就他思想的发展而言,这些是非常重要的源泉。

在荷兰,笛卡尔生活舒适与平静;他并非一直没有伴侣,1635 年,他有一个非婚生育的女儿,弗朗西勒(Francine),她只活了五岁。从巴黎他只带来几本书,其中有阿奎那的《神学大全》。他宣称他几乎不花时间阅读:他并不崇拜古典语言,他炫耀他在二十年中没有翻过一本经院哲学的教科书。当一位访客要求参观他的图书馆时,他指向一个半边切开的牛犊。除了从屠夫那里购买动物尸体用来解剖,他将自己的镜头放在地上以便做光学实验。他相信实验而不相信知识,与两者任何一个相比,他更相信自己的哲学反思。 35

在荷兰的最初岁月,他的著作主要是数学的与物理学的。他奠定解析几何的基础:每个学童学习的笛卡尔坐标的名称来自他小名的拉丁语形式,Cartesius。他研究折射并提出正弦法则,探讨光与视力本质的详尽理论与实验工作的结果。他也研究气象学,尝试确定彩虹的真实性质。

到 1632 年,笛卡尔有意出版一部厚重的书,它解释"光的本质,太阳以及发光的恒星,传播光的宇宙;行星、彗星以及反射光的地球;所有地面上的物体,要么是有色彩的、要么透明的、要么发光的;作为它的旁观者的人类"。它提出的这个体系是太阳中心的体系:地球是一颗围绕太阳旋转的行星。

这部著作被命名为《世界》,当正准备出版时,笛卡尔得知伽利略因为支持哥白尼体系而判刑,急于避免与教会权威产生冲突,他将这部专著撤回来。在他有生之年,它从未被出版,尽管其中的许多材料被吸收进了十二年后出版的教科书《哲学原理》中。

笛卡尔没有发表他的体系,1637 年,他决定公开"他的方法的某些范例":他的屈光学、几何学以及他的气象学。他用《论运用理性以及在科学中寻求真理的正确方式》作为它们的序言。如今只有科学史专家才阅读这三部科学专著,但《方法论》可以被称为全部哲学经典中最普及的。从重要性的角度看,它可与柏拉图的《理想国》以及康德的《纯粹理性批判》相提并论，与它们任何一部著作相比，它具有更简洁和更可读的优点。

在其他著作中，《方法论》是妙趣横生与温文尔雅的自传片段。正如以下摘录所证明的：

> 完美的感官是这个世界上最公平赐予的东西；每个人认识自身都如此美好，因为提供它，与他们所拥有的相比，那些在其他方面最难满意的人通常也不会奢望更多……
>
> 一旦我的年龄容许我逃避我的指导者的控制，我就彻底放弃学术研究，不再追求科学，除了追求我自身中或者世界上伟大著作中的东西……我花九年漫游世界，我更像一个旁观者而不是生活在喜剧中的一位演员。
>
> 在一个伟大与人口稠密的国家，极端地勤勉与更加关注他们自己的事业而不是忧虑其他人的事业，然而我并不缺乏那些最繁忙城市的任何便利，我能够过像一个独居者与退休者一样的生活，好像我生活在最偏远的荒
> 36 漠中一样。（AT VI. 2，9，31；*CSMK* I. 111，115，126）

但是《方法论》包含比笛卡尔思想自传更多的东西：它以微缩形式呈现他的哲学体系与科学方法的纲要。笛卡尔具有非凡的才能，他陈述复杂的哲学学说如此精巧以至于它们在第一次阅读中就完全可以得到理解，同时也能为最专业的哲学家提供反思的材料。他引以为豪的是他的著作可以“像小说”一样阅读。

《方法论》所揭示的以及在后来著作阐明的观念主要有两种。第一，人是思维的实体。第二，物质是运动中的广延。他根据心灵与物质二元论阐释他体系的任何东西。如果我们现在自然地想到心灵与物质作为我们生活宇宙中的两个重要的相互排除与相互彻底的区分，那么这是因为笛卡尔。

笛卡尔通过运用系统怀疑的方式得出这些结论。为防止被错误包围，哲学家必须一开始就怀疑任何可以怀疑的东西。感觉有时欺骗我们，数学家有时犯错误；我们从来不能肯定我们是清醒的还是熟睡的。相应地：

> 我决定假定进入我心灵的一切东西迄今为止与梦的幻象一样的不真实。但对于这一点，我立即认识到，当我尝试思考错误的东西时，必要的必需者是我，即正在思考这一点的人，是某人。考察这种真理“我思，故我在”是如此纯粹与可靠以至于怀疑者最过分的推测也不能推翻它，我断定我要毫不犹豫地接受它作为我正在寻找的哲学第一原理。（AT VI. 32; *CSMK* I. 127）

这就是著名的“我思，故我在”，这用来完成哲学家的第二项任务，防止系统的怀疑并避免导致怀疑论。但从这里开始，笛卡尔继续推导他的系统原理。假如我没有思考，那么我就没有理由相信我存在；因此，我是一个实体，其整个的本质是去思；肉体的存在不是我本质的一部分。这同样适用于每个其他的人。这样一来，笛卡尔确立了第一个重要的论题。 37

什么使我确信我思是正确的？只有我清楚地理解它，它才是真实的。无论任何时候我清晰明确地认识某物，我能确信它的真实。但我转向物质对象时，我发现在它们的所有特征中，唯一能清晰明确地感知的特征是形状、大小与运动。因此笛卡尔获得了第二个重要的论题，物质是运动中的广延。

但用什么保证那条原则，即我清晰明确地理解的任何东西都是真的？我只有将作为一个思考者的我的存在归因于上帝的真正本质。因而确立上帝的存在是笛卡尔体系的一个必要部分。它提供存在一个上帝的两种论证。首先，我心中具有一个完美存在的观念，这种观念不能在我之中借助本身不完美的东西产生出来。其次，旨在完美，一个存在本身必须包括一切的完美；但存在是一种完美,因此,一个完美的存在必定存在。①

像培根一样,笛卡尔将知识比作一棵树,但对他而言,这棵树的根是形而上学,它的主干是物理学,它结果实的枝是道德与实用的科学。在《方法论》之后,他自己的著作遵循如此暗示的原则。1641 年,他完成形而上学的《沉思集》,1644 年的《哲学原理》是《世界》的自然体系的简写本,1649 年的《论激情》更大程度上是一部伦理学专著。

《沉思集》包含了《方法论》中所勾勒的整个体系的解释。在出版之前,文本送到麦瑟勒那里传阅并接受许多学者与思想家的评论,获得六种反对的观点。它们与笛卡尔的答辩在 1641 年在第一版中作为长长的附录出版,这也成为历史上第一部同辈人评论的著作。反对者是一个多样的与杰出的团体:除麦瑟勒之外,他们包括一位在荷兰的学者型的邻居,一位来自巴黎的奥古斯丁派的神学家,阿劳德(Antoine Arnauld),加上原子论哲学家伽桑狄(Pierre Gassendi),以及英国唯物论者以及唯名论者霍布斯(Thomas Hobbes)。

《沉思集》出版后不断遭受批评,批评的回应不仅仅是文学的。乌特勒兹大学校长沃梯斯(Gisbert Voetius)指责笛卡尔是反神论的危险鼓吹者。莱顿大学指责他是异教徒。笛卡尔撰写了至今仍留存的两篇文章来为他的正统学说辩护;但这的确关系到诸多有影响的朋友,这些朋友使他免除被捕以及著作
38 被焚的命运。

最支持他的一位朋友是伊丽莎白公主,选帝侯腓特烈(Elector Frederick)的女儿,他曾在其麾下当过兵。从 1643 年一直到死,他与她保持通信,回答(有时不能回答)她对他著作的尖锐批评。他给她许多医学与道德上的建议,同时在她的舅舅查理一世国王被处决后安慰她。《哲学原理》正是献给她的。这部著作的第一部分概括了《沉思集》中的形而上学,余下的三部分是有关自

① 在第十章详细探讨笛卡尔的自然神学。

波希米亚的伊丽莎白公主，笛卡尔著作的一个最初读者与严厉的批评家。

然科学、运动法则的解释，以及重量、热量与光的本质的解释。太阳体系的解 39
释是伪装的太阳中心说并慎重地演进。笛卡尔解释他正在描述的不是世界如何被创造出来的，而是上帝本应创造世界，如果上帝高兴的话。

笛卡尔与伊丽莎白公主的通信促使他深入反思灵与肉的关系，以及建构一个类似古代斯多亚主义的道德体系。这些形成的反思被纳入到《灵魂的激情》中。然而，这部著作出版时，它没有献给伊丽莎白，而是献给另外一位沉浸在哲学之中的皇室贵妇，瑞典女王克里斯蒂娜（Christina）。女王印象如此深刻以至于她邀请笛卡尔做她的宫廷哲学家，派遣一位海军将领率战舰到荷兰接他。笛卡尔不愿意牺牲他的独居生活，同时这个安排是灾难性的。笛卡尔感到孤单与格格不入：他被安排创作芭蕾舞剧，不得不在早晨 5 点起床指导女王学习哲学。

笛卡尔对于自己的能力非常自信，对于他已经发现的方法更加自信。他认为，鉴于若干年的生活，鉴于充足的研究资金，他将能够解决生理学中的重要问题以及学会治疗各种疾病。在这一点上，他觉得自己是瑞典严寒冬天的牺牲品。照顾一位生病的朋友时，他得了肺炎，并死于 1650 年 2 月 11 日。有一段特别恰当的格言，笛卡尔选它作为自己的墓志铭：

> 没有任何人受到死亡的伤害，拯救他
> 他，借助一切很好地认识这个世界，
> 难道还没有学会认识他自己。

笛卡尔一个是非同寻常的与多才多艺的天才人物。他关于生理学、物理学与天文学的观点在一个世纪中被取代。与亚里士多德的体系相比，它们喜欢更简短的方式，它们面临被取代的命运。但他的代数与几何学的著作进入到数学的永久殿堂；他的哲学观念存在——无论更好还是更差——影响至深一直到今天。没有人能质疑他公开评价自己位列历史上最伟大哲学家之中的观点。

然而，我们不应该将他的一切纳入到他自己的评价之中。在《沉思集》中，
40 他坚持个人创造的体系应该提升为大众创造的体系：

> 作为一个原则，在由若干部分构成的著作中，不存在如此巨大的完美，来自各种艺术家之手的过程，如同一个人单独工作一样。与那些用若干的

手去采纳以及为其他目的使用旧墙建造的建筑物相比，我们理解通过一个建筑师规划与建造的建筑物一般说来更表面以及更好地得到安排。再有，那些古代城市最初只是市镇，在时间的推移中成为城市，但是作为一个法则拙劣地提出来，与那些有规则模式的城市相比，这些模式由一个设计者在一个满足他想法的公开规划中设计出来。（AT VI. 11；*CSMK* I. 116）

这不只是对于古典建筑而非哥特式建筑趣味的表述：正如笛卡尔继续做的，如果一个单一法则由一个单一的立法者在单一的章程中设计，那么法则会更好。同样，他认为哲学的真正体系只是单一灵魂的创造；他相信自己具有独一无二的资格作为哲学的创造者。

事实上，笛卡尔创造出一种新的、个人的哲学化的风格。中世纪哲学家已经把他们自己理解为主要参与传播知识文献；在传播过程中，他们可能做出改进，但是他们仍在传统设定的界限之内。文艺复兴哲学家已经把他们作为重新发现与重新揭示古代失去的智慧。笛卡尔的确是从古代以来第一个将自己看做为一个彻底革新者的哲学家；的确他第一次有资格宣称关于人与宇宙的真理。笛卡尔走过之处，其他的继续追随：洛克、休谟与康德都提出了他们自己的哲学作为新的创造，第一次在合理的科学原理上建构自己的体系。"读我的著作，抛弃我的前辈"成为17与18世纪思想家与著作家的永恒主题。

在中世纪哲学家中，像阿奎那、司各脱、奥卡姆，一个学生必须仔细阅读文本才能认识到正在向前的革新程度：新酒总是如此仔细地注入旧瓶里。对于笛卡尔及其追随者而言，困难是相反的：一个人必须从文本之外认识到，作为原创洞见所呈现的许多事实上在更早的作者中得到陈述。无须怀疑笛卡尔重复的观点的真诚性，这些观点不能归功于他的经院哲学的前辈。他不是一个夸夸其谈者，但他没有认识到在他成长的理智环境中获取多少营养。

41 笛卡尔尝试怀疑一切时,他不能怀疑的唯一东西是他在独自沉思中运用术语的意义。假如他这样做,那么他将不得不认识到甚至我们在独白中使用的术语要从社会生活中推测它们的意义,因此,事实上,在个人的单独观念中创建他的哲学是不可能的。再次,笛卡尔认为提出问题的命题是不可能的,即他是由自然之光教授的——清晰明确的认识构成他建构体系的基石。但事实上,正如我们在以后的章中详细阐明的,当他频繁告诉我们在我们心灵中某些东西是由自然之光教授的时,那么他形成了他曾在拉弗莱什汲取的耶稣会的学说。

毫无疑问,从笛卡尔的时代一直到现在,他的影响巨大。但他与近代哲学的关系并不是父亲与儿子的关系,也不是建筑师与宫殿的关系,也不是规划者与城市的关系。毋宁说,在哲学史中,他的地位像一个沙漏的中间凹入部分的位置。正如在这样一个沙漏的上半部分的沙子落到下面部分,沙子只有通过二者之间的那条细小通道。因此观念在中世纪有它们的起源,这些观念通过狭窄的过滤器抵达近代世界:笛卡尔,这位难以抗拒的天才。

霍布斯

1641 年,在那些受邀评论笛卡尔《沉思集》的人中,霍布斯(Thomas Hobbes)是最杰出的一个,他是那个时代英国著名的哲学家。在那时,霍布斯刚好 53 岁,他出生于 1588 年,正是西班牙无敌舰队出现的那年。他在牛津接受了良好的教育,并曾作为卡维尔家庭的教师,还做过培根的一个助手。1629 年,他翻译出版了修昔底德(Thucydides)的《伯罗奔尼撒战争史》英文版。在 1630 年代,他在出访巴黎期间,结识了笛卡尔的方济各会朋友麦瑟勒,霍布斯将他描述为"在哲学所有门类中的一个杰出的阐释者"。1640 年,他出版了一部英文著作《法、自然与政治的原理》。这部著作在本质上包含他的人性与社会哲学的原则。同年，他流亡到巴黎，他参加了内战，这实际上是由长期国会预示的。他在巴黎待了十多年，在相当长的时间里，成为流放的皇位继承人的私人教师，未来的查理二世国王。1642 年，他在《法的基础》中阐释许多观念，其拉丁语版本的名称是《论公民》(*De Cive*)，在法国，这部著作确立了他的声誉。

霍布斯对笛卡尔的评论表明他几乎没有理解《沉思集》，两位思想家已在 42
传统上被看做是哲学对立的两极。事实上，在若干方面他们彼此类似。比如，两人都是因为数学激情被点燃。霍布斯的最生动的传记家、闲谈者奥布瑞(John Aubrey)描写了霍布斯初遇几何学的情形：

> 在他研究几何学之前，他四十岁；这事偶然发生。在一个贵族图书馆中，翻开欧几里得的《几何原本》，这是第 47 个基础，他在第一卷读到这个命题。"通过G—"他说，"这是不可能的！"因此，他读这个命题的论证，这让他重新推回到这样一个命题；他读到的命题。*Et sic deinceps*［诸如此类］，他最终在论证中确信这个真理。这让他喜欢上了几何学。(Aubrey 1975:158)

然而，霍布斯并没有理解笛卡尔解析几何的重要价值，他认为这是"浅尝辄止"。霍布斯甚至更不理解他的哲学，特别是他的物理学或自然哲学。"霍布斯先生不愿意说，"奥布瑞告诉我们，"笛卡尔让他自己全部沉浸在几何学，他已是世界上最好的几何学家，但是他的思想还没有献给哲学。"在这里这是一个反讽，在晚年生活中，霍布斯沉浸在几何学的严肃研究中，在化圆为方的一种无效尝试中，他浪费了许多年与牛津大学的数学教授们争论。

笛卡尔与霍布斯有许多共同点。他们轻视亚里士多德以及在大学中的亚里士多德研究机构。两人都是孤独的思想家，他们在流亡中度过他们生命中的重要时期——每人在一段时期为放逐的斯图亚特宫廷做事。他们两人只有适中的图书馆，蔑视书本知识。霍布斯谈到，靠阅读的那些人"花时间在书中展翅飞翔;如同鸟儿进入烟囱,发现它们困在一座房子之中,在一扇玻璃窗户的错误光线中飞翔,因为明智的想法考虑到它们进来的方式”(*L*, 24)。霍布斯像笛卡尔一样是一位方言散文的大师,既为大众阅读又为知识界写作。

43 两人之间的最重要的哲学共识是每人都确信物质世界应该借助运动来解释。霍布斯写到,“普遍事物的原因(那些至少有某种原因)自身是自明的,或者(正如它们通常所言)是为自然所知的;因此它们不需要任何方法;因为它们除了一个普遍原因,具有一切,那个原因就是运动,”(*De Corpore* VI. 5)。像笛卡尔一样,霍布斯否定次要特征的客观现实性,比如颜色、声音以及温度,甚至所有真正的事件。“我们的感官使我们认识到任何事件或特征存在世界之中,它们不是在那儿,只是类似物和幽灵。与我们无关的世界上的真正东西是那些运动,这些类似物让那些运动产生”(*Elements of Law* I. 10)。像笛卡尔一样,霍布斯将光学看做是理解感觉真正本质的一把钥匙。

然而,霍布斯走进笛卡尔哲学的一半时,即笛卡尔的物质哲学,他强烈地反对另外一半,即笛卡尔的心灵哲学。他的确在某种意义上否定心灵的存在,笛卡尔正是在这种意义上理解它的。对霍布斯而言,不存在没有肉体的、没有广延的以及不运动的实体这样一种东西。没有任何无形质的精神、人的、天使的或神的。他认为,“无物质的实体”的表述就像“圆的四边形”一样的荒唐。霍布斯的唯物论涉及对上帝存在的否定,还是暗示上帝是某种无限以及不可见的肉体,历史学家对此意见并不一致。不一样的是他是一个无神论者;但他当然否定人的心灵与物质的二元论。

霍布斯凭借唯物论作为笛卡尔的一位重要反对者而确立他的声誉,尽管他们拥有许多同样的观点与偏见。但除唯物论与二元论的形而上学的对比之外,哲学史家通常将两人看做是相对立的认识论派别的奠基人:英国经验主义与大陆理性主义。在第四章,我将探讨这两派之间的差异并不像它表面上看似的那么大。

44

《利维坦》初版扉页，可能是由霍布斯自己设计的。君主身体构成他的那些主题，君主具有世俗的与宗教的权力，由剑与权杖再现。

霍布斯与笛卡尔共同生活近三十年,但笛卡尔在1650年去世后,他没有在法国居住多久。他在巴黎的新教氛围中郁郁寡欢:他曾抵制麦瑟勒尝试让他皈依天主教,在遭受一场有生命危险的疾病时,他坚持按照安格里肯的仪式
45 来接受圣事。在巴黎的最后岁月中,他完成了让他不朽的著作《利维坦》(或教会和公民国家的内容、形式和权力)。

从这种假设开始,即在自然状态中,在任何共和国之外,除所有人反对一切人的纯粹战争之外,不存在任何东西,霍布斯认为理性的自我利益原则会促使人放弃某些他们不受限制的自由以回报其他人同样的特权。这些原则使得他们转移他们的权利,获取自我保护,并引向一种核心的能力,这种能力可以通过惩罚来强化法则。每个人与每个人之间的协议确立一种超级政府,他自己不是这个协议的一个政党,因此不能破坏它。这样一个君主是法律与财产权的根源,这是他的强化功能,不是构成国家的最初契约,而是他的臣民彼此作用的个人协议。①

《利维坦》1651年在伦敦出版。尽管它雄辩地演示了绝对君权的案例,当复制本横渡英吉利海峡被带来时,查理二世国王的随从并没有很好地理解他的著作。受到宫廷驱逐与他最好的天主教朋友死亡的威胁,霍布斯决定回到英国,自查理一世被处决以来,英国是一个护国主治下的共和国。

在护国主统治期间,霍布斯平静地生活在伦敦,不再撰写政治哲学。他出版他的自然哲学,书名为《论物体》,1655年出版了拉丁文版,1656年出版了英文版。他卷入与德里的普若哈尔主教(Bramhall of Derry)的论战,争论弥尔顿告诉我们《失乐园》的魔鬼。“节俭、先知、意志与命运,宿命是自由意志,先知是绝对的”。这种争论没有定论,犹如魔鬼的争论“当迷失在圆形的迷宫中,谁也不会找到任何出路”。1658年,他出版了一部拉丁文著作《论人》(*De Ho-*

① 在第九章中探讨霍布斯的政治哲学。

mine)，像早期的《论物体》一样为国际的读者呈现了《法的基础》中的许多观念。

1660 年，查理二世恢复王位，霍布斯受到他的恩宠，获得新职。他得到一份养老金并受到宫廷的欢迎，虽然受到朝臣的嘲讽。“那头惹事的熊来了。”有人报告国王，讲述看到他的情形；据说他能给予像他在机智与古怪方面获得的那样好。然而，《利维坦》仍然是一个怀疑对象。“有一份报道，”奥布瑞告诉我们，“在议会中，在国王死后不久，一些主教发起一个运动让这位善良的老贵族因一种异端邪说而被烧死。” 46

从 1660 年一直到死，他主要住在伦敦、查茨沃斯与哈德威尔的德文郡伯爵的房子里。他不再研究哲学，而是翻译《伊利亚特》和《奥德赛》，撰写一部名为《狴希莫司》(*Behemoth*)的国内战争史，在国王的要求下，他没有出版。1679 年 11 月，他死于哈德威尔庄园，享年九十一岁，尽管患帕金森综合征，临终时还精力充沛。他将他精力充沛的老年归因于三样东西：一直到 75 岁的有规律的网球运动，从 60 岁开始戒酒，以及唱歌中不断锻炼嗓音。“在晚上，”奥布瑞告诉我们，“他睡觉时，把门关得严严实实，确信无人能听到他的声音，他大声歌唱(他并不是没有一副好的嗓子)只是为健康：他的确相信这对他的肺有益并有助于延年益寿。”

霍布斯在哲学史中的声誉主要归因于他对政治哲学的贡献。然而，他自己更青睐他的语言哲学。他认为，与文字的发明相比，印刷术的发明不是一个伟大的事件，与语言的发明相比，它不是重要的，语言的发明让我们与野兽区分开来，使我们能够追求科学。如果没有语言，那么“在人类之中，既没有共和国，也没有社会，没有契约，没有和平，只是生活在狮子、熊与狼之中”(*L*,20)。

语言的目的旨在将我们思想的东西转变成语言的东西。它有四种用途：

首先，记录，根据计划我们理解任何现在或者过去事物的原因；我们理解现在或过去事物的东西可能产生或影响：总而言之，获得技巧。其次，向其他人呈现我们获得的知识;劝告或教导其他人。第三,让其他人理解我们的意愿与目的,我们可能获得彼此的帮助。第四,愉悦我们自己以及其他人,通过单纯地运用我们的语言,为愉悦或者修饰。(*L*,21)

与语言的四种用途相对应,存在语言的四种滥用,需要竭力避免这些滥用:"因
47 为语言是智者的柜台,它们的确也是由他们推断;但它们是蠢人的钞票"(*L*,21)。

霍布斯是一位彻底的唯名论者:所有语言是名称,名称只指涉个体。名称可能是恰当的,比如"彼得",或是平常的,比如"马";它们也可能是抽象的,比如"生活"或"长度"。它们甚至是描述(霍布斯称为"累赘的说法"),比如"他写伊利亚特"。但一个名称无论采取何种形式,它从来不指称任何东西,除一个或更多的个体之外。普遍的名称像"人"与"树"并没有指称世界上任何普遍的事物或心灵的任何观念,但指称许多个体,"在术语普遍除名称之外,不存在任何东西;因为指称的事物正是它们中的每一个,个体的以及单个的"。

对霍布斯而言,名称组合在一起构成句子。如果我们说"苏格拉底是正义的",术语"正义"与人"苏格拉底"之间的语法关系正如术语"苏格拉底"的关系:两者是名称,句子中的谓语暗示正如主语以同样的方式进行。"一个人是一个活的生物"是真的,因为"活的生物"是一切事物的名称,这由"人"暗示出来。"每个人是正义的"是错误的,因为"正义"不是每个人的名称,人类中更大的部分配享"不正义"的名称(*L*. 23; *G*,38)。

两个名称理论是语言学的幼稚部分,这经受不住严谨的逻辑批评,正如它在中世纪曾遭受的批评以及它将在19世纪在弗雷格著作中受到批判一样。与它重要的中世纪支持者奥卡姆的理论相比,霍布斯的理论版本是相当粗糙的。[①] 然而,在英国经验论者当中,它依然有影响力,他们中的许多人被视为奥

① 参阅第二卷,127-128页。

卡姆与霍布斯传统的继承者。

剑桥柏拉图主义者

在 17 世纪中期,六位英国哲学家组成的团体占据一席之地,并同霍布斯与笛卡尔展开争论。他们中的五人,其中最重要的人物卡德沃斯(Ralph Cudworth)(1617—1688),都是伊曼努尔学院的大学生,其中的一个,摩尔(Henry More)(1614—1687)是剑桥基督学院的大学生,卡德沃斯在这里做了三十年的 48
院长。他们都崇拜柏拉图、普诺提诺以及在早期基督教教父中的他们的追随者。因此,这个团体通常被称为“剑桥柏拉图主义者”。

尽管他们属于剑桥派,然而这个团体的成员敌视清教主义,清教主义在国内战争中盛行于城市与大学之中。他们拒绝加尔文教的前定学说,肯定人的自由,劝诫宗教宽容的价值。然而,他们的宽容没有延伸到无神论者,他们反对的焦点是霍布斯,他们认为他的唯物论等同于无神论。在查理一世统治时期,清教徒反对英国圣公会的等级制,这种制度通过国王的保证与实施得到延续。对剑桥柏拉图主义者而言,政治口号“没有主教,就没有国王”有一个哲学上的对应物:“没有精神,就没有上帝”,一个人不能同时是一个唯物论者与有神论者。

在这一点上,剑桥柏拉图主义者反对霍布斯而站在笛卡尔一边,强调心灵与物质的区分。在这些哲学论著中,他们致力于证明人的灵魂不朽以及精神的上帝存在,比如,摩尔的《反对无神论的解药》与《灵魂的不朽》,以及卡德沃斯的《宇宙的理智体系》。对摩尔而言,一个人是“具有感性与理性的创造精神,以及安排陆上生物成为人形的一种力量”。① 与笛卡尔一样,卡德沃斯论证上帝存在可以由我们心中的上帝观念的存在证明:“要是没有上帝,一种绝对的与无限完美的存在观念从来不会创造或者捏造出来,既不由政治家,又不由诗人,也不由哲学家以及也不由任何其他人。”上帝的观念是一个固有的观念,“因此,它必定需要某种实在或者其他的,要么一种实际的要么一种可能的实在;但上帝,如果它不是实在的,他就不可能存在,因此,他的确事实上存在。”②

像笛卡尔一样,剑桥柏拉图主义者相信天赋观念:心灵不是一张感觉书写的空白页,而是一本合上的书,只有感觉才能打开它。摩尔说,天赋观念出现在我们心灵之中,当他睡在草地上时,如同韵律出现在音乐家的心灵中一样
49 (*Antidote*,17)。与人明显相关的天赋观念是根本的与不可否认的道德原则,在1668年的一本手册中,摩尔准备至少列举二十三条。卡德沃斯坚持认为,霍布斯非常错误地认为正义与非正义是作为一种单纯的人的协议的结果。个体的人决不能把赋予生与死的力量置于君权之上,而他们自己并不拥有这种权力。

剑桥柏拉图主义者准备解释基本伦理原则的基础时,他们部分地与笛卡尔相伴。卡德沃斯抱怨,认为道德的与其他的永恒真理取决于上帝的全能意志以及因此在原则上是变化的,这是非常错误的。“生命的美德与荣耀,”1647年,他在议会下院的一次演讲中说道,“因此不是善的,因为上帝爱它们,将让它们这样解释;相反地,上帝因此爱它们,因为它们本身就是善的。”③

柏拉图主义者开始考虑解释物质世界时,他们与笛卡尔的分歧更加严重。他们不是反对科学的新发展——卡德沃斯和摩尔是皇家学会的成员——但他

---

① *The Immorality of Soul*(《灵魂不朽》)(1659), bk 1, ch. 8.

② *The True Intellectual System of the Universe*(《宇宙的真正理智体系》)(1678), II. 537, III. 49–50.

③ Quoted in C. Taliaferro, *Evidence and Faith*(《证词与信仰》)(Cambridge: Cambridge University Press, 2005),11.

们否认根据物质与运动现象能够得到机械的解释。不像笛卡尔,他们相信动物有意识和敏感的灵魂;他们相信,甚至一个重物落下也需要通过一种非物质原则的活动来解释。这并不意味着上帝直接做一切事情,好像这是用他自己的手,相反,他确信物质世界是一个中介,"一种可塑的自然"类似一个世界的灵魂,它有规则地与有目的地活动。像笛卡尔一样,反对目的论的那些人是纯粹的"机械的有神论者",并不比唯物论者霍布斯好多少。

洛克

霍布斯是近代经验论的开创者,但是,一个更文雅的实践者洛克(Locke)
使他的名声黯然失色。洛克1632年出生于萨默塞特郡,一个在国会骑兵队作 50
战的低等贵族的儿子,他在威斯敏斯特学院接受教育,不但学习希腊文与拉丁文,而且学习希伯来文,并继续在牛津的基督教会作为一位闭门的研究者,并于1658年获得硕士学位。1660年查理二世重回王位时,他撰写若干拉丁文小册子,为圣公会正统辩护,他在大学里教希腊文,并成为一位学院导师,管理大量的学院部门。他感兴趣的是化学与生理学,花了七年时间学习以取得行医资格。

1667年,他离开牛津成为物理学家和库珀(Anthony Ashley Cooper)的政治幕僚,一位查理二世的内阁大臣,后来成为夏夫兹伯里伯爵。到达伦敦后不久,他写了一部简短的《论宽容》,主张消除除罗马天主教之外的所有教义的限制,这与他早期的宗教论文相冲突。1676到1678年间,他在法国度过,会见了笛卡尔的许多追随者并对他的哲学做过严谨的研究。

查理二世的权力得到加强,但他并不受欢迎,特别在他的弟弟与继承人约克公爵詹姆士皈依天主教之后。1679年,新教的不满达到顶点。许多天主教徒受到审判与执行死刑,因为有组织的阴谋,在一次策划谋杀国王的未遂计划中,将他弟弟推向王位。夏夫兹伯里(Shaftesbury)成为辉格党的领袖,该党寻求排除詹姆士的继承权;当查理在1681年解散国会时,他尝试通过《排外法案》遭受失败,1682年,因为牵连一桩反皇室兄弟的阴谋,夏夫兹伯里被迫流亡荷兰,1683年死在那里。

洛克非常同情夏夫兹伯里的理想,发现有必要加入流亡,在查理二世国王统治的末期以及他的弟弟詹姆士二世短暂统治期间(1685—1688),托利党重新上台后。在天主教阴谋与排外危机的时代,他已完成《政府论两篇》。在第一部分中,他致命地攻击菲尔默(Robert Filmer)的一部著作,旨在为国王的神圣权力辩护。在第二部分中,他解释自然的状态——比霍布斯的更加乐观——论证一份社会契约创造政府与共和国旨在保护个人的财产权。他推论如果一个政府采取独裁,或者如果政府的一支篡夺另外一支的权力。解散政
51 府与起义是合法的。①

在荷兰时,洛克构想了他最伟大的哲学著作的结构,即《人类理解论》,这部著作的笔记可回溯到他在伦敦的早期岁月,但直到1690年《人类理解论》才出版,在洛克的有生之年,它修订了四版。

《人类理解论》有四卷。第一卷也是最短的,题为《论内在观念》,认为在我们心灵中不存在内在原则,无论是思辨的还是实践的。所有观念要么直接地要么借助联系或反思从经验中推导出来。甚至就先天学科比如几何学而言,我们运用的观念也不是内在的。第二卷的三十三章彻底探讨了观念。“观念”是包含一切的术语,洛克运用它来凸显我们的心灵技巧与我们心灵的特征。

① 第九章详细探讨洛克的政治哲学。

> 每个人认识自身，他所想的，他的心灵用来思考他所想的，在那里存在这些观念，过去质疑人们在心灵中有若干的观念，比如由术语表达的那些观念，比如白、硬度、甜蜜、思、运动、人、大象、军队、醉酒等等。(*E*, 104)

洛克以各种方式区分观念:存在单纯与复杂的观念;存在清晰与明确的以及模糊与混乱的观念;存在感觉的与反思的观念。在处理单纯观念时，洛克将在物体中发现的这些特征区分成两类范畴，主要的特征比如凝固、运动与形状，这些特征在物体中是“我们是否认识它们”，次要的特征比如色彩，这些“在对象本身中是虚无，但是通过它们主要的特征在我们之中产生各种感觉的能力”。在反思的观念当中，首要与最重要的是感知的观念，因为心灵对于观念的首要作用。感知是一种纯粹消极的经验，每个人在他自身中通过观看认识它是什么。感知的消极经验是洛克创建其哲学的基本原则。

《人类理解论》的第二卷呈现一种心灵与意志的经验主义哲学，但这包含更多别的东西:比如，对时间、空间与数的反思，以及一系列的人的激情。它处理因果的与其他的关系，以及它包含一种详尽与非常有影响的个体同一性本 52
质的讨论。

虽然洛克相信我们能够认识我们自身中无益的单纯观念，相信如果我们不能认识它们，没有任何的语言将帮助我们实现这种认识，他在实践中分辨出这种观念，他借助表现它们的语言谈论这种观念。他承认“我们的抽象观念与普遍言语具有一种彼此固定的关系，他承认清晰与明确地谈论我们的认识是不可能的，这种认识皆存在诸命题之中，最初没有考虑到自然，语言的运用与涵义”(*E*,401)。

第三卷关注这个主题。这部著作最著名的部分探讨抽象观念与实体理论。洛克认为，心灵在自然对象中认识到类似，并在普遍抽象观念之下对它们分类，心灵给它们附上普遍的名称。他告诉我们，这些普遍观念具有不同寻常的特征:一个三角形的普遍观念,比如,“必定既不是斜的又不是长方形的,既不是等边三角形又不是不等边三角形,一切与任何这样的时刻不会存在”。世界中的实体具有各种特征与能力,我们运用这些,当我们确定不同种类的事物时;但我们给予它们的定义没有揭示出它们真正的本质,只揭示出一种“名义的本质”。一般说来,对于实体,我们具有的唯一观念是我们在固有的特征中“没有认识到什么的某种东西”。

认识论的考察彻底贯穿在《人类理解论》之中,但第四卷正式献给认识的主题。因为我们对事物的真正本质一无所知,对于自然界中的项,我们不能有真正的科学,只有可能的信仰。我们能真正认识我们自身的存在与上帝的存在;假如我们保持在实际感觉的界限之内,我们能认识其他事物的存在。与我们对它所拥有的证据相比,爱真理应该避免我们对任何的命题抱有更大的自信:“无论谁超越认同的度,明显地,在真理之爱中得不到真理,不是为真理的目的而爱真理,而是为与目的相伴的其他而爱真理”(*E*, 697)。

在他流亡期间,大概在1685年,国王路易十四废除了《南特法令》,迄今为止已宽容法国的新教徒,洛克发表了一封论宽容的拉丁文书信,向欧洲的读者发起倡议,它被一种广泛的教义信仰的基督徒接受,正如他早期对英国读者所
53 做的那样。1688年,“光荣革命”将詹姆士二世赶下台,荷兰新教的威廉取代了他,英国君主统治被置于一个新的法律基础,即《权利法案》以及权力得到加强的议会。如今洛克可以自由地回国与出版迄今为止因太危险而不能出版的著作。在1689与1690年,《政府论两篇》问世,《人类理解论》第一版面世,以及发表论宽容的英文书信。为回应洛克发表的两篇进一步论宽容的书信的矛盾,在1692年发表了第三封信。

1684年,洛克被查理二世剥夺了基督学院中的助学金,在流亡归来后,他在伦敦度过了许多时光。他在政府部门担任很多职位,最有名的是作为贸易

部的专员。他抽出时间完成《教育的思考》(1693),两篇论货币本质的论文(1691与1695),以及《基督教的合理性》(1695)。洛克认为基督教合理的形式是一种非常自由的形式,他不得不为他自己辩护,他在两卷《澄清》中反对保守的批评家。在1696到1698年之间,他介入了一场与伍斯特的斯蒂里菲特主教的争论,主教认为《人类理解论》对于宗教慰藉过于理性。这些争论著作的大多数以匿名方式出版;在洛克的重要著作中,只有《人类理解论》在有生之年中署他自己的名出版。

从1691年起,洛克在奥茨有人为他提供住处,即爵士玛瑟姆(Francis Masham)在艾塞克斯的住所,他迎娶了丹玛瑞斯(Damaris),剑桥柏拉图主义者卡德沃斯的女儿。随着岁月的流逝,洛克在奥茨度过了更多的时光,从1700年一直到1704年去世,这就是他的家。他在写作一部虔诚批判圣保罗《使徒书》的评论中,度过他一生中的最后岁月,有时因疾病不能写作。他死于1704年12月28日,当时玛瑟姆夫人正在给他朗读《诗篇》。

帕斯卡尔

霍布斯与洛克把他们自己视为笛卡尔的对手,一个在他有生之年,一个在他死后。事实上,正如我尽力在前面以及在后面的章中所呈现的,他们两人分享笛卡尔许多的基本假设。笛卡尔之后一代的法国哲学家同样如此,无论他们作为他著作的批评家呈现他们自己或是他著作的继承者呈现他们自己。前一个团体中最杰出的是帕斯卡尔(Blaise Pascal);后一个团体中最杰出的是马勒伯朗士(Nicholas Malebranche)。

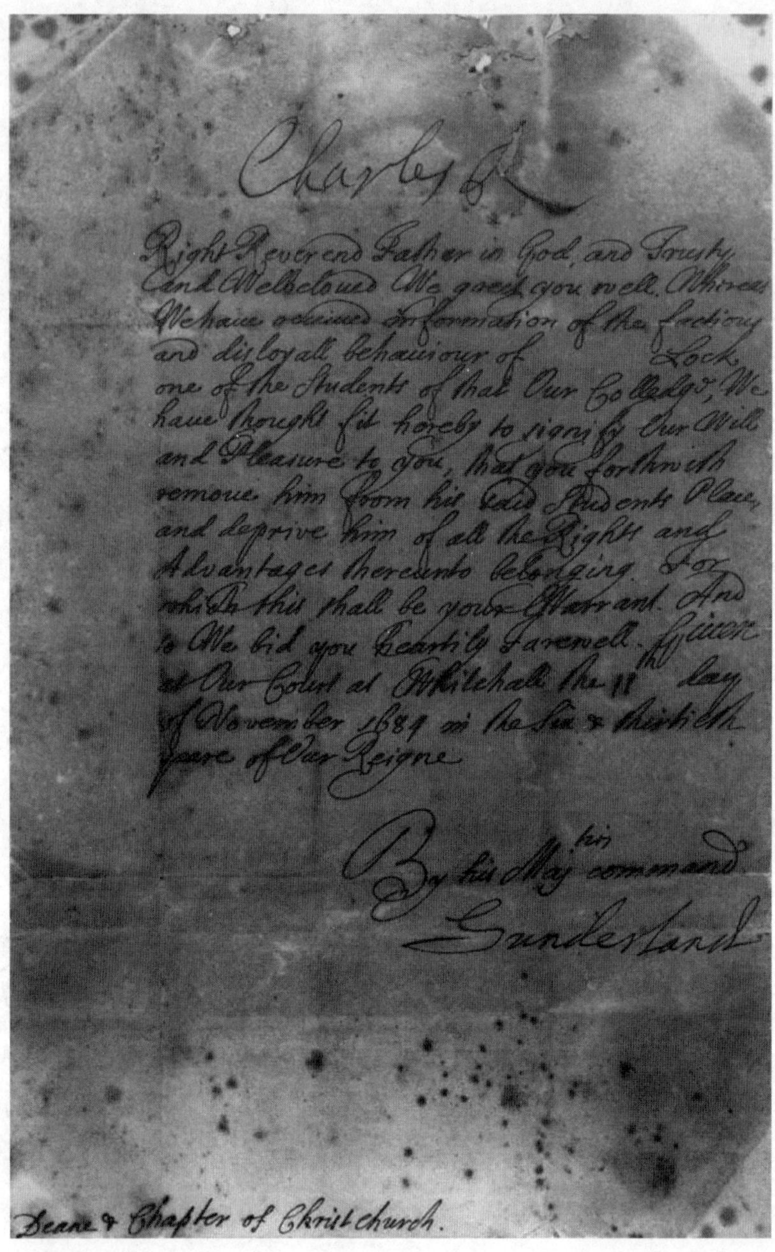

Charles R.

Right Reverend Father in God, and Trusty
and Welbeloved We greet you well. Whereas
We have received Information of the factious
and disloyall behaviour of Lock
one of the Students of that Our Colledge; We
have thought fit hereby to signify Our Will
and Pleasure to you, that you forthwith
remove him from his said Students Place
and deprive him of all the Rights and
Advantages thereunto belonging. For
which this shall be your Warrant. And
so We bid you heartily Farewell. Given
at Our Court at Whitehall the 11th day
of November 1684 in the Six & thirtieth
yeare of Our Reigne

By his Majties command
Sunderland

Deane & Chapter of Christchurch.

国王查理二世下令基督教会院长剥夺洛克的助学金。

帕斯卡尔生于1632年，是奥弗涅皇室官员的儿子。一个早熟的孩童，在 55
家中接受教育，他十六岁时已经公开发表论圆锥分割的几何学论文，他发明初步的计算器用来帮助他父亲核定税收。他创造性地做了一系列实验，这些实验证明一种真空在经验上的可能性，笛卡尔曾先天地否定它。在帕斯卡尔以后的生涯中，他在数学的可能性研究进展中起到重要的作用，以及他可以被称为是博弈理论的奠基人之一。

在他自己心中，他的数学与物理学著作逐渐成为第二位的东西。1654年，他经历了一次宗教体验，这指引他献身神学。他与一个禁欲主义者团体有着密切的联系，这个团体以罗亚尔港女修道院为中心，1652年，他的姐姐杰克莱恩(Jacqueline)在这里成为修女。团体的成员被称为“詹森主义者”，因为他们敬仰并纪念荷兰主教詹森(Jansenius)，他撰写了论圣奥古斯丁的著名著作，这部著作为天主教的一种悲观的与严格的观念辩护。詹森主义者强调堕落人性的败坏，坚持认为只有通过人类中的少数人才有拯救的希望。在我们目前状态下，某些神圣的命令不可能让人类服从，甚至对于世界中最好的意愿。对于自由意志几乎没有地盘：一方面，原罪是不可避免的，另一方面，恩典是无法抗拒的。

1653年，这种教义受到教皇英诺森十世的谴责，但詹森主义者经过长期论战，他们对帕斯卡尔的影响仍然深远。与他们贬低堕落人性的力量一致，帕斯卡尔怀疑哲学的力量，尤其关于上帝的认识。“哲学化的真正方式，”他写道，“对哲学没有机会。”正如对笛卡尔而言，他是“无用的与不确定的”(*P*，445，671)。因为詹森主义者不看重意志自由，他们不断地与主要的天主教拥护者耶稣会会士论战。帕斯卡尔通过撰写《外省人的信》加入战斗，在其中他攻击
耶稣会会士的道德神学，如同对罪人的过度宽容与放纵。[①] 当他1662年去世 56

① 在第十章阐释《外省人的信》的道德哲学。

时，一篇论文被发现缝在他的衣服里，上面有这些言语，“亚伯拉罕的上帝，伊萨克的上帝，雅各布的上帝，没有哲学家与学者的上帝”。

帕斯卡尔死后留下了一系列简短的笔记，这些笔记在1670年作为《思想录》(thoughts)出版。他是创造格言的人，他所说的许多格言成为熟知的引用：“无限空间的永恒静默震撼我”；“要是克娄巴特拉的鼻子变得更短一些，世界的整个面孔将不会改变”，“我孤独地死去”。最引人注目的一段是这样的：

> 人是唯一的一根芦苇，自然中最脆弱的东西；但他是一根思想的芦苇。毁灭他并不需要整个宇宙的武器：一缕风，一滴水足以杀死他。但如果宇宙毁灭他，人依然比他的杀手高贵。因为他知道他生命垂危，知道宇宙有一个更好的他。但宇宙对此一无所知。(*P*, 231)

许多笔记计划成为基督教忏悔的部分，以及改变不信仰者与改革信仰者。然而，这个目标从未实现，在学者中，对于打算采取的形式，任何一致都没有达到，然而，两个主题在遗留的残篇中出现：没有上帝的人的痛苦与宗教生活允诺的幸福：

> 我们的悲惨状况因为怀疑论与唯理论之间的哲学辩论变得清晰。怀疑论者是正确的，我们甚至不能肯定我们是醒还是熟睡；唯理论者是正确的，某些是我们不能怀疑的自然原则。但是这些原则是否真实取决于我们是否来自一个善良的上帝还是来自一个邪恶的魔鬼。我们不知道，假如没有信仰，是否有一个上帝：自然提供的只是它存在的绝非满意的论证。如果我们不接受启示的话，我们可以做得最好的是赌他的存在。[①] (*P*, 38, 42)

---

① 在第十章探讨帕斯卡尔的“赌注”。

人性正如我们认识它的是大量的矛盾,我们有一种真理的理想,我们也拥有唯一的谎言。我们渴望幸福,但我们不能获得幸福。人性是令人震惊的某种东西:“混乱的、矛盾的与奇妙的;一切与无心灵的大地的判断——蠕虫、真理的仓库与错误的污水坑;荣耀与宇宙的拒绝。”帕斯卡尔先于蒲柏的《论人》预见到:

思想与激情的混乱,一切混乱; 57
任由自己滥用或消除;
创造的一半上升,一半堕落;
一切伟大的主,然而为一切祈祷;
真理的唯一判断,在无尽的错误中责难——
荣耀的,取笑,与世界之谜!(*P* II,13)

这个谜的答案包含在堕落的基督教学说中。就像一天那样明显,人的环境是两面的。如果人没有腐化,那么他本将在他们纯洁状态中享受真实与幸福。如果他们已腐化,那么将不会有要么真理要么幸福的任何观念。但堕落是理解我们自身的关键,它在整个基督教教义中是对理性而言最震动的方式:

与永远诅咒一个孩子相比,我们可怜的正义法则对于罪恶没有它自身的任何意志,在一种罪恶之中儿童扮演如此小的角色,以至于在儿童存在于世之前,它在六千年前就受到了束缚,哪个是更相对照的呢?当然,没有什么比这种教义更震撼我们的东西。然而,即便没有所有神秘之事的最难以理解的东西,我们对我们自身也是不可理解的。(*P*, 164)

但如果理性在堕落观念中反抗,那么理性也能确立观念的真理。出发点只能是人的邪恶：

> 人的伟大是如此明白，以至于它甚至能从他的不幸中推论出来。因为我们把人的动物本性称为人的不幸。同时借助这一点我们认识到他的本性如今就像动物的本性，他从一个原来属于他的更好的本性中堕落。除了一个废黜的国王，对于不是一个国王，谁是不幸的呢？（Ibid.）

虽然帕斯卡尔相信只有信仰能引导我们拯救真理，同时只有善良才能给予我们永恒的幸福，然而在他的哲学著作中，他不是理性的敌人，不过他经常显现出这样。他最有名的格言当然是“内心有诸多理性不可认识的理由”。但如果研究他使用的术语“内心”，我们能理解他不是将情感凌驾于理性之上，而是将直觉与演绎推理相比较——进一步地我们论及“借助内心”学习数学乘法表。我们能理解这一点，当他告知我们正是内心教导我们几何学的基础。在这一点上，毫无疑问，他根本不与笛卡尔的唯理论冲突。

马勒伯朗士

58 马勒伯朗士（Nicolas Malebranche），路易十四的一个秘书的儿子，生于1638年，那一年笛卡尔出版了《方法论》。在1664年，他二十六岁那年，他被任命为法国小礼拜堂牧师，它由笛卡尔的同伴贝吕勒红衣主教（Cardinal Berulle）创立，同年他撰写去世后出版的《论人》。他如此过多地受到这本书的困扰，他的传记家告诉我们，他“内心受到如此激烈的折磨，以至于他不得不间断地中断这本书的写作”。他成为整个笛卡尔派中最乐观的，他一生致力于追求清晰与明确的观念。

1674 年至 1675 年间,马勒伯朗士出版了他最重要的哲学著作《真理的追求》,1688 年,他在《形而上学的对话》中总结了他的体系。他的其他著作中的大多数是神学冲突的著作,从 1680 年的《论自然与恩典》开始。他厌恶那个时代许多重要的神学家,他与阿劳德(Arnauld)争论善,与费勒隆(Fénelon)争论爱上帝的正确方式:他的《论自然与恩典》被放在了 1690 年的索引中。在 1715 年他去世前不久,他沉浸在洛克死后出版的辩论文章的目标中。

呈现在马勒伯朗士著作中的感觉、想象、理智与意志的解释在本质上与笛卡尔的解释是一样的。新的重要的项是根据心灵中的器官的网状结构的观念联想的解释。某些网络结构是天生的:从出生开始,比如与一种峭壁观念对应的心灵器官联系着与死亡观念对应的心灵器官。其他网状结构由经验创造:如果你关注某些历史事件,比如,一个神经网络结构将被创造出来,将后来的人、时代与涉及的位置联系在一起(*R de V* 2.1, 5)。

马勒伯朗士赞同笛卡尔的二元论:心灵思考实体,而物质的本质是广延。但他尝试改进笛卡尔对心灵与物质关系的解释,这长久以来被视为笛卡尔体系的最薄弱环节。比笛卡尔更坚定的是,马勒伯朗士探讨如果心灵是纯粹的思,物质是纯粹的广延,那么两者都不会彼此影响。心灵与肉体起类似的作用,但不会相互作用。"我似乎非常肯定精神存在者的意志不能移动世界中最小的身体。虽然,比如,在我们意志驱使我们手臂与我们手臂的运动之间没有 59
必然联系。"的确,我愿意时,我的手臂运动,但不是因为我愿意。如果真是我自已移动我的手臂,我会知道我是如何移动它;但我甚至不能解释我如何活动我的手指。

如果我不移动我的手臂,那是谁移动呢?马勒伯朗士的答案是上帝。上帝是唯一真正的原因。从所有永恒性出发,他已预料到将要发生的一切,以及它将何时发生。因此,他已料想到我一直的行为以及我手臂的偶然运动。我的意愿不是原因,而只是为上帝实现这个结果的一个机会。(基于这个理由,马勒伯朗士的体系被称为"偶然论")不但心灵不能对身体施加影响;身体也不能对身体施加影响。如果诸身体集合一切并彼此远离地活动,真正发生的是上帝希望它们中的每一个在一个恰当的时刻处在恰当的位置。"认为一个身体能移动另一个身体时,存在着一个矛盾"(*EM*. 7,10)。

如果心灵不能对身体施加影响,同时身体不能对身体施加影响,那么身体能对心灵施加影响吗?我们通常设想我们的心灵不断地从我们感官世界中获取信息。马勒伯朗士否认我们的观念来源于它们呈现的身体,或者它们由我们自己创造。它们直接来自上帝,他只能从因果关系上对我们理智施加影响。如果我用一根针刺我的手指,疼痛不是来自那根针:它是直接由上帝引起的(*EM*, 6)。我们在上帝之中理解一切事情:上帝是心灵存在其中的环境,正如空间是身体所处的环境一样。这是洛克特别提出的学说。

许多基督教思想家,从奥古斯丁以后,一直坚持认为人以某种方式静观上帝心灵的观念理解永恒真理与道德法则。在做出这种断言时,马勒伯朗士可能宣称威严的权威。但这是一种新颖地谈论我们对变化的物质对象的认识依赖于直接的神启。上帝自身毕竟不是物质的或变化的:在上帝那里能理解的一切是理智扩展的纯粹观念。广延的永恒神圣的类型的静观如何传达给我们任何认识,这种认识是对于我们世界中的正在运动与改变的身体的偶然历史?

马勒伯朗士的答案是,在理解广延类型时,我们也认识到笛卡尔物理学的
60 原则,这些原则主宰物质世界的行为。如果这足以预见到宇宙的实际过程,这些法则必定具备两个条件:它们必定是单一法则并且它们必定是普遍法则。这是马勒伯朗士《论自然与恩典》的主题:

> 上帝,在他智慧的无限财富中发现可能世界的无限性(作为他能确立的运动法则的必然结果),确立他自己创造这个世界,这个世界本能够由最单

纯的原则产生与保留,对于其产物或其保留的必要方式的单纯性,也应该是最完美的。(*TNG*, 116)

按照马勒伯朗士的观点,运动的两个纯粹法则足以解释所有的自然现象——首先,运动物体倾向于在一条直线上保持它们的运动;其次,当两个物体碰撞时,它们的运动按它们大小的比例分配。

马勒伯朗士对基本原则的单一性与普遍性的信念不但用于解决认识外在世界中的认识论问题,而且用于解决一个善的上帝生命中存在恶的道德问题。上帝本不能比我们使得一个世界更加完美;他可能更能获得这样的结果,以至于使得大地硕果累累的雨更有规律地降落在耕作过的土地而不是在大海之上,因此在那里它没有任何目的。但要实现这一点,他将不得不改变这些原则的单纯性,一旦上帝确立了诸法则,这就不合时宜地胡乱地修正它们;法则不但对所有地方而且对于所有时代都是适用的:

如果雨降落在某些土地之上,如果太阳暴晒它们;如果适宜农作物的天气伴随毁坏它们的冰雹;如果一个孩子用一个长在胸部上的畸形的与无用的头来到世界。这并不是说上帝通过特定的意志愿意出现这些东西;这是因为他为运动的交流确立法则,其中这些影响是必然的结果。(*TNG*, 118)

这并不是说上帝喜欢僧侣或设计产生他们的自然法则:这只是说他通过同样的单纯法则并不能造就一个更完美的世界。邪恶问题的关键是意识到上帝是通过普遍法则而不是特定的意志力行事的。

再次,我们产生了蒲柏后来在《论人》中概括的观念。蒲柏认为,我们试图将自然看做是为我们个人利益而设计的。但在这里我们遇到了一种反对观

点,并得到了一个答案:

61 但犯错不来自仁慈的目的的本性,
活生生的死亡降临时,来自焚烧的恒星
地震吞噬,或暴风雨袭击时
城镇变成一处坟墓,整个民族坠入深渊?
"不"(回复说)!"唯一全能的原因
不是通过部分,而是通过普遍法则起作用。"(I. 140–145)

马勒伯朗士的学说认为,上帝是通过自然的普遍法则而不是通过上天的特定行为行事,这种学说激怒了神学家,他们将这视为与奇迹发生的圣经和传统的解释水火不容。这个错误被认为足够邪恶,遭到那个时代最伟大的神甫的谴责,1683 年,波舒特主教(Bossuet)在法国特瑞萨王后(Maria Theresa)的葬礼演讲中说道。

斯宾诺莎

同时,在新教的荷兰,一个犹太哲学家已发展了笛卡尔的观念,他采取了一种比马勒伯朗士更冒险的方式。斯宾诺莎(Baruch Spinoza),1632 年生于阿姆斯特丹一个富裕的商人家庭,在 16 世纪的末期,这个家庭从葡萄牙移居到这里。他的父亲,米歇尔·斯宾诺莎,是犹太社区受人尊敬的成员,确保他在当地的犹太学校了解希伯来与熟悉《圣经》和塔木德。米歇尔 1654 年去世时,斯宾诺莎与他的哥哥一道接管了商业公司,但他更感兴趣的是哲学与神学的思辨。从孩童时就开始说葡萄牙语、西班牙语与荷兰语,他如今跟随一个基督教的物理学家,恩敦(Francis Van den Enden)学习拉丁语,他将斯宾诺莎引领到笛卡尔的著作中,同时对他思想的发展产生了重要的影响。

十几岁时,斯宾诺莎开始怀疑犹太神学,长大后他放弃了犹太实践的诸多

62

斯普拉特《英国皇家学会的历史》的卷首插图。

做法。1565 年,他被犹太教逐出教会,禁止虔诚的犹太教徒与他说话,或与他通信,或者与他共处一室。他训练自己磨透镜,制造眼镜与其他光学仪器。这个职业给予了他闲暇的时间并有机会进行科学的反思和研究;这也使得他成为从古代以来第一个通过自己双手谋生的哲学家。

1660 年,他从阿姆斯特丹迁到莱顿附近的瑞金斯伯格的一个村庄。同年,皇家学会在伦敦建立,在它创立后不久,学会的秘书,奥尔登堡(Henry Oldenburg)写信邀请斯宾诺莎参与一个关于笛卡尔与培根体系的哲学通信。他告诉斯宾诺莎,皇家学会是一个哲学学院,在其中"我们充满活力地贡献自己,我
63 们能做实验与研究,更多地忙于一起探讨机械技术的历史"(*Ep*,3)。

一个荷兰的旅行者曾在 1661 年参观过瑞金斯伯格,并报道了村庄的现状:

> 有一个人已从一个犹太教徒成为一个基督教徒,如今他接近于一个无神论者。他不关注《旧约》。对于他,《新约》、《古兰经》与《伊索寓言》具有同样的价值。但对于余下的时间,这个男人的行为非常谨慎并没有给其他人造成伤害,他热衷于望远镜和显微镜的制造。①

并没有证据证明斯宾诺莎被逐出犹太教后成为了一个基督徒,但在他论宗教的著作中,他的确将耶稣置于希伯来先知之上。

在这时,斯宾诺莎已开始写作他的第一部著作,这部《论理智的改进》的著作(*Tractatus de intellectus emendatione*)并没有完成,直到他死后才出版。这类似于笛卡尔的《方法论》详细叙述一场理智的对话,设定一个研究的议题。也可能在这个时期,斯宾诺莎为个人的圈子完成了一部荷兰语的著作,直到 1851

① Quoted by W. N. A. Klever in *CCS*, p. 25.

年才发现的《简论上帝、人与幸福》。

1663年,斯宾诺莎出版了一部在“几何学形式中”对笛卡尔《哲学原理》的严肃阐释的著作。笛卡尔自己曾赞扬从定义与公理中演绎真理的几何学方法的价值,在他回应反对他的《沉思集》中的第二次答辩中,他设定十个定义、五个假定与十个公理,从这些出发,他证明四个命题确定上帝的存在以及心灵与肉体的真正区别(AT VII. 160－70;*CSMK* II. 113－19)。斯宾诺莎在为一个私人学生教授笛卡尔哲学时进一步采取了这种策略,在他的一个朋友的要求下,即莱顿大学的迈耶博士(Doctor Lodewijk Meyer),他将《哲学原理》的前两卷以完全形式化的方式口授注释出来。 64

斯宾诺莎替代并扩大笛卡尔系列的定义与原理,同时证明了五十八个命题,其中第一个是“我们只能是某种绝对的无,尽管我不知道我们自己的存在”,最后一个是“如果一个特定的物体可以被无论多么小的力量在任何方向上移动,那么它必定被所有以同样速度移动的物体环绕。”这种解释对于《哲学原理》一般来说是非常令人信服的,但在其出版的序言中,迈耶提醒读者不要认为斯宾诺莎自己的观念在所有方面与笛卡尔的一致。譬如,斯宾诺莎已开始摆脱笛卡尔的心灵哲学:他并不认为理智与意志彼此是区分的,同时他也不认为人们喜爱笛卡尔归因于自由的程度(*Ep*, 8)。斯宾诺莎自己形成的哲学的大量重要观点在对几何学解释的一个附录中得到阐释,被命名为《形而上学的沉思》。

1663年,斯宾诺莎迁到海牙附近的沃尔堡,1665年,天文学家海因斯(Christian Huygens)访问他,斯宾诺莎与他一道探讨了显微镜与望远镜,并观测木星。1665年,他决定写一封道歉信,为他脱离犹太教辩护:这形成了一部更为一般的圣经批评与政治理论的著作《神学政治论》,1670年匿名出版。

从文本仔细研究,《神学政治论》的这种论断来自我们具有的希伯来《圣经》,它来自更古老的材料,完成时间不早于公元前5世纪。目前还没有圣书经典的原则早于马加比家族的时代，这是愚蠢的，如果把摩西作为《五经》的作者，将大卫作为所有《诗篇》的作者的话（*E* I. 126, 146）。显然，神圣的作家是无知的人，是他们的时代和地方的儿童，以及充满各种偏见。如果先知是一个农民，他就看到牛，如果他是一个朝臣，他就看到王位。“上帝的言说没有特别的风格，但根据学习与先知的能力，他得到养育，受到压制，是严酷的，拖沓冗长的，或含糊不清的”（*E* I. 31）。

先知的缺陷并没有妨碍他们执行其任务，这个任务不是教导我们真理，而是鼓励我们服从他们。这是荒谬的，在《圣经》中寻找科学知识，任何这样做的人会相信太阳绕地球转，相信 π 的值是3。科学与《圣经》有不同的功能，也不是一个优于另一个，神学没有被迫为理性服务，理性也没有被迫为神学服务
65 （*E* I . 190）。《圣经》的一个段落的意图是什么必须通过考察《圣经》语境本身才能确定：人们不能从事实中论证某个观点是不合理的，因此它必定在隐喻的层面指涉出来。上帝只有在这个意义上才是《圣经》的作者，它的基本信息——爱上帝首先要爱所有事物与爱邻人如爱己——是真正的宗教，《旧约》与《新约》是一样的。犹太人是上帝的选民，只是当他们生活在以色列的一个特殊政府形式下：在目前“绝对没有这样的事情，犹太人可以冒称他们自己优于其他人”（*E* I. 55）。

如果你相信《圣经》的所有故事，但失去了它的信息，你也可能阅读《索福克勒斯》或《古兰经》。另一方面，一个人过着真正的和正直的生活，但是他不知道《圣经》，“自己是绝对幸福的和真正具有基督精神的”（*E* I. 79）。《圣经》不应该是一块绊脚石，一旦一个人懂得如何阅读它。斯宾诺莎说，犹太人没有提到第二因，而是将所有东西与神相关，例如，如果他们能够通过一笔生意赚钱，他们就说，是上帝赐予他们的。因此，当《圣经》说上帝打开天窗，它只是意味着很难下雨，当上帝告诉诺亚，他将在云中满弓，“这只不过是另一种表现太阳光线在雨滴中折射和反射”（*E* I. 90）。

在批评性地关注《圣经》的文学体裁时,《神学政治论》得到了详细地论证与严谨地表述,斯宾诺莎只是期待虔诚的新教徒在19世纪打算说什么(“《圣经》必定要像其他书一样阅读”),虔诚的天主教徒在20世纪打算说什么(《圣经》的解释者必须“在精神层面回到东方的那些更遥远的世纪”)。尽管如此,《神学政治论》对《旧约》的广义解释,不但引起犹太人,而且遭自荷兰加尔文教派的抗议风暴,他们在几个方面谴责这部著作。然而其他同时代的人欣赏这本书,它的作者普遍为人所知,这为斯宾诺莎赢得了国际声誉。

1673年,选帝侯为他在海德堡大学哲学系提供了一个教席,选帝侯的秘书官许诺,“你可以在哲学教学中得到最充分的自由,选帝侯确信你不会干扰公开确立的宗教。”不过,斯宾诺莎持谨慎态度,礼貌地回绝了提议:

> 我认为,首先,我应该放弃哲学研究,如果我同意花时间教授青年学生。 66
> 其次,我认为我不知道那些限制,我的哲学教学的自由在其中会受到限制,如果我得以避免一切扰乱公开确立的宗教的现象。(*Ep*, 48)

斯宾诺莎从来没有接受学术职务,从未结婚。他继续过着退隐但舒适的生活,不时接待对他表示尊重的访问学者,比如1676年莱布尼茨的敬意。他默默地撰写他的重要著作,《根据几何学的法则论证的伦理学》。到1675年,他完成这部著作并将它带到阿姆斯特丹打算出版,但他的朋友提醒他,他可能冒着作为一个无神论者的风险受到惩罚,如果他这样做的话。他将这部书收起来,开始撰写《论政治》;但它像他的其他几个项目,在他去世时仍然是不完整的。1667年他死于肺炎,部分原因是由于玻璃粉尘的危害,他曾从事一个磨镜的危险职业。一卷他去世后出版的著作——包括《伦理学》与《论政治》,再加上早期《理智的改进》和大量书信在他去世的那一年出版。在这一年,该卷被荷兰诸国禁止出版。

《伦理学》确立斯宾诺莎自己的体系,并以他最初在欧几里得几何学的模式确定笛卡尔的方式。它分五部分:“论上帝”;“论心灵的性质与起源”;“激情的本源与本质”;“人的奴役”;以及“论人的自由”。每一部分从定义和公理开始,并着手为定量的命题提供形式的证据,我们相信,每一个不是从公理和定义推导出来,并从量子电动力学得出结论。几何方法不能被视为一种成功的解释方法。通常提供的论证几乎无法理解结论,并提供充其量为《伦理学》的其他段落提供一系列的超文本链接。哲学上的内容往往放在注释、推论与附录里。

然而,毫无疑问,斯宾诺莎正尽全力使他的哲学彻底清晰,没有任何隐含的假设,除一个命题和下一个命题之间的逻辑联系之外。如果欧几里得的几何学过于浅显,工作在更深刻的意义上仍然是几何学的:它试图根据可以被有初级几何知识的学生所掌握的概念与关系来解释整个宇宙。如果这个目标最
67 终失败,这不是哲学家的过错,而是哲学本身性质的过错。

作为不同部分的标题显示,这部著作除伦理学之外还处理许多其他问题,第一卷是一篇形而上学的论文,也是自然神学著作:它阐述物质性质的理论,同时这也是上帝存在的本体论论证。虽然对笛卡尔而言,有两种基本的实体,精神和物质,对斯宾诺莎而言,只有唯一实体(这可以称为“上帝”或“自然”),它具有思想的特征与广延的属性。人的精神与肉体,因此,并不是属于两个不同的世界:在第二卷中解释道,心灵是作为思维特征的一种模式的人,肉体是作为一种广延属性的模式的人。心灵与身体是分不开的:人的思想,其实只是人的身体的观念。在此基础上,斯宾诺莎建立了三种知识层级的认识论理论:想象、理性与直觉。①

正是在第三卷中,我们接近了本书的主题。人像所有其他的存在一样,努

① 在第六章详细探讨斯宾诺莎的形而上学,在第十章探讨他的自然神学,以及在第四章探讨他的认识论。

力保持自己的存在，并反抗任何威胁到他们的破坏。人类驱动力的意识是欲望，当驱动力自由地运作时，我们感到愉悦，当它受到阻碍时，我们感到痛苦。所有人类复杂的情感来自欲望、愉悦与痛苦的这些基本情感。我们的善与恶的判断以及我们的行为由我们的欲望和厌恶决定；但《伦理学》的最后两卷教导我们如何通过一种理智认识它们（人的自由）避免被我们的激情所奴役（人的奴役）。

这一点的关键是积极情绪与消极情绪之间的区别。消极情绪像恐惧和愤怒，由外在力量产生；积极情绪从心灵自身的人类处境中产生。一旦我们对一种消极情绪有清晰明确的观念，那么它就会是一种积极情绪；积极情绪代替消极情绪成为一条自由之路。特别地，我们必须抛弃恐惧情绪，尤其是对死亡的恐惧。“一个自由的人从不考虑死亡；他的智慧不是对死亡而是对生活的冥想。”（*Eth*, 151）

矛盾的是，道德解放取决于对一切事物的必然性的理解。当我们意识到 68
他们的行为由本性决定时，我们不再感到他人的仇恨。回到它只会增加仇恨，但用爱环绕它压倒它。我们必须做的是用上帝的眼光审视事物整体的必然的自然图式，“根据永恒”理解它。①

斯宾诺莎的独一无二的体系可以被看做是历史上的几种不同方法。如果我们想的话，我们可以将他的实体理论与洛克的关联起来。洛克和斯宾诺莎消除了亚里士多德的实体概念：对于洛克，个体的实体消失至虚空，对于斯宾诺莎，实体如此扩展以至于一个单一实体包含宇宙。但是，如果我们以笛卡尔作为比较的点，我们可以认为，在阐释笛卡尔假设的含义中，斯宾诺莎超过马勒伯朗士。马勒伯朗士得出结论，上帝是宇宙中唯一的代理人；斯宾诺莎更进一步，声称上帝是唯一的实体。但是，当斯宾诺莎说这种单一的实体是“上帝

① 在第八章细致探讨斯宾诺莎的伦理学。

或自然”,这是否意味着他是一个泛神论者或无神论者?他采取同样的证明,辩护“上帝”只是一个自然宇宙法则的代名词,并声称当科学家谈论“自然”时,他们都是在谈论上帝。

17 世纪的哲学是反抗亚里士多德的哲学。这种反抗最终由斯宾诺莎完成。亚里士多德经院哲学的特点是它做出的那些区分与那些成对的概念,并以此来解释人和物质世界:实在性与潜在性,形式与内容,特征与活动,理智与意志,自然与理性的力量;终极因与形式因。斯宾诺莎颠覆了所有这些区别。对于亚里士多德的保留剧目,只剩下实体与偶存之间的区别,以及在本质与存在之间的区别中留下的经院哲学的工具。这些都只是应用一次,而且只有一次,斯宾诺莎以此区分有限的与无限的存在之间的关系。斯宾诺莎的体系处
69 在中世纪的阿奎那的亚里士多德主义的最远点。

自相矛盾的是,斯宾诺莎与亚里士多德在一点上是一致的——一切的最高点。斯宾诺莎在《伦理学》的最后一卷将上帝的理智之爱作为最高的人的行为,这种爱非常类似亚里士多德在《伦理学》的第十卷中坚持对神愉悦的沉思,他将这种沉思看做是构成人的至高存在。在每一种情况下,我们受邀的祝福活动似乎困惑了后来的绝大多数哲学家。

斯宾诺莎的哲学往往被视为唯理论最奢侈的形式。他在欧几里得的术语中阐释他的体系,不只是澄清各种论题之间的逻辑关系:对他而言,逻辑序列正是使得宇宙成为一体的东西。他没有在逻辑和因果的关系之间做出区分:对他而言,观念的秩序和联系与事物的秩序和联系是相同的。然而,在浪漫主义时代,正是这个重要的唯理论者产生过巨大影响。德国浪漫主义诗人诺瓦利斯(Novalis)宣称他是“沉湎于上帝的人”,因此爱戴他,克尔凯郭尔(Kierkegaard)也是如此。1797 年,华兹华斯(Wordsworth)和柯勒律治(Coleridge)常常在萨默塞特一起讨论他的哲学,差一点因为他们的痛苦表现遭到逮捕:一个政府线人派去调查两位诗人是不是法国革命的代理人,他感到不安而去偷

听他们,想知道是否与诺伊间谍有关。①

斯宾诺莎的上帝与自然的同一性在那一时期两位诗人的诗句中留下印记。华兹华斯形容自己是自然崇拜者,1798 年,他在《廷特恩修道院之上的沉思》有这样的名句:

我感到
愉悦扰乱我的存在
飞升的思想中;崇高的感觉
更深入融合的东西中
谁的住所是恒星的光线,
而圆的海洋,生命的空气,
蓝天,在人的心灵中,
一次运动,一种精神,这推动
所有思考的东西,一切思想的所有对象
穿越所有的东西。

同年,柯勒律治在《午夜的霜》中预想小儿子生活在沙湖和山崖之美中,并告诉他:

你看到与听到的
可爱的形状与可以理解的声音
永恒的语言,你的神
低语,从永恒中教导

① Coleridge, *Biographia Literaria*《文学生涯》, Ch. 10.

70 所有中的他自己，与自己中的所有东西。

莱布尼茨

莱布尼茨(Gottfried Wilhelm Leibniz)横跨17世纪和18世纪的边界。70年中的五分之四是在17世纪度过的，但他的主要哲学著作在18世纪完成与出版。事实上，他的许多最重要的文本直到他去世后，有时更久才发表。他不是一个体系的作家，哲学史家一直努力在简短的小册子、偶然的片断与零碎的笔记上建构一个一致的和全面的体系。但他的理智力量从来没有受到质疑，许多后来的哲学家已承认自己从他身上受益很多。

莱布尼茨是莱比锡的一位哲学教授的儿子，他父亲在1652年去世，莱布尼茨才六岁。他在父亲离世后在图书馆度过了童年，并大量与如饥似渴地阅读。成年时，他自负是世上最容易读懂的哲学家之一。他的兴趣广泛，包括文学、历史、法律、数学、物理、化学和神学。从13岁起，逻辑和哲学已成为他主要的兴趣点。早在十几岁时，他告诉我们，他发现苏亚雷斯像小说一样容易理解，远足时，他在他心中衡量亚里士多德主义和笛卡尔哲学的相对优劣。

莱布尼茨在1661年进入莱比锡大学。1663年，因为论个性化的原则的毕业论文，他被授予学士学位。他最初移居耶拿学习数学，然后去阿尔特多夫学习法律。作为一项副业，在19岁时，他出版了一部小逻辑的论著《论组合术》(*De Arte Combinatoria*)，其中他改进亚里士多德的标准的三段论，并提出了一个代表算术编码的几何概念的方法。他希望，通过单一的术语解决复杂术语
71 的方法，去发现一种演绎逻辑，至今逻辑学家还没有阐明它(G IV. 27-102)。

1667年莱布尼茨在阿尔特多夫获得博士学位，撰写一篇《论法律中的疑难案件》的论文。他得到了一个教席，但他更喜欢继续作为宫廷官员和外交

官。他为美因茨大主教服务,这位大主教是神圣罗马帝国选帝侯之一。他把他下一部学术著作献给大主教:建议德国法律的合理化与法学教学的新方法。在大主教建议下,他重新出版了一部被遗忘的15世纪谴责经院哲学的论著,但他随着他自己为亚里士多德辩护而反对笛卡尔(G I. 15－27, 129－176)。作为天主教教廷的一个新教徒,他撰写了大量的基督教合一的神学著作,集中探讨所有基督教派教义关注的学说(G IV. 105－136)。

莱布尼茨在1672年被派往巴黎劝说路易十四派遣舰队远征埃及。在外交上,他此行胎死腹中,但在哲学上,此行成果丰富。他会见了阿劳德和马勒伯朗士,开始认真阅读笛卡尔和伽桑狄的著作。他短暂地受到伽桑狄的原子论与唯物论的吸引,一场逢场作戏后,后来他感到遗憾。"当我还是一个青年时,"他在1716年写道,"我也进入了原子与虚无的圈套,但理性让我迷途知返。"(G VII. 377)

在第二年进一步的外交访问中,这次到伦敦,莱布尼茨被介绍给波义耳(Boyle)与奥尔登堡。他给英国皇家学会的其他成员展示了一个计算器模型,他们印象深刻并给予他研究员资格。他回到巴黎,一直待到1676年,其间耳朵患病,他发明了微积分,但不知道牛顿发明的更早,只是它目前还没有公开。在返回德国的途中,他在阿姆斯特丹访问了斯宾诺莎,并研究《伦理学》手稿,撰写了重要的评论。但在《伦理学》出版之后,斯宾诺莎成为大众谩骂的目标,莱布尼茨因此疏远了他们以前的亲密关系。

从1676年直到他去世,莱布尼茨是连续统治汉诺威的廷臣,他有能力胜任不同的工作,从图书馆到采矿工程师。他恢复他在美因茨开始普世的努力,开始编写一部非宗派的基督教忏悔著作,为此他寻求阿劳德的建议与梵蒂冈的认可。1677年,他用别名完成了一本著作,它声称,欧洲的基督教国家组成一个联邦,其中皇帝是帝国的政府领袖,而教宗是精神领袖。 72

当赞助它的公爵1680年去世时,这一项目停滞不前。莱布尼茨的新雇主是布伦斯维克的奥古斯特公爵(Ernst August),他的妻子索菲亚(Sophia)是詹姆士一世国王的孙女,喜欢笛卡尔哲学的伊丽莎白公主的妹妹。他安排莱布尼茨编制公爵家的历史,这项工作在档案搜集上涉及整个德国,奥地利与意大利。莱布尼茨进行了非常认真的工作,查阅该地区追溯到史前时期的历史。他死时这项工作完成的唯一部分是萨克森州的土壤与地质的前言描述,一种地理学的而不是族谱的工作。

正是在1685年冬天,莱布尼茨撰写的《形而上学》首次长久地流行。当他完成它之后,他将摘要发给阿劳德,他给它一个审慎的欢迎,也许由于这个原因,他十多年来没有发表它的任何部分。他把这看做是他成熟的哲学立场的第一次陈述。它简短、清晰,迄今为止,这是介绍莱布尼茨哲学体系的最好导言,包含他独特学说的诸多东西。

第一个是我们生活在所有可能世界的最好世界之中,是一个由上帝自由选择的世界,他总是按照理性以法则的方式行事。上帝并非如斯宾诺莎认为的那样是唯一的实体:也有创造出的个体。每一个个体通过其历史有许多真实的谓词,谓词的整体实质确定它如其所是的实体。每一个这样的实体,我们被告知,“在它自己的方式上表现宇宙,”从一个特定的视角封闭世界。人类是这种实体:他们的行为是偶然的,不是必然的,并取决于自由意志。我们的选择有理由,但不需要原因。创造的实体彼此不直接影响,但是上帝有如此安排的物质,发生在一种实体的东西与发生在所有其他实体的东西相对应。因此,每一个实体就像一个世界的部分,除上帝之外,独立于任何其他东西。

从起源来看,人类心灵包含一切事物的观念;除上帝之外没有任何外部对象可以作用我们的灵魂。但是,我们的想法只是我们自己的想法,而不是神的。我们意志的行为也是如此,上帝没有必要倾向于此。上帝在存在方面不断地限制我们,但我们的思想的出现是自发的与自由的。灵魂与身体不相互影响,但思想与身体的事件相应地发生,因为通过上帝之爱的护佑,它们密切

联系在一起。上帝具有如此有序的东西以至于精神，宇宙中最宝贵的项，永远
生活在充分的自我意识之中；对于那些爱他的人，他准备了难以想象的幸福。 73

从这个简短的总结中理解到，《形而上学》将自身嵌入亚里士多德形而上学的话语和传统基督教，而它包括来自最近的大陆哲学家认真修改、凝聚彼此的因素。1695 年，其主要思想发表了在学术期刊上，题目是《自然的新体系与实体的相互作用》。许多专家发表了对它的批评，对此莱布尼茨进行了有力的反驳与回应。1698 年，他随后在另一期刊的文章《论自然本身》，这清晰地凸现他自己的体系，在与笛卡尔、马勒伯朗士和斯宾诺莎的那些体系的对比中，他在其中综合出自己的体系。

由于未能说服天主教徒与新教徒（尽管 1686 年的《神学体系》规定不同忏悔之间的共同基础），莱布尼茨为自己定下实现加尔文新教与路德新教之间和解的可能更容易的任务。这再次证实论证与说服的力量。因此，这也是基督教国家的一个欧洲联盟的伟大项目，其中他试图继续徒劳地让法国国王路易十四与俄国彼得大帝和解。但他的泛基督教主义热情不减，而且在他生命的最后一年，他鼓励那些耶稣会会士，他们正在天主教与传统信仰和中国儒家仪式中寻找结合点。他自己仍然是一个新教徒，直到去世，尽管他有时携带玫瑰经，其中有一次阻止他跳入大海，在一次暴风雨中作为异教的乔纳行驶在亚得里亚海上。

洛克在《人类理解论》中关注人类理解，他拒绝天赋观念引起莱布尼茨对经验主义的全面攻击。这工作一直到 1704 年才完成，正是在这一年洛克去世，莱布尼茨决定不发表它。直到他自己死后的约 50 年后才出版，书名为《人类理解新论》。莱布尼茨一生出版的篇幅最长的著作是《神义论》，面对世界的邪恶时的一种神圣的正义信念，献给普鲁士女王夏洛特。“神义论”是一个杜撰的伪希腊词，以表达对上帝为人类工作的辩护目的。在这部著作中，他认为，尽管在表象上，我们确实生活在一切可能世界中的最好的世界。正如蒲柏

在他《论人》中总结道：

74 体系中可能的，如果这是坦诚的

无限的智慧必定构成最好的……

令人尊重的人，无论我们多么错误，

或许，必须是正确的，正如与一切相关……

全部的自然只是艺术，不为你所知：

理查森的蒲柏肖像，蒲柏的《论人》肯定是最富哲理的英文长诗。

所有的机会，你看不到的方向；

所有的不和,和谐,不被理解;
所有部分的恶,普遍的善:
尽管自豪,犯错理由的恶意,
一个真理是清晰的,“不管是什么,是正确的”。

蒲柏(Pope)的《论人》写于1734年。二十五年后,伏尔泰(Voltaire)走出这种乐观主义的情绪,震惊于里斯本地震的灾难,他以讽刺的《老实人》来回应。以这种新颖的方式,莱布尼茨式的潘格诺斯博士回应命中注定的一系列痛苦和灾难:“一切为最好的是在一切可能世界的最好世界之中”。老实人回答说:“如果这是最好的,那么其余的人会怎样?”

1714年,莱布尼茨最重要的两部简短的著作问世:《单子论》与《论自然与 75
恩典的原则》。《单子论》包含《形而上学》中提到的体系成熟的与优雅的形式。它认为,无论多么复杂的东西,是由简单的东西构成的,无论多么简单的东西是非扩展的,因为如果它是广延的,那么它可以进一步划分。不过,任何物质的东西是广延的,必须有单一的非物质因素。这些像灵魂的实体,莱布尼茨称之为单子,这些是《形而上学》之外的世界部分。虽然,对于斯宾诺莎而言,只有一种实体具有心灵与广延的特征,对于莱布尼茨而言,存在无限多的实体,只具有灵魂的属性。

像马勒伯朗士一样,莱布尼茨否认生物可以在因果关系上受到其他生物的影响。“单子,”他认为,“没有任何缝隙,通过它们任何东西都有可能进来或出去。”它们的生命是一种精神状态或感觉的连续,但这些不是外在世界产生的。一个单子反映世界,不是因为世界照射到它,而是因为神已经计划它以世界程序同步改变。一个好的钟表匠可以制造两个钟表,它们将保持这样完美的时间,它们永远在同时敲响钟声。关于他的所有生物,上帝是这样的钟表匠:正是在事物的开端时,他事先确立宇宙的和谐。

在同一年，莱布尼茨完成《单子论》，英国女王安妮去世。1701 年的《英国定居法》解决了索菲继承人的问题，她是汉诺威选帝侯夫人，她的儿子选帝侯路德维希（Ludwig）成为英国国王乔治一世。莱布尼茨没有随他的雇主去伦敦，而是留在汉诺威。他很可能在英国不受欢迎，因为他与牛顿争论微积分的所有权。英国皇家学会介入争端，1712 年将优先权颁发给牛顿。

莱布尼茨于 1716 年去世，留下了大量未发表的论文与不完整的项目，他最雄心勃勃的项目是完成一部人类认识的全面的百科全书。这将是宗教秩序联系着的工作，比如本笃会与耶稣会，新近成立的学术团体，比如，英国皇家学会，巴黎科学学院与莱布尼茨自己是首任院长的普鲁士科学学院。这一项目无疾而终，
76 如今，近 300 年后，始于 1923 年的莱布尼茨著作全集才完成不到一半。

贝克莱

在莱布尼茨生命的最后几年里，出版了几部著作，这标志着一个年轻的天才思想家的出场。贝克莱（George Berkeley），1685 年生于爱尔兰的基尔肯尼附近，自从 9 世纪的爱留根纳（John Scotus Eriugena）以来的这个岛上最有天赋的哲学家。[①] 15 岁时，他进入都柏林三一学院，1704 年获得学士学位，借助两篇数学论文的影响力，他被聘任为这个学院的讲师。与莱布尼茨不同，在 24 岁到 28 岁之间，他年轻时便完成最好的哲学著作。

1709 年《视觉新论》出版。它解释我们如何判断看到的物体的距离与大小。有人认为，距离本身是看得见的，只是“朝向眼睛距离的一条线”：我们通过一种视觉表象的明确程度来判断，以及我们通过情感经验到，正如我调整我

① 参阅第二卷，30－33 页。

们的眼睛以获得最佳视觉。当我们考虑大小的视知觉，我们必须区分有形的大小与无形的大小。“有两种被视觉捕捉的对象，每个具有它明显的大小或广延——一个可能是明显的，比如通过触觉感知与衡量，不是直接由视觉来控制，另一个是恰当的与直接的，是可见的，通过前者引入视觉。”月亮的可见程度，比如，根据与地平线的不同距离而变化；但其有形的大小仍然是不变的。然而，正是通过视觉的大小，我们通常判断有形的大小。就大小与距离而言，贝克莱的分析得出了经验主义的结论：我们的视觉判断是基于感觉之间联系的经验：

> 正如我们看到距离，所以我们看到大小的东西。我们以相同方式看到二者，同样我们在一个人的面容上看到羞耻与愤怒。这些情绪本身就是不可见的，但通过眼睛与肤色面容的改变一起透露出来，这些是视觉的直接对象：这些暗示它们，只是因为它们已经被观察到伴随它们。如果没有经验，我们应该不会因为羞耻的手势和快乐的手势而脸红。(*BPW*, 309)

由视觉判断的形状与由触觉判断的形状之间的联系是某种只有通过经验才能学到的东西。本质上，看到的圆与感觉的圆没有任何共同之处。一个天生的盲人，通过触觉学会从一个球体中分辨一个立方体，如果他的视力突然恢复，可以通过观看他面前桌上的两个物体来判断哪一个是立方体哪一个是球体。因此，贝克莱确定追随洛克。 77

《视觉新论》是对实验心理学以及精神哲学的贡献。正如陈述的论题，例如，不是一个概念分析的部分，而是可由实验来检验的论题。[①]

贝克莱的下一部著作，1710 年出版的《人类认识原理》，是非常不同的：它

① 事实上，在 1963 年进行测试时，发现是假的：在角膜移植后，一个恢复视力的男人立即可以从感觉他怀表的手的经验在视觉上分辨时间。R. L. Gregory, *The Oxford Companion to the Mind*(《牛津精神引论》)(Oxford: Oxford University Press, 1987), p. 95.

提出并巧妙地为这种惊人的论题辩护，即不存在像物质这样的东西。即使是莱布尼茨，当它一问世而读到这部书时，也没有丝毫震惊。“许多东西看似对于我是正确的，”他在一篇书评中写道。“但它们表现的是相当矛盾的。因为不需要讨论物质是虚空。这有充分理由认为它是像一道彩虹的现象。”①

贝克莱于 1713 年在《许拉斯与费劳斯的三篇对话》中再次提出非物质理论，这是一部简短的著作，是用英文完成的最迷人的哲学作品之一。在对话中，费劳斯，心灵的爱人，与许拉斯辩论，物质的代表，胜利出现。争论分四个阶段。首先，认为所有感觉的特征是观念。第二，惰性物质的概念检验为破坏。第三，一个证据用来证明上帝存在。最后，日常语言重新诠释以满足一种非物质论的形而上学。最后，许拉斯认同树木和椅子只是系列的观念，通过上帝在我们心灵中产生，他自己对它们的感知是唯一的东西，这种东西在持续的存在中保留它们。

78 贝克莱的最后一部理论哲学是论运动的拉丁文专著，1712 年出版。到那时他已经担任爱尔兰新教牧师两年。他不时地访问伦敦，在那里他成为蒲柏的朋友，由斯威夫特介绍到宫廷中。1714 年，他开始了伟大的大陆之旅，同时在隆冬时节，在一个自由职位上，开始阿尔卑斯山之行；他适时地受到塞尼斯的震撼，“高，陡峭与高耸足以引起最勇敢的男人在他心中融化。”

1724 年，他成为德里院长，并辞去三一学院的研究员职位。此后不久，他开始构想创立大学的计划，在百慕大，对来自美洲大陆的英国殖民者以及美洲印第安人的孩子，进行严格的宗教教育。他预言，美国将是未来文明世界的领导者，在一首诗歌《美洲的种植艺术与学习前景》中，他写道：

西进中，帝国的进程以这种方式

① Written in Leibniz's cope of the *Principles*; quoted in S. Brown, *Leibniz* (《莱布尼茨》) (Brighton: Harvester Press, 1984), p. 42.

那四个首先起作用已成为过去
第五个在这一天偃旗息鼓：
最后一个是时代的最高贵的子孙。

贝克莱草拟他的大学章程并得到议会 20000 英镑的拨款承诺。1728 年，他开始穿越大西洋，达到罗得岛新港，但他很快决定，这将是一个更适合建立学院的地方。但议会拨款承诺最终并没有实现，1731 年，他回到英国，一事无成。无论如何，美国人民没有忘记他对他们祖先教育的关心，耶鲁的一所学院与加州的一处大学城以他的名字命名。

贝克莱在 1734 年被任命为克莱因主教。虽然他是一个有良心的主教，他的牧师工作并不繁重，他致力于弘扬美德，他宣扬这是人类疾病的妙药。焦油水取自松树的树皮，贝克莱看到在美国用它治疗天花。他在《昔瑞斯》(*siris*)中写道，这是“性质上很温和、良性的、适合人的品性，没有热的温暖，欢愉而不陶醉”。这些话后来被诗人库珀盗用来赞美茶。

贝克莱 1749 年完成了《智者的语言》，他劝告罗马天主教教区神职人员， 79
与他一起努力激发他们的同胞，从他们世代的懒惰走出来，从而改善爱尔兰糟糕的经济状况。三年后，政府给予他一个更加有利可图的职位，但他拒绝这一提议，并在牛津退休。他生命的最后一年在霍利韦尔大街的普通住所度过。他死于 1753 年初，正聆听他的妻子阅读圣经；他埋葬在基督教教堂，他的纪念碑仍然可以见到。

贝克莱得到了长久的缅怀，不仅在哲学界，因为他矛盾的论题，即物质不存在，以及所谓物质对象只是上帝与我们不时共有的观念。他的名言 *esse est percipi*——存在即被感知的——得到了广泛的引用与广泛的嘲弄。有些人，比如约翰逊博士(Samuel Johnson)，认为这种理论是难以置信的；其他的人，如诗人克拉夫(Arthur Hugh Clough)，认为它没有真正改变生活。

鲍斯韦尔(James Boswell)描述他在教堂如何与约翰逊讨论贝克莱的非物质论。“我认为,虽然我们满意他的学说,这不是真的,但反驳它也是不可能的。我永远忘不了约翰逊踊跃的回答,他用脚强有力地撞击一块巨大的石头,直到他反弹过来,‘我反驳这一点。’”

在克拉夫(Clough)的《狄普斯库斯》(*Dipsychus*)中,年轻的英雄自称是上帝的孤独交流的理想选择。他的对话者,世上智者的声音,发现这很难得到认真对待:

> 对于这些评论,如此贤明的与有学者风度的,
> 马勒伯朗士或贝克莱应得的
> 我相信它不会是一种罪过
> 如果我以笑容回答。
> 这些多汁的肉,这杯闪光的酒,
> 可能是一种不真实的纯粹表象;
> 只是——在我内心,在里面,
> 它们有一种独特的一致。
> 这个可爱生物的耀眼的魅力
> 是显而易见的幻觉,我不怀疑它;
> 但是,当我强抱她在我怀里时
> 我几乎没有想到它。
> [*Poems*(《诗集》)(Oxford:Oxford University Press, 1974),p. 241]

第三章

从休谟到黑格尔

休谟

贝克莱在都柏林给予世界他的经验论的形而上学不 80
久之后，在爱丁堡诞生了一个哲学家，他采用经验主义原则极端地反对形而上学，他就是休谟(David Hume)。休谟1711年出生在苏格兰的一个地位较低的旁系贵族家庭中。作为较早守寡母亲的年幼的儿子，他不得不在世上自谋生路。12岁到15岁之间，他在爱丁堡大学学习文学与哲学，据他说，他喜爱这两门学科。他于是开始准备申请一个法律职位，但是不久之后放弃了，因为用他自己的话说，他觉得“除追求哲学和普遍知识之外任何东西都存在一种难以克服的厌恶”。

尽管这样，他在布里斯托的确尝试在一个糖果公司谋求一个商业职位；但在那里做过四个月的办事员之后，他确信商业生涯不适合自己。他决定依靠他继承的微薄遗产过节俭的生活，他漂洋过海来到法国，在那里乡村生活消费并不昂贵。从1734 年到 1737 年，他居住在昂儒的拉弗莱什，笛卡尔曾在那里的教会学院接受过教育。休谟利用学院图书馆，撰写他的第一部著作，一本重要的著作《人性论》。

回到英国，他在出版这本著作时遇到许多困难，当著作完成时，他为其接受问题感到沮丧。“我的《人性论》比任何其他文学作品都更加不幸，”他在自传中写道。“它在出版社死而复生。”然而，在他死后，它获得了巨大的声誉。18 世纪德国的观念论者以及 19 世纪的英国观念论者将它作为他们批评经验
81 论的对象：他们痛恨它，但同时他们敬畏它。

20 世纪英国经验论者赞誉它是英语世界最伟大的哲学著作。当然，与笛卡尔以来的任何哲学家的著作相比，这部著作连同休谟后来更为普及地陈述它的观念一起，产生了更大的影响。拉弗莱什小镇为其对哲学的贡献引以为豪。

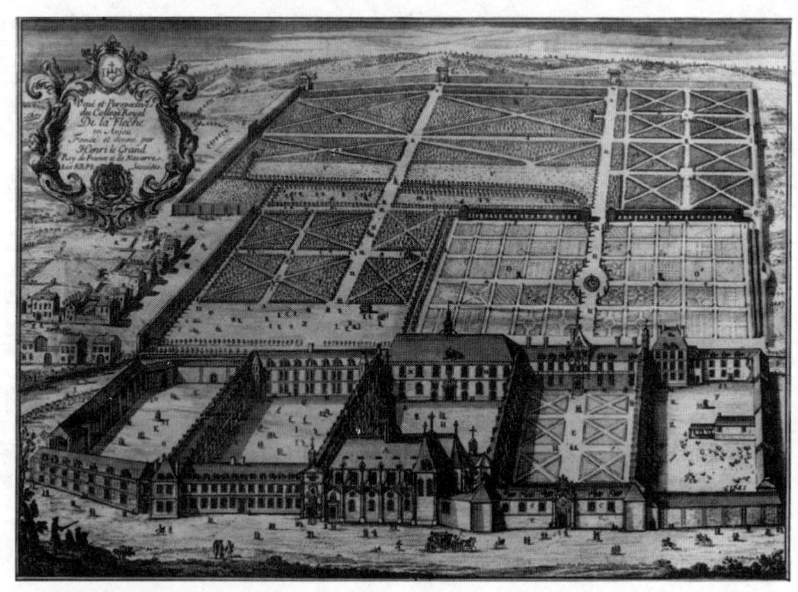

17 世纪的拉弗莱什学院版画。

《人性论》以三卷本出版,前两卷(《论知性》与《论激情》)1739 年出版,第三卷(《论道德》)1740 年出版。这部著作的目的在第一版的副标题中显露无遗:《一种将经验的推理方法引入到道德问题的尝试》。休谟把自己的工作看做是一种心理学的工作,牛顿在物理学中已经做过这种工作,通过在道德问题中运用经验的方法。他开始提供一种观念之间关系的陈述,这些观念是与身体之间的重力引力相当的东西。像因果性与责任的观念已被形而上学家混淆,它们第一次得到清晰的阐释。所有科学都受益:不是在知识的边缘建 82
立小的城堡,如今我们能"直接进入到这些科学的府第或中心,进入到人性本身"(*T*)。

《人性论》第一卷开始就设定心灵内容的经验主义的分类("认识")。这包含许多像洛克和贝克莱认识论那样的基础,但是休谟将认识区分为两个层级,印象与观念。与观念相比,印象更有力、更活跃。印象包括感觉与情感;观念是涉及思考与推理的认识。休谟详尽地阐释记忆与想象的观念,以及它们之间的联想,他赞同与强化贝克莱对洛克抽象观念的批评。

在第二部分篇幅留给空间与时间的观念之后①,休谟在一节题为"认识与可能性"中呈现出他最具有创造力和影响力的思想。休谟论证道,所有知识超越感觉直接传达的东西,它们取决于因果的观念:正是通过那些观念,我们发现过去所发生的,同时联系到未来要发生的。因此,我们必须严密分析这些观念的起源。

他认为,因果性的观念不能源于对象的任何内在特质,因为差异最大种类的对象只能是原因与结果。相反,我们必须寻找对象之间的关系;我们明白原因与结果必定彼此相随,原因必定先于结果。而且相随与连续不足以让我们宣称两个对象是原因与结果,除非我们注意到这两类对象在连续中的联系。但这不是充分的:如果我们从它的原因中推论一个结果,我们认为,在一个原

① 参阅第四章。

因及其结果之间必定存在一种必然的联系。

在许多篇幅的巧妙论证之后，休谟将我们带入到一个令人吃惊的结论之中：并不是我们的推论取决于原因与结果之间的必然联系，而是必然的联系取决于我们从一个到另一个做出的推论。必然联系的信念并不是推理的问题，而是习俗的问题。旨在让我们远离这种相对的学说，休谟陈述了他自己对于理性
83 与信仰之间的分析。在用一个部分探讨知性，这部分将它新颖的怀疑论置于古代与近代的其他怀疑论的阐释语境之中，他从而为这卷画上圆满的句号。这个部分在一节庆祝的言说中结束，休谟在其中否定了哲学设想的自我存在。①

《人性论》的第二卷致力于激情或情感，休谟正在追随笛卡尔与斯宾诺莎的足迹。但就他与那些唯理论的思想家相比较而言，这个主题变得更加重要。因为他的心灵哲学将这些激情归因于诸多控制，它们将这些控制看做是理性活动——因果的推论只是诸多实例中最显著的而已。

休谟告诉我们，激情是一种特定印象。在将感知区分为印象与观念后，他进一步区分首要的与次要的印象：感官印象以及自然的痛苦与愉悦构成这部著作的主题。特殊的激情比如自豪与谦逊，或者爱与恨得到有趣的详细探讨。这部著作最令人吃惊的结论是激情与理性之间的探讨的许多冲突是一个形而上学的神话。我们被告知，理性本身没有能力产生任何行为：所有自愿行为由激情激发。理性从来不能控制激情，激情只能由相反的激情控制。这个论题不应该困扰我们："理性仅仅应该是激情的奴隶，从来不能为任何其他的工作伪装，除了服务与服从激情"（*T* II. 3.3）。

在第二卷最后，显然，休谟的伦理体系正沿着非常不同于任何传统道德哲学的道路前行。既然理性不能驱使我们去行动，道德判断不能是理解的产物，因为这些判断的全部目的主导我们的行为。理性要么关系到观念的联系要么关系到

---

① 在第六章详细探讨休谟的因果性的解释，以及在第七章探讨他的自我解释。

事实的情形,但这二者都不导向行为。只有激情能主导行为,理性既不产生也不判断我们的激情。“更喜欢破坏整个世界而不喜欢用我的手指挠痒并不是与理性相违背的。”理性能做出的事情包括决定由激情激发的对象的可能性,决定获得它们的最好的方法。休谟用一段著名的段落总结他对理性与激情的评论: 84

> 在每个道德体系中,到目前为止我遇到的,我总是认为作者在通常的推理方式中浪费许多时间,确立上帝的存在,或者思考人类的事情;忽然之间我惊奇地发现,并非通常的命题与是或者不是相关,我面对的命题与一种应该或者不应该相关。这种变化是难以觉察的;然而,这是最终的结果。(*T* III.1.1)

一种“应然”不能来自一种“实然”,我们必须得出的结论是,善与恶、正确与错误之间的区分不是理性的结果而是一种道德感的产物。

基于这一点,休谟在这卷的第二部分继续探讨正义与非正义,在第三部分中,他探讨其他自然的德性诸如仁爱与精神的伟大。他断定道德区分的主要源泉是对他者的同情。正义受到赞同是因为它倾向于公共的善;公共的善对于我们来说是冷漠的,除非同情使我们对它产生兴趣。“德性被视为目的的一种手段。只要目的得到评价,目的的手段也得到评价。但是陌生人的幸福只是通过同情来影响我们”(*T* III. 3.6)。

对一个二十多岁的人来说,《人性论》是一个非凡的成就,休谟因为它的接受效果而备感沮丧,这也并不令人奇怪。他从最初的绝望中恢复过来,并确定书的错误是外在问题而不是实质问题。相应地,1740 年,他出版了这部著作匿名的简写本,尤其它的因果性理论。在随后两部匿名的著作之后,《道德与政治论文集》(1741—1742)得到很好的接受,他用通俗的方式重写了《人性论》的许多内容。《人类理解研究》与第一部著作同时在 1748 年问世(一个稍微不同的标题)，在 1751 年重新出版(一个定版)。它略去了早期对时空的考察，但是新增一章论奇迹，这大大地冒犯《圣经》正统的读者。也是在 1751 年，休谟出版了《道德原理研究》，这是《人性论》第三卷的一个缩写本与修订本。

1745 年，休谟在爱丁堡申请一个哲学教职，没有成功，但是他得到了作为
85 安娜德拉的年轻的马奎斯(Marquis)的私人教师岗位。紧接着，他成为一个远亲克莱尔将军(General St Clair)的随从，在奥地利继承权的战争期间，他在海军服役并远征到布列塔尼半岛。1747 年，在战争的尾声，他跟随这位将军并作为外交使节到过维也纳与都灵。他最终尝到甜头：他炫耀他有 1000 英镑的积蓄，他被同时代的人描绘成为类似“一个海龟吃奥尔德曼”。1751 年，他成为爱丁堡律师部门的图书管理员，他与姐姐在这座城市安家。

在 1750 年代，休谟的哲学著作开始有了销路，并获得名声或者至少恶名。他告诉我们，“神职人员以及真正的神职人员的回应，一年发生两三次。”但是他自己的著作发生一个新转向。在 1754 到 1761 年间，他撰写了六卷本的英国史，带有强烈的英国保守党偏见。的确，在他的一生中，他作为一个历史学家而非哲学家更加著名。

1763 年，在七年战争结束时，休谟成为英国驻巴黎大使的秘书，在六个月时间里，他在一个大使与另一个大使之间作为联络员。他觉得这个环境最适宜自己，与哲学家比如狄德罗(Diderot)和达朗贝尔(d’Alembert)交往，并与包福勒(Comtesse de Boufflers)陷入了一场优雅的爱情，回到英国后，他们在一系列情书中继续交往。他带着瑞士哲学家卢梭(Jean-Jacques Rousseau)一道回到了伦敦，因为卢梭害怕在欧洲大陆受到迫害。对于休谟友善的努力把他视为朋友并保护他，卢梭难以交往的品性得到证实，1767 年，在一次公开争吵之后，这两位哲学家分道扬镳。休谟的政府任职生涯结束，从 1767 到 1769 年，他在格拉夫顿公爵的政府中任较低级别的秘书，为北部部门服务。他退休回到爱丁堡，一直生活到 1776 年直到去世。他花费了大量时间修改一系列的

《关于自然宗教的对话》,对自然神学进行哲学的攻击,并在死后的1779年出版。令鲍斯韦尔(James Boswell)(他详细记述休谟最后的疾病)遗憾的是,他安详地去世,谢绝宗教安慰。他留下一个简要的自传,1777年由他的朋友经济学家斯密(Adam Smith)整理出版。斯密自己对休谟有这样的写照:“从整个一生来看,我总是这样评价他,无论在生前还是死后,他不断趋近一种有完美智慧和品德高尚的人的观念,正如人性弱点或许将得到承认一样。” 86

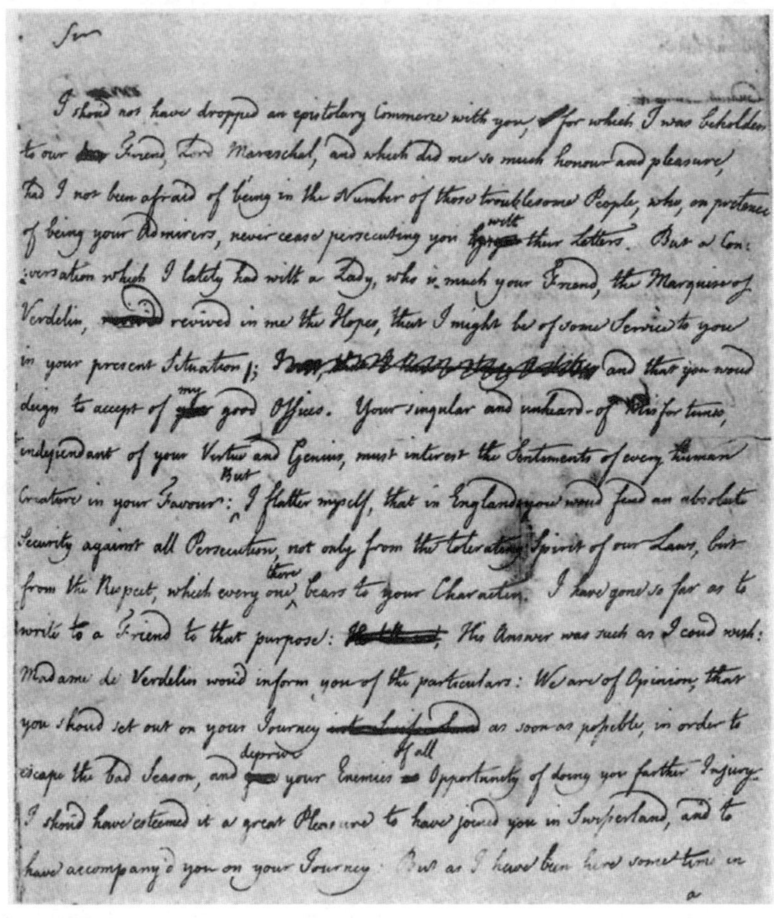

Sir

I shoud not have dropped an epistolary Commerce with you, for which I was beholden to our Friend, Lord Mareschal, and which did me so much honour and pleasure, had I not been afraid of being in the Number of those troublesome People, who, on pretence of being your Admirers, never cease persecuting you with their Letters. But a Conversation which I lately had with a Lady, who is much your Friend, the Marquisse of Verdelin, revived in me the Hopes, that I might be of some Service to you in your present Situation; and that you woud deign to accept of my good Offices. Your singular and unheard-of Misfortunes, independant of your Virtue and Genius, must interest the Sentiments of every human Creature in your Favour: But I flatter myself, that in England you woud find an absolute Security against all Persecution, not only from the tolerating Spirit of our Laws, but from the Respect, which every one there bears to your Character. I have gone so far as to write to a Friend to that purpose: His Answer was such as I coud wish: Madame de Verdelin woud inform you of the particulars: We are of Opinion, that you shoud set out on your Journey as soon as possible, in order to escape the bad Season, and deprive your Enemies of all Opportunity of doing you farther Injury. I shoud have esteemed it a great Pleasure to have joined you in Switzerland, and to have accompany'd you on your Journey. But as I have been here some time in

休谟草拟的邀请卢梭到英国的一封信。

斯密与里德

斯密(Adam Smith)在经济学史中的地位胜过在哲学史中的地位,但他的确是格拉斯哥大学的逻辑学与道德哲学教授,1759 年,他出版了《道德情操
87 论》。在这部著作中,他将休谟在道德判断中强调同情的作用作为根本的因素推进了一步,揭示出同情本身更为复杂的分析及其与道德的关系。虽然对休谟而言,同情本质上是分享他人的愉悦与痛苦,然而对斯密而言,同情则是一个更为宽泛的领域,源于任何情感的分享。因而,对正义的关切源于对一个受害者憎恨的同情。对仁爱的赞许来自对施惠者的博爱及其受益者感激的同情。因为在发生道德判断中同情的作用,一种行为的动机比其结果对我们的影响更大;因而,实利虽然在经济学中是最重要的,但是它并不是道德的最终标准。"任何精神特质的运用几乎不是我们认同的首要基础,认同的情感总涉及一种适宜的意义,这与实用的认识迥然不同"(*TMS*,189)。

他坚持认为,道德判断本质上是一种社会进步:一个在沙漠中长大的人"不能认识他自己以及他自己情感与行为中的恰当与缺点,比起他自己脸上的美或丑,更不能认识到他心灵中的美或丑"(*TMS*,110)。我们需要社会的镜子来照照我们自己:除非我们能与他们保持某种距离,否则我们不能做出情感或者动机的任何判断。因而:

> 可以说,我把我自己分为两个人……第一个是观众,当我从特定的观点审视时,通过将我自己置于他的状态,以及通过思考他如何呈现给我,对于我自己的行为,我努力进入诸情感之中。第二个是代理人,我恰当地将我称为这样的人,他的行为在一个旁观者的品行之下,我正努力形成某种观

念。(*TMS*,113)

斯密引入伦理学中的公正的旁观者的这种特征,不断出现在后来的道德哲学家的著作中。

斯密敬重休谟并以友善的方式发展他的某些哲学观念,斯密在格拉斯哥大学的道德哲学教授的继任者,里德(Thomas Reid)(1710—1796),是最早与最严厉的批评家之一,不但批评休谟而且批判整个传统。1764 年,他出版了《共同感原理中的人类精神研究》,以此回应休谟的《人性论》。 88

在 1780 年代,他在两篇论人的理智与主动能力的论文中坚持这种思想。休谟研究产生的矛盾结论使得里德思考研究的基本原理,特别是英国经验派或大陆笛卡尔派共同具有的观念体系:

> 当我发现最严肃的哲学家,从笛卡尔一直到主教贝克莱,努力论证并证明物质世界的存在,他们不能发现将经受检验的任何东西;主教贝克莱以及休谟先生,那个时代最敏锐的形而上学家,坚持认为在宇宙中不存在像物质这样的东西——太阳、月亮和星星、我们居住的地球、我们自身的身体、我们朋友的身体,只是我们心灵中的观念,除了在思想中,它们并不存在;我们发现最终坚持的观点是既不存在身体也不存在心灵——自然中只有观念与印象——甚至在数学原理中,不存在确定性,当然也不能存在可能性:我认为,当我思考许多最敏锐的学者探讨这个主题时如此夸大其词时,我们或许更倾向于认为整个都是一个幻想者的梦而已,他们沉浸在他们自己的智力编制的蜘蛛网中而不能自拔。

里德认为,整个近代哲学表明,如果他们从一个错误的第一原理出发,那么甚至最聪明的人也会误入歧途。

里德准确地指出笛卡尔与洛克的根本错误来自术语“观念”的晦涩。在日常语言中，“观念”意味着一种心灵行为；具有某种观念就是去认识它，对它有一种概念认识。但哲学家给予它一种不同的意义，里德认为，按照“这并不意味着我们宣称思想或概念是心灵行为，而是思想的某个对象”。我们首先引入观念作为谦逊的形象或事物的代理人，这些观念借助取代它们呈现和削弱除它们自身的一切东西而结束：观念似乎在对其他存在冷漠的本质中具有某种东西。”

哲学意义上的观念——假定它是心灵与世界之间的中介——以里德的观点看，是纯粹虚妄的。当然我们认识许多东西，但是概念不是形象，无论如何，不是概念而是命题成为建构认识大厦的基石。洛克的追随者认为认识开始于粗糙的概念（“单一的理解”），我们组成整体来构建信仰与判断。但这是认识事物的错误方式。“不是认为凭借组成整体以及比较那些单一的理解而获得
89 信仰和知识，我们应该宣称那种单一理解通过解决与分析一个自然的与最初的判断来实现”（*I*. 2,4）。概念在逻辑上是在命题之后以及来自这些命题的分析，这种论题是流行在20世纪中的某些分析哲学家学说的先声。

里德论证，我们看到一棵树时，我没有接受一棵树的一种纯粹观念；我看到这棵树涉及判断它以某种形式、大小和位置而存在。心灵中最初的东西不是一系列没有联系的观念，而是一系列“最初的和自然的判断”。这些构成里德所谓“人的常识”的东西。在里德之前，哲学家通常将“常识”运用在一种肯定的内感官术语，用来区分不同的外在感官以及联系来自外在感官的感觉材料。正是里德赋予那种表述这种含义，这种含义诞生在近代，并作为非理性原则的象征。里德宣称，在人类最伟大的部分，并没有发现更高程度的理性，但是它是宇宙的一种普遍智慧。

在里德视为推理基础的日常原理中，这些则在英国经验论者中得到考察并被提出来。与贝克莱相比，他坚持大小、形状和运动内在于物质实体之中。

与洛克相比,他坚持次要特征也是物体的真正特征:我所见到的一种颜色与我对它的感觉不一致,但是那是感觉的原因。与休谟相比,他坚持我们意识的思想“必定具有一种主体,我们称心灵为主体”。他重新确认这个原理,无论什么开始存在,必定有一种产生它的原因(*Essays on the Active Powers of the Human Mind*, 8.3,6)。

休谟经常对“粗俗”的信念持一种轻蔑的态度——信念,比如,对象持续的存在而不被感知。里德相信哲学家在他们处在危险中轻视这种粗俗,相信他们不会笃信他们的信仰只是因为他们已暗中改变了术语的涵义。“粗俗具有肯定的权利赋予他们日常熟悉的事物以名称;哲学家似乎正好可以指责语言的滥用,当他们改变日常语言的涵义时,并没有做出任何提示。”

里德宣称“常识与哲学之间的不平等的竞争,后者将总是声名扫地与一败涂地”(*I*,1,4)。相对于科学与技术,这些不应该被看做是市侩的术语。像日常语言哲学家一样,他也是一个先驱,他认为这只是与术语意义有关,而与命题的真或假无关,世人也会这样认为。论及“常识”时,他并非指自然中的普遍信仰,或者老妇人的闲言碎语,而是指其他哲学家呈现的作为理性直观的自明原则。科学本身不是单一常识的结果,而是借助常识引导下的理性研究;科学研究的成果能更好地克服个人粗俗的偏见。 90

里德自己是一个经验科学家,在可视对象的几何学方面取得了原创的成果,某些成果推动了非欧几里得几何学的发展。他想在哲学中阐明普通人的实在论至少与科学追求相容,如同唯理论者与经验论者的复杂的与诡辩的哲学。

启蒙运动

亚当·斯密与托马斯·里德是后来逐渐被称为苏格兰启蒙运动中的两个

杰出的增光添彩的人物。在 18 世纪的欧洲,知识分子把他们看做是给愚昧与迷信控制的领域带来理性之光的人,法兰西被法国自身以及其他国家将它看做启蒙运动最卓越的家园。法国启蒙运动的高潮是 1750 年代与 1760 年代出版的 17 卷的《百科全书》,由狄德罗(Denis Diderot)与达朗贝尔(Jean d' Alembert)编辑。但这个宣言的基础已由其他的法国思想家准备了半个世纪。

培尔(Pierre Bayle)(1647—1706)已贡献出《历史批判辞典》,其中他通过详细研究《圣经》与历史名人揭示了自然神学与启示神学中许多的不一致性与不连贯性。他在《地平线》中的道德观表明宗教信仰只是合理的,如果伴随普遍的宽容,伦理学的教义应该独立于宗教的教导。人类不朽的信念或者上
91 帝存在的信念不是严酷生活的必要东西。

培尔的怀疑论受到许多人的反驳,最有名的是莱布尼茨在《神义论》中的反驳。但他对宗教权威的消极态度奠定了德国以及法国启蒙运动思想家的思想基调,启蒙运动的积极因素——尝试达到对人类社会和政治环境的科学理解——更多的归因于另外的、更彻底的思想家孟德斯鸠(Charles de Secondat, Baron de Montesquieu)(1689—1755)。

孟德斯鸠的伟大著作是《论法的精神》(1748),它基于大量的历史与社会的阐释创立国家性质的理论。这部著作花了许多年才完成,在之前他出版了两部更短的著作——1721 年出版的嘲讽法国社会的《波斯人信札》,以及一本更加深思熟虑的专著论古罗马人兴衰的原因(1734)。①

孟德斯鸠在英国生活过一段时期,并因为《英国宪法》他得到极大尊重。启蒙运动哲学家分享了他的亲英的情感,他们把自己看做是培根、洛克以及牛顿的继承人而不是笛卡尔、斯宾诺莎以及莱布尼茨的继承人。对于相对自由以及英国政治与基督教会制度的中庸,伏尔泰(Voltaire)(生于 1694 年名为阿

① 在第九章详细探讨孟德斯鸠的政治哲学。

罗特)首先出版的哲学著作,1734 年的《哲学通信》充满热情。他羡慕英国的宽容更为真诚,1726 年被流放到英国之前,他曾在巴士底狱坐过两次牢,因为出版小册子诽谤资深贵族而被判罪。

伏尔泰在他的第十三封信中说,洛克是第一个给予人类灵魂严谨解释的哲学家,从而代替早期哲学家编制的浪漫想象。“他向人类展示人类理性正像一个好的原子论者解释人的身体机制一样。”在《百科全书》问世之前的岁月里,伏尔泰凭借他 1738 年出版的《牛顿哲学》在英国科学与哲学界成为活跃的公众人物。百科全书的真正观念源自英国,钱伯斯 1728 年在两卷本《百科全书》或称《艺术与科学大词典》中提出了大百科的观点。

《百科全书》的两个编者是具有不同天才与气质的男人。达朗贝尔是一位天才的数学家,以流体力学的原创著作确立了他的名声。他致力于将算术和几何学的清晰性与准确性带入所有的科学。他是一个单一伟大统一科学的观 92
念的早期倡导者。他在《百科全书》导言中撰写的“宇宙只是一个事实并且是一个伟大的真理,无论谁从单一观点中如何认识与接受它。”与物理学相比,他对生物科学以及社会科学更感兴趣。当达朗贝尔正在被学院授勋时,狄德罗在监狱已度过了一学期,因为他的《论盲目的信》质疑宇宙中上帝的存在。这两人同样相信科学进步的不可抗拒性,同样笃信基督宗教是人类更好生活的巨大障碍,同样坚持人性中的基本的唯物论观点。他们笼络了一大批志趣相投的思想家来担当《百科全书》的撰稿者,除孟德斯鸠和伏尔泰之外,还包括拉美特里(Julien de La Mettrie),一位内科医生,最近出版《人是机器》(*L' Homme Machine*),霍尔巴赫(Holbach),主持一个奢华哲学沙龙的无神论者,以及爱尔维修(Claude Helvétius),一个决定论的心理学家,他因为一部著作而声名鹊起,这部著作证明人类不具有与感觉相区分的理智能力。

休伯特创作的伏尔泰与哲学同事进餐的雕版画。

93 虽然启蒙运动哲学家都是反宗教的，他们并非全是无神论者。比如，伏尔泰认为牛顿解释的世界证明上帝存在正如一块表证明一个制表匠的存在一样。1764 年出版《哲学辞典》时，他撰写论无神论的条目：

> 在那些做管理的人中，无神论是一个古怪的恶魔；也在渊博的人中，即使他们的生命是纯洁的，因为从他们的研究出发，他们可以影响那些管理政府的人；即使不像狂热一样有害，这对于美德是致命的……没有哲学头脑的数学家拒绝目的因，但真正的哲学家接受它们；正如一位著名作家曾说，教理向孩童宣告上帝，而牛顿向智者证明上帝。(*PD*, 38)

如果上帝不存在，伏尔泰有一个著名的说法，创造他是必然的——否则道德法则会失去效力。但他自己不相信一个已能自由创造世界的上帝。对于类似 1755 年毁灭里斯本的地震灾难性苦难而言，这样一个上帝不得不承担责任。世界不是一个自由的创造，而是上帝存在的一个必然的、永恒的结果。为拒绝对无神论的任何指责，伏尔泰自称为“有神论者”，但对于信仰他那种神的那些人而言，“自然神论者”是规范的哲学术语。

虽然他们通常被视为法国革命的先驱，哲学观念并非必然激进或者民主。狄德罗接受俄国凯瑟琳大帝的资助，伏尔泰有三年在普鲁士腓特烈二世帐下做事，他们的自由观念类似 1688 年英国革命者的观念，而不是 1789 年法国革命者的观念。言论自由是他们最珍惜的自由，他们原则上不反对专制，虽然他们中的每一个发现，与他们的愿望相比，他们选择的暴君并不开明。在国内，两人都愿意冒险抗议政府滥用权力，但他们没有呼吁任何根本的政治改变。他们尤其想获得一个普通人的权利——用伏尔泰最喜爱的术语说，即“乌合之众”。

卢梭

一个百科全书主义者愿意更深入——让·雅克·卢梭（Jean-Jacques
Rousseau），他撰写了论音乐主题的几篇文章，1712 年生于日内瓦，一个钟表匠 94
的儿子，卢梭被培养为一个加尔文教教徒，但在 16 岁时，一个歧路的学徒在都灵成为天主教教徒。在华伦夫人（Baronne de Warens）煽动下，在 1729 年与 1740 年之间他断断续续地与她生活在一起。在短暂的作为教唱歌的教师与家庭教师之后，1743 年，他获得一个职位，在威尼斯担任法国大使秘书。因不服从而被解雇，他前往巴黎，他走近狄德罗，在狄德罗服刑期间卢梭定期拜访他。他也与达朗贝尔和伏尔泰有过良好关系。当他在 1750 年发表获奖论文时，它给予这个问题否定的答案，即艺术与科学的进步已对道德产生积极的影响，但这震惊了哲学界。他花了四年研究这个问题，出版了《论人类不平等的起源和基础》。两部著作的主题是，人性天生是善的，由于社会制度而变坏。理想的人是“高贵的野蛮人”，他唯一的善使得文明人感到羞愧。这一切当然是处在百科全书派“科学与社会进步的信念”的相反的一极：伏尔泰称《论人类不平等的起源和基础》是“一部反人类的书”。

卢梭展现他对社会习俗的蔑视通过与一个洗衣妇雷瓦索长时间的关系中，以实际的形式呈出现来，雷瓦索（Therese Levasseur）和卢梭生了五个孩子，卢梭将他们一个接一个地抛弃在孤儿院。他创作歌剧《乡村占卜师》，为路易十五在枫丹白露演出，1754 年，他返回日内瓦，再次成为加尔文教徒，在那里旨在恢复他的公民身份。伏尔泰从柏林归来，并住在日内瓦，两位哲学家注定不是好邻居：彼此的厌恶在 1756 年卢梭发表的《论上帝的信》中公开出来。1757 年，达朗贝尔出版论日内瓦的百科全书条目，这个城市拒绝允许上演喜剧，他为此感到遗憾。卢梭以柏拉图《理想国》的方式回复发表了《致达朗贝尔的信》，探讨戏剧表演对道德败坏的影响。卢梭与狄德罗争论时透露一种情感的
95 信念，当他 1861 年发表《论道德的信》时，他与哲学界的关系完全终结。

1758 年至 1761 年是卢梭多产的时期，他在法国的一个小乡村度过退休生涯。他出版了一部当时畅销的小说《新爱洛伊丝》，1761 年在巴黎问世，他也完成两部哲学著作，一部是论教育的《爱弥儿》，另一部是论政治哲学的《社会契约论》。《爱弥儿》叙述了一个受过教育的孩子作为一个实验远离其他孩子的生活；《社会契约论》从难以忘记的话开始“人生而自由，然而无处不在地生活在枷锁之中”。[①] 这两部著作 1762 年发表，因为它们煽动性的学说，立即引起一片哗然。《爱弥儿》受到巴黎大主教与议会的谴责。它与《社会契约论》一起在日内瓦被付之一炬。随即这两个城市下达对他的逮捕令，卢梭逃往瑞

① 在第九章详细探讨卢梭的政治哲学。

士（日内瓦不是瑞士的部分）。寻求在欧洲大陆城市避难之后，他在英国获得休谟的庇护，他从当时英国国王乔治三世那里获得保障卢梭的养老金。但是他的偏执与忘恩负义使得休谟转而反对他，他回到法国，在巴黎度过他生命的最后几年（1770—1778）。这个时期的主要成就是自传式的著作《忏悔录》，他去世后几年才出版。

伏尔泰也在1778年去世。在晚年，他的著作已变得更加明确地反基督教。在他的避风港，日内瓦附近的弗尼，1765年他出版了叛逆的《袖珍哲学辞典》，1768年出版了《有神论者信仰的独白》。他还写历史著作和戏剧，他逝世时正好是在回到巴黎后，他的戏剧《艾琳》的第一次胜利演出。卢梭和伏尔泰，曾是生活中的敌人，如今却并排躺在专门献给法国伟人的巴黎圣贤祠的陵墓。

法国启蒙运动时期的哲学家，尤其卢梭，被许多人看做是应为在他们去世后不久席卷法国和欧洲的革命动乱负责。托马斯·卡莱尔，《法国大革命》的作者，因为过于爱好纯粹的观念而受到一个商人指责。“曾经有一个叫卢梭的人，”卡莱尔回答道，“他写了一部只包含观念的著作。在嘲笑第一版的那些人的肤浅指责中，第二版受到限制。”① 96

沃尔夫与莱辛

在德国，启蒙运动采取对存在基础不构成威胁的一种形式——毫无疑问，部分地因为它暂时满意普鲁士国王腓特烈的资助，从1740年到1786年执政。在18世纪的上半叶中，德国重要的哲学家是沃尔夫（Christian Wolff）（1679—1754），他在哈勒作为一个数学教授开始职业生涯，他获得一个评论莱布尼茨

① Quoted in Alasdair MacIntyre, *A Short History of Ethics*（《伦理学简史》）（London: Routledge, 1976）, p. 182.

像这幅卡通画的作者，卢梭坚持这种观点，妇女是为情感而不是为哲学思考而生活的。

的机会。当他首次冒险进入哲学领域时,他激发了虔诚的路德教徒的敌意,他 97
们影响政府剥夺他的教职并从普鲁士放逐他。这种受迫害的经历几乎是沃尔夫熟悉哲学的唯一事情;不像他们,他是严肃的、学院的、彻底的以及准确博学的。他的唯理论正是与卢梭浪漫主义相对立的一极。

沃尔夫在马堡的一所加尔文教大学执教十七年,但当腓特烈大帝登基时,他被恢复在哈勒的教职,在那里工作一直到死。后来,他成为那所大学的副校长,被赐为神圣罗马帝国的男爵。他的哲学体系兼收并蓄、容纳百川,它包含来自古典的亚里士多德主义、拉丁的经院哲学、笛卡尔的唯理论以及莱布尼茨形而上学的诸多因素。他运用莱布尼茨的充足理由原则,他将它与同一性原则联系在一起作为形而上学的基础。在一个超验上帝中可以找到世界存在的充足理由,它的存在能够通过传统本体的以及宇宙的论证确立。我们生活的世界是各种可能世界中最好的,是由上帝智慧自由选择的。

沃尔夫几乎没有原创思想,除他强加给更早期的著作家中借来的东西之外,比如,给混乱的亚里士多德形而上学强加秩序;他严格编排哲学的不同分支,普及这些区分,比如自然神学与普遍形而上学之间的区分("本体论"),这些已经不是中世纪的讨论。他的本体论的定义是作为"所有可能事物的科学,就它们可能的范围而言",强调可能的本质而不是实际的存在,这个定义来自
阿维森纳与司各脱,是他们思路的一种延续。他在物理学(世界偶然的自然法 98
则的实验研究)与宇宙论(每种可能世界的一种先天研究)之间引入了一种新颖的区分。

像笛卡尔一样,沃尔夫承认人的灵魂存在,它是一个具有自我意识的单一实体;但他解释灵魂与肉体之间的关系诉诸莱布尼茨的前定和谐。在沃尔夫的伦理体系中,关键的观念是完美的观念。善是增加完善,邪恶是消除完善。人的根本动机是自我完善,这包括普通的善以及上帝荣耀职责的提升。尽管包括人的活生生的肉体是机器,但是我们喜欢自由意志:理性选择能够并且应

该克服感性的所有压力。

英语世界的读者如今几乎不再读沃尔夫的著作,他在哲学史上的重要性在于,他的体系在德国得到接受并作为唯理论形而上学的范式,后来的著作家在与他的观念相关中确定他们自己的观点。尤其在康德那里更是如此,在他对形而上学的严厉批判中,通常一眼就可以看到沃尔夫学说的影子。

莱辛(Gotthold Ephraim Lessing)(1729—1781)是这样一位思想家,他更接近于启蒙运动,并在法国与英国得到理解。一个路德教牧师的儿子,他最初献身教会,但为献身文学而放弃神学,做过布鲁斯维克公爵的图书管理员,他以此养活自己。像在《哲学家》中一样,优先于学院的教科书,他在随笔与喜剧中表述他的思想。他的首个公开出版物是与犹太哲学家门德尔松(Moses Mendelssohn)合作撰写的论文《蒲柏是一个形而上学家!》,这部分地攻击莱布尼茨的观念,这在蒲柏的《论人》中表述的,但这也是一种呼吁,在哲学与诗歌作为两种非常不同的精神活动之间做出一种严格的区分。在1776年的《拉奥孔》中,他诉诸在诗歌与视觉艺术之间做出类似的区分:他认为,维吉尔描述拉奥孔之死的艺术效果非常不同于梵蒂冈著名的古典雕像的艺术效果。在每个个案中,莱辛将亚里士多德的《诗学》作为他的起点(同样像欧几里得《几何原本》一样的准确著作),他勾画了诗人的一种特别的、半预言的作用。这样做
99 时,他预见到浪漫主义的一个重要主题。

像浪漫主义者一样,莱辛崇拜斯宾诺莎。他将世界看做是一个单一统一的体系,这个体系的部分与上帝心灵观念是一致的。他愿意接受决定论是真的而自由是一种幻象:另一方面,他愿意承认世界的偶然性,上帝的某些观念也是偶然的。他赞同斯宾诺莎认识到避免焦虑的自由只是在承认宿命时才获得。"我感谢上帝",他说,"我在必然性的控制之下,最好的必定如此。"

莱辛最重要的哲学著作是《人类的教育》,人类像个体的人一样经历不同的阶段,这些不同的阶段与不同的教育类型相适应。教育一个孩子是一件自

然的奖惩事情：人类的童年是《旧约》的时代，在我们年轻时，对于良好的教育而言，教育者为我们的好的品行提供更多的精神鼓励；对于不朽的灵魂而言，教育者则为我们提供永恒的奖励与惩罚。这与基督教盛行的历史时期相对应。然而，莱辛努力在《新约》的大量批评研究中表明，基督的神圣起源的证明是不完整的，莱辛继续论证，甚至关于偶然事实的最强有力的历史证据，也不能证明神性事件的必然真理的任何结论。

基督教因此只是人类教育的一个阶段，它的教义只具有一种符号的价值。人性来自时代，必定从基督教中提炼出一种普遍情谊的信仰，必定追求它们自己目的的道德价值，不是为现在或以后的任何奖励（虽然莱辛没有认真考虑死后灵魂转世的观念）。像法国启蒙运动的领导者们一样，莱辛是一个宗教宽容的积极倡导者；他在戏剧《智者纳旦》（1779）中对这样的倡议做出全面的表述。莱辛提出宽容的一个理由是个人价值不取决于他的信仰是不是真的，而是取决于他获得真理过程中遇到了多少困难。这种新颖论证出现在一段经常援引的充满活力的段落中：

> 如果上帝坚持一切真理在右手之中，而真理之后的无休止奋斗在他的左手之中，以至于我应该总是并无休止地犯错，并对自己说，我将在左手上
> 谦卑的选择并说：上帝，请允许我如此；绝对真理只属于你。（*Gesammelte* 100
> *Werke*, ed, Lachmann and Muncker, XIII. 23）

康德

康德（Immanuel Kant）将他的整个生活献给追求绝对真理：的确，除这种追求之外，对他的一生几乎不能再说什么。1724 年，康德生于普鲁士东部的柯尼

斯堡,并一直生活在他出生的城市之中。从1755年一直到1770年,他是柯尼斯堡大学的一个编外讲师或助教,从1770年到1804年去世,他在这里获得逻辑学与形而上学教授职位。他从不旅行,没结过婚以及获得公职,他的生活历程就是他观念的历程。

康德成长在一个虔诚的路德宗家庭,但他后来在神学观点上是自由的,虽然在宗教皈依上严格执行。他一直是生活严谨和习惯固定的男人,有名的是极度准时,五点起床,十点就寝,上午七点到八点上课,随后写作一直到一顿丰盛午餐时。柯尼斯堡的市民常说笑,通过他下午惯例的现身来定表。在大学阶段,他接受了一个沃尔夫门生的教育,但他自己早期的兴趣更多在科学而不在哲学,作为一个没有薪水的编外教师,他不仅讲授逻辑学和形而上学而且讲授多门学科比如人类学、地理学和矿物学。他的第一部著作也是有关科学的学科,最有名的是1755年的《宇宙的本质与理论的普遍历史》。

从1860年起,他开始严肃地致力于哲学,但在接下来的二十年中,他出版的著作是谨慎与传统的类型。1762年,他完成了一篇论传统三段论的简短而相对肤浅的论文,批判传统表述中的不必要的细致("Die falsche Sptizfindigkeit",这作为论文的题目)。同年,他完成了《上帝存在论证的唯一可能的基础》,其中在反驳上帝存在的三种标准论证中,他推论,在沃尔夫和司各脱的精神中,如果的确存在任何可能的存在,那么必定存在提供这种可能性的一个完美存在。

101 1763年,柏林学院创设一个获奖问题"形而上学真理是否能借助像几何学真理的确定性得到证明"。康德(不成功的)参加奖金的争夺,强调数学与哲学方法之间的许多关键区分。数学家从清晰的定义开始,这些定义创造它们继续形成的概念;哲学家从混乱概念开始并分析它们旨在获得一个定义。形而上学家而非疯狂的数学家应该追随牛顿的方法,不是把它运用于自然世界而是内在经验的现象。

康德在这里为哲学家阐明的计划非常类似休谟曾为他自己设定的计划，康德后来表明休谟使他从多年的“独断的梦魇”中苏醒，在他接受莱布尼茨以及沃尔夫的哲学岁月中。并不能肯定康德何时开始严肃地研究休谟，但在1760年代，他日益怀疑科学形而上学的可能性。1766年，那部匿名的变幻的《一个幽灵预言的梦》比较了形而上学的思辨与有想象力的斯威登堡的独特幻觉。在其他场合，康德强调，在休谟的唤醒中，因果关系只能通过经验来认识，同时从来不是逻辑必然性的问题。然而，1770年，他作为申请教授职位的论著《感性与理智世界的形式与原则》仍表明他受到莱布尼茨的深刻影响。

康德在建构他自己原创体系中度过了他担任教授的第一个十一年，这个体系发表在1781年的《纯粹理性批判》中，一部立刻遮蔽前批判时期的光辉著作，奠定了他作为近代最伟大的一位哲学家的地位。他按照这部著作的思路，出版了一部更加简洁与更普及的著作，《未来形而上学导论》(1783年)，并在1787年的第二版中，重新出版了它。

在康德的批判哲学中，他旨在首先使得哲学是彻底科学的。许多世纪以来，数学被认为是科学的，科学的物理学也与时代前行。但形而上学，最古老的学科，“将生存下去，即使所有其他的学科陷入一种彻底破坏性的野蛮深渊”，形而上学仍然与成熟离得很远。形而上学的好奇内在于人性之中：人类不能只对形而上学的三个主要对象感兴趣，即上帝、自由与不朽。但形而上学如何成为一门真正的科学？

正如我们理解的，休谟及其他人努力为精神哲学做牛顿曾为物质哲学所 102
做的，寻找物体之间的重力引力的生理对应物的联想观念。康德提供科学形而上学的计划具有更大的抱负。他相信，哲学需要像哥白尼革命那样的一场革命，哥白尼已让宇宙的中心从地球变为太阳。哥白尼曾揭示，我们思考我们观察太阳围绕地球运动时，我们所见的是我们身处的地球自转的结果。康德的哥白尼式革命将对我们的理性产生作用，而哥白尼则对我们的视觉产生作用。不是追问我们的认识如何符合它的对象,我们必须从这样的假设开始,即对象必须符合我们的认识。只有在这种方式中,我们才能证明形而上学的论断具有必然的与普遍的认识。

康德出版《纯粹理性批判》时的雕版画。

康德区分两种认识模式:先天认识与后天认识。我们认识一个后天真理,
103 如果我们通过经验认识它;如果我们独立于一切经验认识真理,那么我们认识一个先天真理。康德赞同洛克的观点,一切知识开始于经验,但他认为并非一切知识只是来自经验。存在某些我们先天认识的东西,基本的真理不是从经验中单纯归纳出来的。在先天判断中,康德认为,一些是分析的,一些是综合的。在一个分析判断中,比如“所有物体是广延的”,我们只是在谓语中使得某

种东西明晰,这种东西包含在主语的概念之中。但在一个综合判断中,谓项附加某种东西到主语的内容之中:康德的事例是“一切物体是重的”。所有后天命题是综合,同时一切分析命题是先天的。难道存在既是综合的又是先天的命题吗?康德相信存在。对他而言,写作提供先天综合真理的事例,最重要的是,必定存在既是先天的又是综合的命题,如果在形而上学之外创造一门真正的科学,这将是可能的。

哲学家的首要任务是阐明心灵力量的本质与限度。像在他之前的中世纪与唯理论哲学家一样,康德严格区分感觉与理智;但在理智之中,他自己在知性(*Verstand*)与理性(*Vernunft*)之间做出一种新的区分。知性联系各种感觉,旨在提供人的认识:通过感觉,对象被给予我们;通过知性,它们成为可以思考的对象。经验是一种由感觉提供的内容以及由知性决定的一个结构。与知性相比,理性是超越知性获得的东西的理智力量。从经验中分离出来时,这是“纯粹理性”,它正是康德批判的目标。

在阐明纯粹理性之前,康德的《纯粹理性批判》彻底研究了感觉与知性。感觉在题为“先验感性”的一节中得到了研究,而知性则在题为“先验逻辑”一节中得到了研究。“先验”是康德最喜欢的术语;他使用它有几个含义,但在所有含义中常见的是某种东西和观念,这(更好或更坏)摆脱了实际经验。

先验感性更多地致力于空间与时间的研究。康德说,感觉具有一种物质(或内容)与一种形式。空间是外在感觉的形式,时间则是内在感觉的形式。 104
空间与时间在心灵发现的世界中不是实在的:它们是进入感觉塑造经验的模式。在解释先验感性时,康德对古老的问题“空间与时间是真实的?”提出他自己新颖的解决方式。①

当我们从先验感性转到先验逻辑时,我们再次面对一个二元的区分。逻

① 在第五章深入探讨康德对空间与时间的阐释。

辑学包含两个重要的工作,康德称之为先验分析与先验辩证。这种分析为知性的经验的合理运用设定标准;这种辩证则阐释这些幻象,这些幻想发生在理性努力在那种分析设定的限制之外运作之时。在他的分析中,康德提出一系列他称为“范畴”的先天概念以及一系列他称为“原则”的先天判断。相应地,这种分析又被细分成两个重要的部分,包括“范畴的演绎”与“原理的体系”。

第一部分呈现这些范畴的这种演绎,或立法。范畴是一种特定的基本类型的概念;康德给出“原因”与“实体”的概念作为事例。他推论,如果没有这些范畴,我们甚至不能概括或理解最琐碎与混乱的经验。他在这里的目的是回应在经验论者自身基础上的挑战。他和经验论者认同我们一切认识从经验开始,但他否定一切认识来自经验。他努力表明,如果没有休谟努力废除的形而上学概念,休谟自己的经验、印象与观念的基本内容本身将分崩离析。

这种分析的第二部分,即原理体系,包含大量关于经验的先天综合命题。康德坚持,经验必定有两类的量——规模的量(两点之间的距离的事例)以及集中的量(温度的一种特定程度的事例),而且,康德坚持认为,如果在我们的认识中发现必然联系,那么经验是唯一可能的。休谟错误地认为我们首先在事件之间觉察到时间的连续,随后继续将一个作为原因,将另一个作为结果。相反,我们不能确定一个客观的时间先后顺序,除非我们已经区分因果关系。[1]

105 康德反对经验论,同时他严厉地攻击唯理论。在他分析的最后,他坚持范畴不能决定它们自身的运用,原则不能确立它们自身的真理。知性单独不能确立这样的事物作为一个本体或者每种变化有一个原因。能确立先天的一切是,如果经验是可能的,那么必须坚持某些条件。但经验是否可能预先得到确定:经验的可能性只有通过经验本身的实际发生来呈现。

这种分析表明,不可能存在一个纯粹现象的世界,不可能存在感觉的纯粹

---

① 在第六章探讨康德对时间与因果性之间关系的阐释。

对象,这些对象不归入任何的范畴或者列示任何法则。但我们不能从这一点断定存在一个非感性的世界,这个世界只由理智来确定。接受这些运用纯粹理性研究的超越感性对象的存在,就进入到一个幻象的领域,在他的“先验辩证”中,康德探寻这个迷狂的世界。

“先验的”,正如已谈到的,意味着摆脱实际经验,在他的辩证中,康德有三个主要对象:形而上学的心理学、形而上学的宇宙学以及形而上学的神学。“纯粹理性,”他告诉我们,“为灵魂的先验学说、为世界的先验科学以及最后为上帝的先验认识提供观念。”他随后尝试解构非物质的灵魂不朽、可概观的宇宙整体以及一种绝对必然存在的三种观点。

理性主义者心理学,正如由笛卡尔实践的,从假设“我思”开始,并断定非物质的、不可摧毁的、个人的与一种不朽的本体存在。康德认为这种论证思路是完全错误的——他列举其中的四个,称之为“纯粹理性的谬误”。这些不合逻辑的推论不是偶然的:原则上,超越经验心理学的任何尝试必定犯错。

为排除先天宇宙论,康德设定四个二律背反。一个二律背反是一对相反
的论证,这些论证导致冲突的结论(一个正题与一个反题)。四个二律背反中 106
的第一个,它的正题是“世界在时间中有一个开端并在空间中受到限制”,它的反题是“在世界中没有开端以及在空间中没有限制”。康德论证这两个命题。当然,他的意思并不是使我们断定两个冲突的结论都是真实的:道德世界是理性根本无权来谈论作为一个整体的“世界”。

在每个二律背反中,正题强调某种系列完全停止,反题则认为它永远持续。第二个二律背反关系到区分,第三个关于因果性,第四个涉及偶然性,在每个个案中,康德揭示这个系列作为受到其他东西限制的实在——譬如,一种结果在他的术语中是由其原因“限制的”。在每个二律背反中,论证的正题得出一个无条件的绝对结论。康德相信,每个二律背反的两方处在错误之中:正题是教条主义的错误而反题则是经验论的错误。二律背反的建构的观念呈现

经验研究领域与纯粹理性的预设之间的误配。正题呈现出比思想小得多的世界(我们能超越地思考它);反题呈现比思想大得多的世界(我们不能思考到它的目的)。我们必须通过改变我们的宇宙观念去适应经验研究,将思想与世界相匹配。①

在第四个二律背反中,康德提出赞同与反对一个必然存在的诸论证,在《纯粹理性批判》中的一个后面部分中,他继续思考自然神学坚持上帝的概念。他把上帝存在论证分为三种基本类型,并阐明每种类型的论证为何注定失败。如果上帝在我们的思想与生活中有一席之地,他相信,它不是作为一个实在,这个实在的存在由理性的证据确定。

《纯粹理性批判》不是一部容易理解的著作,并非所有的困难是因为它主题的深邃或者其思想的原创性。康德(正如必定明显的)极其喜欢创造技术性的术语(在这本著作中将出现在别处),以及太急于将观念纳入到严格的图式之中。但坚持穿越这一困难文本的任何读者将获得一份哲学上的丰厚回报。

107 在六十多岁时,康德在三部对以后发展有重要影响的著作中转向关注伦理学和美学:《道德形而上学原理的基础》(1785);《实践理性批判》(1788);以及《判断力批判》(1790)。在前两部著作中,他开始致力于批判实践理性的先天综合原则,正如他在最初的《纯粹理性批判》中已确立理论理性的先天综合原则一样。

康德道德理论的出发点是不需要证明的唯一善的东西是一种善的意志。天才、个性与命运可能用于不良的目的,甚至幸福可能是败坏的。并非善的意志获得善的意志;甚至在其努力中不成功,善的意志本身也是好的。使得一种意志成为善的东西由责任激发出来的东西:来自责任的行为在面对困难时展示善的意志。一些人喜欢做善事,或者从做善事中获益,但只有当某个人不是

---

① 二律背反的深入阐释将在第五章进行。

从爱好而是从责任的目的做善事时，个性价值才被揭示出来。

来自责任的行为是出于道德原则的行为，是服从道德律令的行为。存在两种律令，假言律令与直言律令。一个假言律令说：如果你希望获得某种目的，就采用这样一种方式行为。直言律令说：无论你希望获得哪种目的，都以这样一种方式行为。存在许多系列的假言律令，它们有人自身设定的不同的目的，但只有一个直言律令是这样的：“只按照一个法则你能同时愿意这将成为一个普遍原则。”无论何时你用某种方式行为——比如，借钱而没有任何还钱的想法——你必须总是追问自己，如果每个人用这样方式行为，它将会怎么样。

康德提供直言律令的另一种模式：“行为以这样一种方式以至于你总是仁慈地对待，无论对于你自身还是其他任何人，从来不只是作为一种手段，而且同时作为一种目的。”康德认为，作为一个人，我不但是我自己的目的，我是目的王国的一个成员，在普遍法则之下的理性存在者的一种统一。在目的王国中，我们既是立法者又是臣民。一个理性的存在者“只服从由他自身制定的同时也是普遍的法则”。① 108

在他的第三批判《判断力批判》中，康德尝试将这种分析运用到诸如美与崇高的审美观念，他在早期的批判中已将这种分析运用于科学与伦理的概念。审美趣味判断取决于情感，然而它们断言普遍的有效性。但认为它们涉及客观的普遍性，这是一个错误。康德推论：能普遍共享的是想象力与知性之间的某种特定的内在关系，这是静观的趣味判断的一个显著特征。

在1890年代，随着他的批判哲学牢固地确立起来，康德涉险进入了不是哲学的冒险领域。1793年，他出版了一部半神学著作，题为《单纯理性限度内的宗教》，这部著作重新解释了若干基督教的学说，1795年，在法国革命战争

① 在第八章充分探讨康德的道德哲学。

中,他撰写一本小册子《论永久和平》。这些著作的第一部冒犯了普鲁士大帝腓特烈二世,他将其视为对《圣经》权威的一种未经证明的攻击。康德拒绝改变他的观点,但同意不再进一步地撰写或演讲宗教的主题。他信守诺言一直到1789年国王去世之后,他出版了《官能的冲突》探讨神学与哲学的关系。1979年,他在《道德形而上学》中详述了他的道德体系。它分为两部分,一部分处理个体的德性,另一部分处理立法的理论。与更早期的《道德形而上学基础》相比,这是一部更重要但影响力小得多的著作。

康德死于1804年,在墓石上铭刻着一句话,来自《实践理性批判》的结论。"两种东西用新的与日益增长的崇敬与敬畏充满心灵,愈加并不断地反思:我头顶的灿烂星空和我心中的道德律。"

费希特与谢林

直到最后岁月,康德还在从事一个雄心勃勃的哲学计划,这是在他去世后才出版的《康德遗著》(the *Opus Postumum*)。这表明在他最后岁月中他已开始对第一批判体系的某些方面存在某些疑虑。这些是由他最杰出的崇拜者与学生提出的批评引起的。其中最著名的是费希特(Johann Gottlieb Fichte),康德
109 去世那年,他四十二岁,正处于哲学生涯的顶峰。

费希特生于一个贫穷家庭,很小被雇佣去放鹅,他的天才智慧引起了一位慈善男爵的注意,在他的帮助下,他进入耶拿大学研究神学,在那里他逐渐崇拜莱辛、斯宾诺莎和康德。他首部著作是《一切启示的批判》(1792年),以康德的风格写就,它如此成功以至于一段时间它被误认为康德的著作。康德否认著作权,但非常赞许地评论这部著作。部分因为歌德的影响力,1794年,费希特被聘为耶拿大学教授,伟大的诗人与戏剧家席勒(Friedrich Schiller)是他

的同事。

费希特的课程最初受到欢迎，但不久因为过于清教徒化以及宗教能力欠缺而受到学生的批评。1799 年，他被迫离开大学，在没有任期的学院职位上一直工作到 1810 年，他成为新的柏林大学哲学系主任。在拿破仑统治欧洲期间，他过多地牵连到德国民族主义复兴，1808 年，他的《德意志民族演讲集》指责德国人因为分裂导致在滑铁卢战役中被拿破仑打败。1812 年，他作为志愿者为抵抗军队服务。1814 年，他死于伤寒，这病是他妻子传染的，她是军队的一名护士。

1804 年出版的《人文科学理论》奠定了费希特的哲学声誉。他在康德术语中将哲学的任务视为提供经验可能性的一种先验描述，这种描述要么从纯粹的客观性（物自身）要么从自由的主观性（“那个我”）出发，前者会走向教条主义的道路，后者会走向观念论的道路。费希特反驳康德对康德问题的解决方式，摒弃物自体的任何观念。他寻求从思想主体的自由经验推论全部意识。因而，他把自己视为德国观念论的永不妥协的创造者。

来自流动的一切事物的这个我是什么呢？通过内省可以揭示它吗？“我不能移动一步，我不能移动我的手或脚，如果在这些行为中没有自我意识的理智直观的话，”费希特谈道。如果理论是个体的自我能够创造整个物质世界，我们似乎面对一个不可确信的与索然无味的唯我论。但费希特坚持认为这是一种误解。“这不是个体而是一种直接的精神生活，它才是各种观象包括现象的个体的创造者。”（*Sämmtliche Werke*，ed. I. H. Fichte［Berlin，1845—1846］，II. 607）。 110

这听上去非常像上帝，在他后来流传的著作中，费希特继续论道：“一切哲学的基础不是存在的有限的自我，而是神的观念；人自身做的一切事情是无效的。一切存在本身是活生生的与主动的，除了存在与上帝的存在，没有任何其他的存在。”但在别处，他论道，信仰任何神的存在，这种存在是超越一种道德法则的东西,这是迷信的。显然,他更像是一个泛神论者而不是一个有神论者。

费希特轻松的演讲风格与他论文的严密特质形成一个对照。

费希特的宗教哲学类似斯宾诺莎的宗教哲学,正如他最杰出的学生谢林(F. W. J. Schelling)指出的那样,1798 年,二十三岁的谢林被聘为耶拿大学教
111 授,并成为他的同事。谢林坚持认为,费希特的批判哲学是斯宾诺莎已在教条形式中呈现的学说的批判形式。谢林继续发展他自己的几乎顽固的观念论形

式,“自然哲学”,根据一个最初的绝对产生两个彼此共存的对等的原则:一种精神的意识与一种物理的自然。这里我们遇到斯宾诺莎的幽灵:最初绝对的是创造自然的自然,物质自然的体系是自然创造的自然。

谢林的体系是庞大的但是晦涩的,他的著作现在在英语国家仍未被广泛阅读。因为他影响过柯勒律治,他可能在英国最出名。柯勒律治崇拜并模仿他,以至于他的作品被指责是抄袭的。① 在大多数的哲学史中,谢林被视为费希特的观念论与黑格尔的观念论之间的一座桥梁。1802 年到 1803 年间,在耶拿,黑格尔和谢林一起合作编辑一份哲学杂志。

黑格尔

黑格尔(Hegel)的首部著作是比较研究费希特与谢林的哲学(1801)。他生于 1770 年,在图宾根大学研究神学;当他在 1801 年在耶拿大学获得一个职位时,他成为这两位哲学家的同事。他一直在这里从教直到 1806 年拿破仑在那里对普鲁士军队取得决定性的胜利之后,耶拿大学关闭。不久以后,黑格尔穷困潦倒,出版了里程碑式的著作《精神现象学》(*Die Phanomenologie des Geistes*)。 112

---

① 然而,柯勒律治并不是费希特的崇拜者,他在一首诗歌中嘲讽费希特的观念论,这首诗歌包含以下的思路:

我,我! 我,本身的我!
形式与实体,这是什么与这为何
何时与何地,低的与高的,
内在的与外在的,大地与天空,
我,你,与他,与他,你和我,
所有的灵魂与所有的肉体是我本身的我!
一切我本身的我!
(傻瓜! 在这个起点停止!)
一切我的我! 一切我的我!
他是一条异教的狗,只是增添名字贝蒂 · 马丁

[*Biographia Literaria*(《文学生涯》),Ch. 9]

直到1816年，黑格尔成为海德堡大学教授；到那时他已出版了重要的著作《逻辑学》。一年后，他出版了一部哲学学科的百科全书——逻辑学、自然哲学与精神哲学。1818年，他被聘为柏林大学教授，继续执教到1831年因霍乱去世。在这些年，他几乎没有发表任何东西，但他的讲义在去世后出版。除哲学史之外，它们论及美学、宗教哲学以及历史哲学。这些讲义比他难以出版的专业著作更具有可读性，它们呈现了他哲学研究的十足原创性与广阔的视野。

黑格尔对思想的最大贡献是将历史因素引入哲学。他不是第一个哲学史家：这个荣誉属于亚里士多德。他也不是第一个历史哲学家：他写作时，已有两部经典贡献给这门学科，维科（Giambattista Vico）的《新科学》（1725）和赫尔德（J. G. Herder）的《人类历史哲学的概念》（1784），两部著作都用历史方法反思与强调人类制度进化的演进。但正是黑格尔在哲学中赋予了历史一个特殊地位，以及在史学中赋予了哲学家一个特殊地位。

黑格尔认为哲学家对历史具有一种特殊的洞见，一般的历史学家缺乏这种洞见。只有哲学家才真正地理解理性是世界的主宰，以及世界历史是一种理性的过程。有两种方式获得这种理解：要么通过一种形而上学体系的研究，要么通过从历史本身的研究中归纳。历史是理性展开的信念对应神的护佑中的宗教信念；但形而上学的理解不足以解释历史的具体本质。只有哲学家认识到世界的最终命运，以及它是如何实现的。

按照黑格尔的说法，宇宙历史存在于精神（*Geist*）的生活历程中。精神的内在发展在具体的现实中证明自身。“源自永恒性的已发生在天地间的一切东西、上帝的生活以及时代的所有事迹只是绝对精神在努力地认识自身以及发现自身”（*LHP* I. 23）。在它的一切完善中，绝对精神不是预先给予的东西：它从潜在性到实在性的演进，历史的动力是精神驱动力使得它的潜在性现实
113 化。普遍的历史是“认识它的潜在性过程的绝对精神的显现。”

黑格尔宣称精神存在是一个逻辑问题，但他是在一种特定意义上使用“逻

辑”术语,正如他理解历史是逻辑的显现,因此,他倾向在历史的以及军事术语中理解逻辑。如果两个命题是冲突的,黑格尔将这描述为彼此之间的冲突:命题彼此间发生战争并将出现胜利或遭受失败。这称为“辩证”,这个过程是,一个命题(“正题”)与另一个命题(“反题”)战斗以及两者最后被第三个命题(“合题”)克服。

我们经历辩证的两个阶段达到精神。我们从绝对的开始,现实的整体类似早期哲学家的存在。我们的第一个正题是绝对的是纯粹的存在。但是不存在没有任何特征的纯粹存在,因此我们被引向反题:“绝对的是无”。正题与反题被合题克服:存在与不存在的统一是生成,我们因此说“绝对的是生成”。

绝对精神的生成与生命提供辩证的第二阶段。通过思考绝对的作为思想的主题,我们开始成为一个普遍的思想家:黑格尔称之为“概念”,借助它他本意是理智者在思考中具有概念的整体。我们于是将绝对的视为思想的一个对象:黑格尔称之为“自然”,通过它他本意是能由理智者研究的对象的整体。当绝对的认识自身成为既是思想的主体又是思想的客体时,概念与自然整合在一起。自我意识的合题是精神。

在最初认识中,黑格尔的精神观念是令人困惑的。一种解释的尝试将在后面的章中给出,但对于他的原意为何我们必须尽力获得一种最初的感觉。我们可能想知道精神是不是上帝——按照斯宾诺莎的方式,或许与自然一致。或者我们可能猜测“绝对精神”是一种谈论个体心灵的误导很大的方式,在这种方式中,医学教科书谈到“肝脏”而不是个体的肝脏。两种涵义都是相当错误的。

一个更好的起点是借助反思我们谈论的人类。没有任何心灵的特定的形而上学理论,我们愉快地假定这些情形,比如人类已取得的进步,或者退步,或
者已从以前的无知学到许多。当黑格尔使用“精神”这个术语时,他正在运用 114
同样的语言,但他增加了形而上学的两重任务。首先,他讨论的不只是人类的

历史，而是整个宇宙的历史；其次，他正将宇宙看做是一个有机整体，这个整体具有一种为它刻画的生命周期。

黑格尔的一棵植物的理念类似植物插图，揭示同时存在的不同发展阶段。

115 黑格尔吁请我们把目光投向宇宙，如同我们将目光投向自然中特定的有机体一样。一棵植物经历生长的诸阶段，发芽、长叶、开花和结果；按照它自己种类的一种特定模式,它经历如此。黑格尔慎重地屈从柏拉图,称这为植物的“理念”。当然,一棵植物没有认识到它自己的理念。但一个孩童,当他身体力量成长时以及他的理智技能出现时,逐渐成长并认识到自身及其本质或理念(*LHP* I. 29)。精神的进步复制宇宙层面的这种发展:

> 绝对精神不只是被视为个体的、有限的意识,而是作为在其自身中的普遍的具体的绝对精神……绝对精神理智的理解自身同时是彻底正在进化的实在的进步。这种不断的进步不是通过个体的思想经历这个过程以及在单一意识中显现自身的进步,因为它向自身呈现普遍的绝对精神,这种精神在它形式的一切丰富性的世界历史中呈现自身。(*LHP* I. 33)

因而,世界历史是精神的自我意识不断成长的历史。宇宙理念的不同阶段在不同的时代向不同的民族呈现它们自身。绝对精神在自由意识伴随人的自由认识的成长向前进步。生活在东方暴君统治下的那些人没有认识到他们是自由的存在者。希腊人与罗马人认识到他们自己是自由的,但他们接受奴隶制度表明他们不懂得人本身是自由的。“德意志民族,在基督教影响下,是首先获得人之为人是自由的这种意识:这是构成其本质的绝对精神自由。”

精神自由是区分精神与物质的东西,这受到法则的必然性比如普遍引力的限制。世界的命运是自然的精神拓展以及自由认识的精神拓展。自我感兴趣的个体与民族是导致其命运的无意识工具:他们认识到他们在宇宙舞台中的角色,在这一点上,他们被塑造成为一个民族国家。这个国家是“自由的现实化,比如绝对的终极目的的现实化,它为其自身目的存在。”这个国家不是为他的公民存在,公民只有作为国家的成员才具有价值——正如一只眼睛只有
作为一个生命体的部分才具有价值一样。 116

不同的国家将具有不同的特征,这些特征与它们蕴涵的国家民族精神相

一致。在不同时代,不同的民族精神将是世界精神进步的主要体现,对一个时代而言,它将属于的那个民族将是世界上占统治地位的民族。对每个民族而言,机会有一次并且只有一次,黑格尔相信在他那个时代,机遇已垂青德意志民族。普鲁士君主制是世上最接近实现一个理想国家的制度。

然而,不是在政治体制而是在哲学本身中找到精神最重要的表征。绝对精神的自我意识借助对人的哲学反思呈现;哲学史导出绝对精神并面对面地审视自身。黑格尔固执地相信哲学取得了进步,他告诉我们:"最晚近的、最现代的以及最新的哲学是最发达的、最丰富的与最深刻的。"(*LHP* I. 41)在他的哲学史演讲中,他展示早期哲学一个接一个地屈从一种辩证的进展,并稳健地行进在德国观念论的方向之中。

第四章

知识

蒙田的怀疑论

在16世纪，若干因素促使怀疑论获得新的普及。在 117
欧洲，不同基督教派别之间的冲突以及跨越大洋的具有不同文化与不同宗教的民族觉醒，作为一种直接的影响，涌现改变宗教信仰与宗教迫害的倾向；但这些情形也使得某些反思的思想家质疑这样的观点，即任何人类的信仰体系拥有独一无二的真理。重新发现古代怀疑论著作，比如恩披里柯(Sextus Empiricus)的那些著作，引发有学问的人关注一系列反对人类认识能力的可靠性的论证。可以在蒙田(Montaigne)的《向雷蒙·瑟·巴德致歉》中发现新怀疑论最具雄辩的呈现。

蒙田像恩披里柯一样喜欢怀疑论的一种极端形式，在它的(一半是传说的)创建者皮罗(Pyrrho of Elis)之后,被称为怀疑论,他生活在亚历山大大帝的时代,他教授的东西我们一无所知。蒙田用来促使感觉与理智易错的许多事例来自恩披里柯的著作,但他在论证过程中的经典引用则不是来自恩披里柯,而是来自卢克莱修(Lucretius)的伟大诗歌《物性论》,卢克莱修是一位拉丁世界的伊壁鸠鲁的追随者,这本身就是伟大的文艺复兴的另一个发现。

古典拉丁时期的两种最有影响力的哲学是伊壁鸠鲁派与斯多亚派。蒙田告诉我们,伊壁鸠鲁派坚持认为感觉是不可靠的,因而不存在像知识这样的东西。斯多亚派则告诉我们,如果存在像知识这样的东西,那么它不能来自感
118 觉,因为它们完全不可靠。蒙田像恩披里柯一样运用斯多亚的论点来表明感觉的不可靠,伊壁鸠鲁的论证表明非经验认识的不可能性。运用每一派的否定理由,他旨在表明反对两派以及不存在像真正认识这样的东西。

蒙田详细论述了类似的观点以便显示感觉误导我们。方形塔从远处看似圆的,在眼球的压力下,视觉变形,黄疸病造成我们看东西是黄色的,当我们从甲板上看山时,它们似乎从我们旁边走过,诸如此类。当两种感觉彼此冲突时,不存在消除这种差异的方法。蒙田引用卢克莱修的一个著名段落:

> 耳朵能给眼睛传达裁定吗?
> 触觉能宣判听觉,或味觉宣判触觉,说谎?

但他没有继续断言,在卢克莱修那里,感觉是不可靠的。卢克莱修写道:

> 如果感觉告知我们的不是真的
> 理性的自我是无也是错误的。①

① *De Rerum Natura*《物性论》4. 484 - 487;参阅第一卷,166 页。

蒙田接受这种条件;但他断定,并非感官觉告知我们是真的,而是理性同样是错误的(*ME* II. 253)。

感觉与理性,不但不合作产生认识,每个都对另一个起作用并产生错误。我们轻视时,惊异的感觉阻止我们通过一块狭窄的木板穿过一个深坑,尽管理性告诉我们这块木板足够的宽能让我们通过。另一方面,我们意志的激情将能影响我们用感官感知的东西:盛怒与爱能使我们认识在那里不存在的事物。"我们熟睡时,"蒙田坚持认为,"我们灵魂是活跃的与活动的,它驾驭它的全部力量与它醒时相比既不多也不少。"熟睡与醒之间的差异少于白昼与黑夜的差异(*ME* II. 260 – 261)。

我们需要某种标准区分我们变化的与冲突的印象与信仰,但不可能有任何这样的标准。正如我们找不到一个公正的仲裁者裁定天主教徒与新教教徒之间的差异,因为任何有能力的法官将是这个或那个人,同样没有人能着手解决年轻人与年长者之间、健康者与疾病者之间、熟睡者与醒者经验之间的冲突:

> 判断我们从对象获得的现象,我们需要某种判断的工具;校准这种工具, 119
> 我们需要一种实验;证实这个实验,我们需要某种工具:我们在一个循环
> 中绕了一圈。(*ME* II. 265)

蒙田在古代怀疑论仓库中增添了某些原始材料。回到他最喜爱的主题之一,他指出某些动物与鸟与我们相比具有更加敏锐的感觉。或许它们甚至具有我们彻底没有的感觉。(它是这样一种告知公鸡何时鸣的感觉吗?)我们的五种感觉或许只是可能具有的那些感觉的少的数量。如果这样,与一种真正的观念相比,我们的宇宙观念,一样是有缺陷的,如同一个天生盲人的观点与一个有视力的人的观点相比一样。

笛卡尔的回应

在《沉思集》中，笛卡尔将自己的任务设定为将哲学从怀疑论的危险中解放出来，这种怀疑论已在前一个世纪中发展起来。为完成这个任务，他首先不得不呈现他想反驳的怀疑论观点。在他的第一《沉思集》中，他在蒙田的足迹中前行，但以更清晰与更简洁的形式阐释这观点。通过来自感觉欺骗的考察以及来自梦的论证，感觉的解放最初受到怀疑：

> 直到现在，凡是我当做最真实而接受的东西，我都是从感官或通过感觉得来的。不过，我有时觉得这些感觉是骗人的；一个聪明人不会总是信任已欺骗过他的人。
>
> 但是，虽然感觉有时在不明显和离得很远的东西上骗过我们，可是也许有很多其他的事实，虽然我们从同样来源中得到它们，却没有理由怀疑它们：比如，我在这儿，坐在火炉旁，穿着冬天的大衣，手上拿着报纸，以及诸如此类的事情……
>
> 一个好的争论！即使我不是一个男人，他在睡觉和梦里出现的与疯子们醒着的时候所做的一模一样，有做事情（甚至更荒唐的事情）的习惯。有多少次在寂静的夜晚，我在夜里梦见我在这个地方，穿着衣服，在炉火旁
> 120 边——我真的一丝不挂地躺在床上！（AT VII. 19；*CSMK* II. 13）

但的确甚至梦也是由来自现实的因素构成的：

> 假定我正在做梦，假定所有这些个别情况，比如，我睁开眼睛、摇头、伸手

是不正确的;假定我甚至没有这样的手,没有整个身体;无论如何,至少我们必须承认出现在我们梦里的那些东西就像描绘的再现东西一样,它们只有在模仿某种真实的东西时才能形成。因此至少这些普通的东西,眼睛、头、手与身体的东西不是虚构的而是真实的对象。(AT VII. 20;*CSMK* II. 14)

或许这些依次是虚构的复杂物;这些身体构成之外的更加单纯的因素——广延、形状、大小、数量、地点、时间——必定确实是真实的。如果这样,我们能相信算术和几何学的学科,这些学科处理这些对象。"我是醒还是睡,二加三等于五,一个正方形只有四条边;这些明显的事实纳入一个错误的怀疑之中,这似乎是不可能的"(Ibid)。

然而,甚至数学也没有避免笛卡尔的怀疑。这不只是数学家有时犯错误:这可能是整个学科本身是一种谬见。上帝是全能的,对于我们知道的一切,他能使我们犯错,每当我们做二加三,或算一个正方形的边,但的确一个善良的上帝不会做那样的事情。那么:

我假定并非有一个至善的上帝,真理之源;而是假定有一个邪恶灵魂,他有至上的力量和机智,竭力来欺骗我。我将假定天空、空气、大地、颜色、形状、声音以及所有外在的对象是纯粹虚幻的梦,他向我的轻信张开陷阱。我将把自己看成是没有手,没有眼睛,没有肌肉,没有血液,什么感觉都没有,而只是有一种错误的信念,相信我有所有这些东西。(AT VII. 23;*CSMK* II. 15)

第二《沉思集》通过创造"我思"提出对一个目的的这些怀疑。笛卡尔通过这个著名的论证证明他自己的存在。不管邪恶的天才如何欺骗他,当他不

存在时,他不能欺骗他去思考它存在:

> 毫无疑问,我存在,如果他欺骗我;让他尽可能地欺骗我,他将带不来它,我是虚无,当我正在思考我是某人时。"我存在"的思想不能不是真实的,当我思考它时;但如果没有思考它,我就不能怀疑它。因而,这不但是真的而且是不容置疑的,无论何时我试图怀疑它,我明白它的真理。

"我思"是笛卡尔建立认识论的基石。从他所处的时代一直到现在,批评家已质疑它是否像它看似那样可靠。"我思,故我在"毫无疑问是一个合理的
121 论证,它的合理性能在一个单纯心理的瞥见中得到领会。但"我行走,故我存在"也是如此:因此什么是我思特别相近的呢?笛卡尔回应"我行走"的前提会受到怀疑(或许我没有身体),"我思"的前提不能怀疑,因为,怀疑本身是思。另一方面,"我想我正在行走,因此我存在"是我思完全可以接受的形式:在前提中论及的思是任何种类的思,并非恰恰是我存在的自我反思的思。

一个更加严肃的问题涉及"我思"中的"我"。在日常生活中,第一人称代词在与身体的联系中获得它的涵义,这个身体给予它的言说,某个人怀疑他是否有一个身体有资格在独白中运用"我"?或许只有笛卡尔有资格说:"存在进行的思。"对于"我存在"中的"我",提出类似的问题。这个结论或许只本应该是"存在正在发生。"批评家曾推论,质疑笛卡尔无权得出这个结论,即存在一个持续的、实在的自我。或许他本应该对一种短暂的思的飞逝的主题进一步断言,或者甚至断定存在没有主人的思想。肯定有条理的怀疑揭示的"我"是同样的人,他由于怀疑没有纯粹地回应"笛卡尔"的名字吗?

甚至在独立的术语中,我思并没有证明作为一个完整人的笛卡尔的存在。通过自身,它只证明他心灵的存在,在我思之后,笛卡尔继续怀疑他是否有一

个身体，正是只有在大量深入的推理之后，他断言他的确拥有一个身体，他始终认识到的是他心灵的内容。正是从这些当中他重建了科学。从我思出发，除他自己的存在之外，笛卡尔推论许多别的东西：他自己的本质；上帝存在；真理的标准。但对于我们当下的目的，重要的是理解他如何从这种阿基米德点出发来重建认识的体系，怀疑论的论据看似已推翻了这种体系。

笛卡尔的意识

我们心灵的内容是思想。笛卡尔使用“思”非常广泛：在他的词汇学中，心算的一个片段、一次性幻想、一次剧烈的牙疼、看马特霍恩山或者一个收获葡萄季节的码头味道，都是思想。在笛卡尔这里，思不但包括理智的沉思，而且 122
包括意志、情感、痛苦、愉悦、精神形象与感觉。所有这些因素具有共同的特征，这种特征使得它们成为思想，这是一种事实，即它们是意识的诸项。“我使用这个术语来包括每种事物，每种事物都以这种方式在我们之中以至于我们立即认识它。因而，意志、理智、想象与感觉的一切活动都是思想”（AT VII. 160；*CSMK* II. 113）。“即使感觉与想象的外在对象是非存在的，我们仍然将感觉与形象称为思维模式，就它们只是思维模式而言，的确，我肯定，在我之中存在。”（AT VII. 35；*CSMK* II. 34）这些思想是笛卡尔认识论的基本材料。

一个段落非常明显地呈现出笛卡尔的“思维”一词如何运用在任何类型的意识经验：

> 正是我具有感觉，或通过感觉感知到实体的对象如其所是。因而我现在看见光，听到声音，感觉热。这些对象是不真实的，因为我在熟睡；但至少我似乎看到、听到、感觉热。这不可能不是真的；这正是恰当地称为感觉

> 的东西;深入的感觉准确说来只是一种思维活动。(AT VII. 29;*CSMK* II. 19)

这些明显的感觉,可能不在身体之中,是后来哲学家称为“感性材料”的东西。笛卡尔体系的生存能力依靠是否有一种连贯的意义能给予这样一种观念。[①]

在第三《沉思集》中,笛卡尔选择了一种重要的思想类型,并给予它们“观念”的名称:“我的某些思想正如对象的图像,只有这些适合称为‘观念’——比如,我想到一个人,或一次幻想,或天空,或一个天使,或上帝”(AT VII. 37)。“观念”这个术语在国内已存在于日常语言中,但系统地使用它则是一个新的起点,正如笛卡尔所做的,对一种心灵内容来说:迄今为止哲学家通常用它来论及柏拉图的形式或者上帝心灵的类型。我们可以粗略地认为在笛卡尔那里观念是言语的心理对应物。“我不能在语言中表达任何东西,假如我理解我所说的东西,如果没有它确定在我之中存在这种观念,这种观念通过讨论中的言
123 语暗示出来”(AT VII. 160)。

笛卡尔区分观念为三个类型:“就我的观念而言,一些看似内在的,一些是获得的,以及一些由我自己想出来的。”作为天赋观念的事例,笛卡尔提供物、真理与思想的观念。出现的这些观念看似在外在对象中产生,当笛卡尔似乎听到一种噪音或者看到太阳或者感受到火的热时。另一方面,汽笛与河马的观念好像是笛卡尔自己的创造物。在认识论过程的这个阶段中,表面上看,这只能是一种分类:因为笛卡尔对于出现在他心中的这些观念的来源一无所知。特别地他不能肯定“获得的”观念在外在对象中产生,即使它们产生,他也不能肯定产生这些观念的对象也类似这些观念。

---

① 参阅第八章。

然而，存在一种观念，这种观念可以在笛卡尔自己心灵之外显现产生出来。他有一个上帝观念，“永恒的、无限的、全知的、全能的，并且除他自身之外的一切存在的创造者”。然而他的大多数观念——比如思想、实体、绵延与数量的观念——本可能更好地在他自身中产生，无限的特征、独立、至上的理智与力量不能从对像他自己一样的一个有限的、依存的、无知的、无能为力的人的反思中提炼出来。统一在他的上帝观念中的诸完美是如此优于任何事物，以至于他能在自身中发现这种观念不可能是他自己创造的一个虚构之物。但一种观念的原因必定和观念本身一样真实。相应地，笛卡尔断定他不是宇宙中的唯一存在：事实上，也有一个上帝与他的观念相一致。上帝本身是这种观念的源泉，笛卡尔一出生就已植入了它。

> 这种论点的整个力量存在于此：我实现在我实际具有的本性中我不可能的存在，也就是说，在上帝观念中的一种馈赠，除非真的有一个上帝；这个真正的上帝，我的意思是我有一种观念；同时他必定具有全部的完美性，我在其中获得任何观念，尽管我不能理解它们；但他必定没有任何瑕疵。（AT VII. 52；*CSMK* II. 35）

上帝是笛卡尔认识到的他自己心灵之外的第一个独立存在；上帝在随后的学科大厦重建中起到了一种根本作用。因为上帝没有任何缺点，笛卡尔辩称，他不能是欺骗性的，因为欺诈或欺骗总是依赖欺骗者的某种缺点。上帝绝不是欺骗者，这条原则是一条线索，这将由笛卡尔引领我们走出怀疑论的迷宫。 124

存在某些如此清晰明确的真理以至于无论何时心灵以它们为中心它们都不能受到怀疑。但我们不能长久地将我们的心灵聚焦在任何一个这样的主题之上；我们通常只是记得清晰明确地认识到一个特定的命题。但是既然我们知道上帝绝不是一个欺骗者,我们能断定我们清晰明确地感知的一切是真实的。因而我们有资格肯定的,不是记忆的直观比如我们直接存在的直观,而是整个先天学科比如算术与几何学。这些对于我们仍然是真实的与自明的,笛卡尔宣称,我们无论是醒还是熟睡。因此他在他认识的财产中认识这些学科,甚至当他仍在理论中不能肯定他是否有一个身体以及是否存在一个外在世界。他对三角形了解许多,然而不知道是否在世界中存在具有一个三角形状的某种东西(AT VII. 70;*CSMK* II. 48)。

直到第六《沉思集》笛卡尔才对自己满意,即存在物质的事物以及他的确有一个身体,他呼吁我们注意理智与想象的差异,几何学是理智的工作,借助几何学,我们能确立,比如,有一千条边的多边形与有一百万条边的多边形的差异。虽然通过想象力的任何努力,我们不能回忆起千个或无数个明晰的精神图像,在这种方式中,我们能回忆起一个三角形或五边形的形状。想象力似乎是理智能力的可选择的附加物,这对于心灵是本质上的,这种附加能力存在的解释的一种方式将假定与心灵密切联系的某种身体的实存。想象与纯粹知性之间的差异将是这样的:"在知性活动中,心灵显示好像它是面对自身的,同时静观包含在自身的一个观念;在想象活动中,它转向身体,并静观身体之中的某种东西,这种东西类似由心灵自身理解的一种观念。"但这暂时只是一种可能的假设(AT VII. 73;*CSMK* II. 50)。

确立身体存在的是什么呢?笛卡尔在自身中发现一种接受感觉印象的消极能力。对应这种消极能力,必定有产生或者制造这些印象的积极能力。
125 在理论上,这些可能由上帝自身创造,但并没有一条最明确的线索暗示这一点:

> 上帝没有赋予我任何能力勘查它们的起源;另一方面,他给予我一种强有力的倾向,认为这些观念来自物质的对象;因此我不明白如何合理地认为

上帝没有欺骗性，如果事实上它们来自别的地方，不是来自物质的对象。因此，物质的对象必须存在。(AT VII. 80；*CSMK* II. 55)

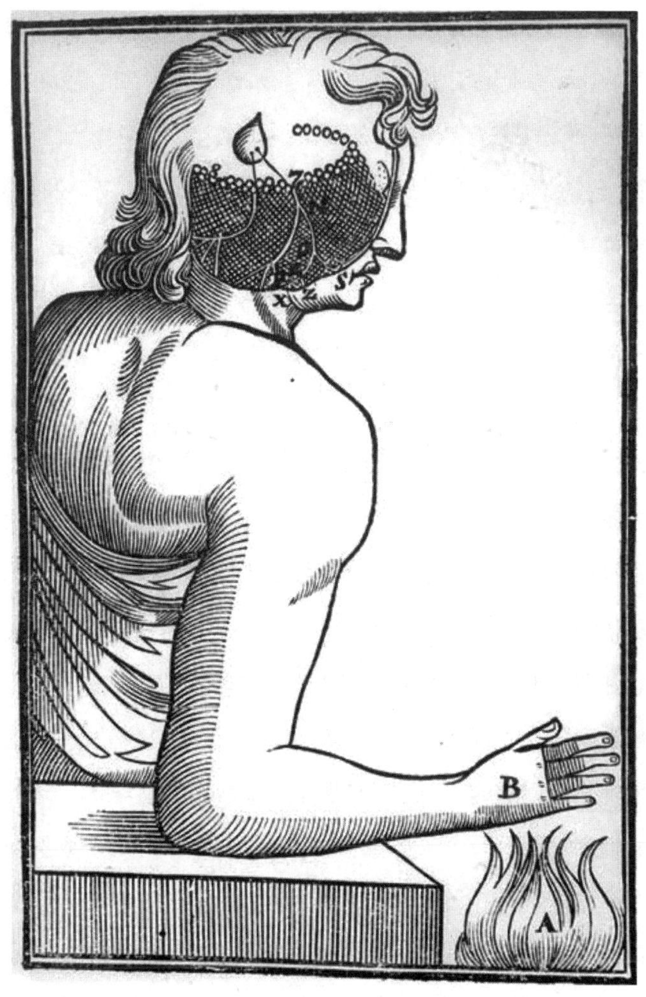

心灵与身体的关系呈现在笛卡尔的示意图中，通过神经从一只烧过的手传递到松果腺，灵魂在这里感受到疼痛。

既然上帝是自然的作者,以及上帝绝不是欺骗者,自然无论教授什么都是真实的,存在自然教授我们的两种重要的东西。

> 没有再比这个自然告诉我的更明白、更显著的,即我有一个身体。当我感到痛苦时,它正受伤;当我遭受饥饿或者干渴等时,它需要食物或饮水……
>
> 而且,自然教导我,我的身体是其他身体的一个环境,必定追寻一些,以及必定回避一些。从我感觉到的不同种类的色彩、声音、气味、滋味、硬度等级等等,我肯定有权断言,从这些不同的感官感知生发出来的。在这些物
> 126 体中,存在相应的虽然不类似的多样性。

然而,事实上,并非看似自然的每种东西是由自然教授的,以及因此受到上帝确实的保证——因而在援引的最后一个句子中告诫"虽然不类似"。只有我们清晰明确地感知的真正是由自然教授我们的,如果我们希望获得真理,我们必须在那些限制中审慎地限制我们的信仰。只有这样物质对象的一种合理学科将建立并取代亚里士多德的权威人士的过时物理学。

许多哲学家如今发现笛卡尔的认识论没有丝毫说服力,因为他们将上帝存在更多地视为有问题的,与他要求保证的日常的与科学的真理相比。笛卡尔同时代的批评家没有一个人愿意怀疑上帝存在,尽管每个人愿意挑战他证明上帝存在的方法,但笛卡尔必须面对两种根本不同的反对观点,如果他打算为在上帝存在的真实性基础上建立科学大厦的方法辩护的话。

首先,如果上帝绝不是欺骗者,我不断地犯错误又是为何呢?我具有的能力由真正的上帝赋予;那么它们怎么能引导我走向歧路?笛卡尔回答说,如果恰当地运用,我们的能力永远不会将我们引向歧路。我有一种能力,即理智力,它提供认识事物和真理的洞察力;我具有一种不同的能力,即意志,借助它

我判断一个命题是真还是假。如果限制意志判断，理智在个案中呈现一种清晰与明确的认识，那么我将不会走向迷途，当我在清晰与明确的认识之前做出一个仓促的判断，那么错误才会产生。《沉思集》的整个理智的运用被准确地设计，没有清晰性和明确性中，给予读者悬置判断。

第二种反对笛卡尔方法的观点在题为“笛卡尔循环”之下出名。第四种反对观点的作者，阿劳德第一次指出，在笛卡尔诉诸上帝作为清晰与明确的认识的保证者中，存在一种明显的循环。“我们可以肯定上帝存在，仅仅因为我们清晰与明确地认识到他存在；因此，先于肯定上帝存在，我们需要肯定我们无论清晰与明确地认识什么都是真实的”（AT VII. 245；*CSMK* II. 170）。 127

笛卡尔答复了这种反对观点，一方面，这取决于特定的清晰与明确的认识之间的一种区别，另一方面，这取决于普遍的原则，即无论我们清晰与明确地认识到什么，都是真的。任何不诉诸上帝真实性的诉求必然导致确信个体认识的真实。种种直觉，比如我存在，或者二加三等于五，不能受到怀疑，只要我们继续清晰与明确地认识它们。但尽管我不能怀疑我在这里与当下清晰明确地认识某种东西，我能——先于确立上帝存在——怀疑这个普遍命题，我清晰与明确地认识的任何东西是真的。再有，个体的直观可以被怀疑，一旦它们是以往的。我想知道，在这个事件之后，当我阅读第二《沉思集》时，在我清晰与明确的认识中是否存在任何的真理。

既然纯粹直观不能受到怀疑，它们出现在心灵之前时，不需要任何论证来确立它们；的确笛卡尔认为先于论证的直观是一种获得真理的方法。个体直观只能在我刚阐明的迂回道路中受到质疑：不能在涉及它们内容的任何方面怀疑它们。它只是与普遍原则相关，与特定认识的循环的怀疑有关，诉诸上帝的真实性是必然的。因而在笛卡尔论证中，不存在循环。然而，毫无疑问，在《沉思集》中，心灵用来确证自身。但那种循环是不可避免的和无害的。

霍布斯的经验主义

哲学史家通常对比17世纪和18世纪的英国哲学家与大陆哲学家:大陆的是唯理论者,笃信理性的思辨,英国的则是经验论者,将认识建立在感觉经验的基础上。旨在评价英国的与大陆的认识论之间真正的差异程度,我们应该更加密切地审视霍布斯的学说,他有一个公正的声明,宣称自己是英国经验
128 主义的创建者。

霍布斯的《利维坦》以一章《论感觉》开篇并提出了一种荡气回肠的宣告:"在人的心灵中不存在任何概念,这并非首先、全部地或部分地在感觉的器官中得到。剩下的可从源头推论出来"(*L*,9)。心灵的其他活动,比如记忆、想象与推理,全部依存于感觉。想象与记忆是同样的东西,即正在衰退的感觉:

> 在一个非常远的地点,我们看到的看似模糊不清,没有更小部分的区别;声音变弱与不明确:因此也像在长时间之后,昔日的想象也是模糊的;我们遗忘了(比如)已看过的城市、许多独特街道的记忆;也失去了诸多活动与许多特定环境的记忆。(*L*,66)

霍布斯认为,推理只是认识普遍名称的结果,这些名称用来确定标示与指示思想;对他而言,思想总是来自感觉的心灵形象(名称或事物的)。"它们是一个表象或者某种特征的现象,或者没有我们的一个身体的其他偶然物"(*L*, 66)。

按照霍布斯的说法,有两种认识:事实的认识和结果的认识。结果的认识是从什么到什么的推论认识:这种认识在不断连续或者思想的链条中保持顺序。它在语言中由条件的法则表述,以这种形式"如果A,那么B。"事实认识——这类认识是我们从一次目击中获得的——由感觉与记忆给予。纯粹推

理或推论从来不会在过去或未来的绝对的事实知识中结束(*L*,42)。

这是真的,正如经验论者宣称的,如果没有在某个阶段运用感性认识的能力,我们从来不能直接或间接地获得我们周围世界的知识。英国经验主义的弱点在于,它幼稚地与不完善地解释感性认识实际存在什么之中。霍布斯尤其反对的是,亚里士多德传统中的思想家强调我们的感觉是区分的能力:这种能力区分一种颜色与另一种颜色,区分不同的声音与味道等等。他们强调感觉在经验中具有积极的作用:“感知的任何特定的片段(比如品尝一块糖的甘甜)是世界中的一项(一种糖的特征)与感知者(品尝的能力)的一种能力之间的一笔交易。”在霍布斯与他的继承者那里,相比之下,感觉是一种消极的东西:心灵的意象或幻象的显现。 129

哈德威尔庄园大厅的霍布斯肖像,他的赞助者德文郡公爵的宅邸。

按照霍布斯的说法,感觉中的确存在一种积极因素;然而,这不是在真实世界的真实特征之间做出区分的问题,而是对幻觉的世界的项目计划的问题:

> 感觉的原因是外在的身体或对象,这迫使感官适应每种感觉,要么直接地,像在味觉与触觉中。或间接地,像在视觉、听觉与嗅觉中。那种压力通过神经的调适、其他的系列与身体的隔膜,不断地转向大脑与心脏,导致一种反抗,或反压力,或心脏的努力,传递给自身:这努力因为向外看似是外部的物质。这种假象或想象是所谓的感觉;至于眼睛,存在一种光或料想的颜色;至于耳朵,在一种声音之中;至于鼻子,在一种气味之中;至于舌头与味觉,在一种滋味之中,至于身体的其他部分,在温、寒、硬度、软度之中;我们用感觉来辨别其他这样的特征。所谓感觉的一切特征,在产生它们的对象之中,是物质的许多不同的运动,它迫使我们的器官是多种多样的。(*L*, 9)

130 经验论者霍布斯对感觉的陈述实际上与唯理论者笛卡尔的陈述相同。在两人那里,诸如色彩与味道的特征只不过是欺骗性的经验,是个人意识的项:霍布斯的"幻象";笛卡尔的"我思之物"。霍布斯运用类似笛卡尔的那些论证来突出这些第二特征的主观性:我们在反思中理解颜色;眼前的一声巨响使我们看到星星等等。对于霍布斯就像对于笛卡尔一样,在感觉经验与心灵幻想与梦之间不存在内在的差异,正如笛卡尔争辩他能确信他思想的内容,即使他没有身体以及没有外在的世界,霍布斯也争辩说所有的意象将依然是一样的,即使世界彻底消失(*L*, 22)。

笛卡尔存在一个常识性错误——霍布斯攻击感知特征的客观性:相对性与主观性之间的一种混淆,感知特征是相对的,这是真的;也就是说,它们由感知的与感知者的关系确定,因为对它而言,具有某种味道的实体具有对一个人或其他动物产生某种影响的能力；它产生的这种特定的影响将根据许多条件而变化。但味道是一种相对的特征，这个事实并不意味着它不是一个客观的特征。"比地球大的存在"是一个相对的特征；然而它是一个客观事实，即太阳比地球大。

霍布斯与笛卡尔不同之处在于他不能在想象与理智之间做出任何严格的区分，严格说来，如果理智是使用与理解语言的能力，那么它是截然不同于心灵意象之流的某种东西。笛卡尔在第六《沉思集》中的一个明白易懂的段落中使得理智与想象之间的差异清晰起来：

> 当我想到一个三角形时，我不仅领会到这是一个由三条边封闭构成的形状；我而且同时理解出现在我心灵之眼中的三条边，我也是把这三条边看成是出现在面前的，而正是我想象它们的东西。如果想到一个千边形，我当然领会这是一个由一千条边组成的形状，正如我领会一个三角形是由三条边构成的形状一样；但我不能像我想一个三角形的三条边那样想一个千边形的一千条边，也不能用心灵之眼把一千条边看成是出现在我的 131
> 面前。（AT VII. 71；*CSMK* II. 50）

霍布斯没有做出类似的区分，以及在体系上心灵与笛卡尔所谓的想象相一致。霍布斯的确意识到语言在理智活动中的作用，以及将它的财产视为主要的权利，这使得人类处在其他动物之上，他写道，譬如：

> 借助名称的优点，我们能够创建科学，野兽，对于它们想的而言，不具有这样的能力：如果不运用它们的话，人也不具有这种能力：因为当一头野兽丢失许多幼崽的不是一只或两只，对于需要那些名称的顺序，一、二、三等等，我们叫数字。如果没有语言上或者心理上重复数字的言语，一个人也

> 不会知道有多少钱或他面前的其他东西。(*L*, 35－36)

然而,他写道,好像掠过心灵的一系列形象包含名称的形象而非事物的形象,这个事实足以将幻象之流转变为理智的活动。但事实上根据心灵形象的任何解释都不能解释我们的认识,甚至认识单纯的算术,霍布斯最喜爱的推理范式。如果我们想97加62,那么我们不能要求任何一个数字的心理形象;这种数字本身的心理形象将对任何一个都没有帮助,除非我已通过长时间与枯燥地学会心算。形象的出现对于解释那个过程无能为力,它只是作为过程的结果,即形象有益于算术的目的。

洛克的观念

经验主义并非通常在霍布斯提出的简单与直率的形式中得到辩护,因此应该转向洛克提出的更有名与更受到普遍尊重的呈现。洛克与笛卡尔通常作为两个不同哲学流派的主要代表进行比较,但事实上,他们共享许多相同的假定。洛克将他的体系建立在"观念"之上,他的"观念"非常类似笛卡尔的"思想"。两位哲学家最初诉诸直接的意识:当我们在自身中审视时,观念和思想是我们遇到的东西。两位哲学家不能在他们的关键术语中明确一种致命的歧
132 义,这严重地削弱了他们的认识论与心灵哲学。

在洛克这里,譬如,通常难以区分是否借助"观念",意指一个对象(正被感知的或思考的)或一个活动(感知或思考的活动)。洛克认为一种观念是"无论它是什么,心灵能在思维中被运用"。关键性的歧义是"对于什么,心灵被运用",这意味着要么心灵正在思考的东西(对象),要么心灵正在介入的东西(活动)。洛克探讨这些问题时,比如绿色是世界中的一个对象还是心灵的

一种创造,这种歧义日益危险。

尽管洛克经常运用笛卡尔的观点,他接受笛卡尔的许多哲学议题,并追问许多同样的问题。动物是机器吗?灵魂总是能思想吗?存在没有物质的空间吗?有天赋观念吗?

最后一个问题通常被看做是一个决定性的问题:哲学家给出的答案表明他是一个唯理论者还是一个经验论者。但这个问题不是单一的。如果我们将它区分为它所具有的不同意义,那么我们将发现洛克与笛卡尔的观念之间不存在巨大的鸿沟。

首先,我们会追问:"子宫中的婴儿会思考吗?"洛克与笛卡尔一样相信未出生的婴儿具有单纯的思想或观念,比如疼痛与温暖的感觉。洛克嘲笑那种观念,即知道一个苹果不是一团火的孩子将赞同不矛盾的原则(*E*,61)。但与洛克相信婴儿具有哲学类型的复杂思想相比,笛卡尔并不会相信更多。一个孩子具有自明原则的天赋观念,这可能类似于一种遗传的痛风倾向?(AT VIII. 357;*CSMK* I. 303)。

鉴于这一点,我们带着这个问题不去关注思维活动,而是思想的纯粹能力。对于人的具体的知性,存在一种天生的、普遍的能力吗?笛卡尔与洛克都认为存在这样的能力。《人类理解论》一开始就指出正是理解使得人类高出其他有感觉的存在(*E*, 43)。

洛克没有聚焦知性的普遍能力,而是聚焦赞同某些特定的命题,比如,"一加二等于三"以及"同样事物既存在又不存在,这是不可能的"。我们认同这些真理依赖于经验吗?不,笛卡尔认为,它们是我们认识的内在原则。但洛克认为它们不取决于经验;他宣称经验有必要提供给我们概念,这些概念构成这些命题,不是为保证我们承认它们,一旦形成,"人从来不会失败,在他们理解话语之后,接受它们为不受怀疑的真理"(*E*,56)。另一方面,笛卡尔没有坚持一切天赋观念是一旦理解就认同的原则:它们中的一些是清晰与明确的,只有

133 在勤勉的冥思后,它们才命令赞同。

洛克将处理的许多天赋观念献给这个问题,即是否存在许多原则,这些原则无论是理论的还是实践的,哪一个发出普遍赞同的命令。他否认存在所有人包括孩子与野蛮人具有的理论原则。他转向实践原则,他喜欢自己在不同的文化中堆砌相反的事例,对一切文明的基督徒而言堆砌看似根本的道德原则——包括最基本的:“父母保护与珍爱你们的孩子”(*E*, 65 - 84)。即使有普遍承认的真理,这不足以证明内在性,因为这种解释可能是一种学习的日常过程。

然而,笛卡尔赞同普遍的认同不需要内在性,他也反驳内在性不需要普遍的认同。这正是他方法上的基本的预先假设,某些人,的确大多数人,可能受到偏见与懒惰的限制,不承认潜在他们心中的内在原则。

关于天赋观念的主题,洛克与笛卡尔的论证大体上彼此不予理会。笛卡尔认为没有一种内在因素的经验是科学认识的不充分的基础;洛克坚持认为没有经验的内在概念不能解释我们对于世界的认识。两种观念同样正确。

洛克宣称唯理论者的论证会导致一个人“假定我们所有的色彩、声音、味道、形状等的观念是内在的,而不存在与理性和经验相对的任何东西”(*E*, 58)。笛卡尔认为我们对一个特定苹果的味道与色彩的认识不是某种内在的东西;但他发现在存在内在的红色与甜蜜的普遍观念中没有任何东西是荒谬的——对于洛克自己接受的理由,即这些特定的观念全部是主观的。此外,唯理论与经验论表面争论遮蔽了一种基本的一致。

洛克对像红色与味道的特征的主观性的论证开始于一种区分,这区分“只由一种感觉在我们心灵中形成的”那些观念与“通过一种以上的感觉将它们
134 传达到心灵”的那些观念。声音、口味与味道是第一类的事例;也就是所谓的“颜色,像白色、红色、黄色和蓝色;像它们的若干层级或者浅色以及混合色,像绿色、深红色、紫色,蔚蓝色与其他颜色”。作为我们通过超过一种感觉获得观念的事例,洛克给出广延、形状、运动与静止——我们通过视觉与感觉能察觉

这些项。

与两类观念之间的区分相对应的是在物体中发现的特质之间的区分。我们应该区分观念,正如它们是心灵中的认识,正如它们是物质的修正,物体产生这些感知;我们不应该想当然地认为我们的观念正是在产生它们的物体中的某种东西的真正形象。在我们之中产生观念的力量被洛克称为"特征"。通过超过一种感官感知的特征,洛克称为"第一特征",只是通过一种单一感官感知的特征,洛克称为"第二特征"。这种区分不是一种创新:人们熟悉从亚里士多德以来的"普通的感觉"(第一特征)与"恰当的感觉"(第二特征)(*E*, 134 - 135)。洛克背离亚里士多德的地方在于否认恰当感觉的客观性。在这一点上,他已被笛卡尔接受,笛卡尔认为在感知的科学叙述中,只有第一特征需要得到激发。温度、色彩与滋味严格说来只是心理的实在,认为在一个炙热的物体中存在某种像热的观念的东西,或在一个绿色物体中存在像我感觉的同样绿色,这是一个错误(AT VII. 82;*CSMK*, II. 56)。使得我们看到或听到或品到物质的事件只是形成的物质运动。为支持这种结论,洛克提供像笛卡尔同样思考的某些东西,但呈现一种更为持久的论证思路。

首先,洛克宣称只有第一特征不能与它们的拥有者分离:一个物体可能缺乏一种气味或味道,但不能存在一个没有形状和大小的物体。如果你得到一粒小麦,并将它不断地细分,它可能失去它的色彩或味道,但它仍将保留广延、形状与运动性。笛卡尔曾运用类似的论证方式,不是将小麦而是将石头作为他的例证,以此证明只有广延是物体的本质部分。

我们只致力于某种物体的观念,比如,一块石头,不得不从它之中排除,无论我们认识到什么是物体的真正本质不需要的。我们首先要排除硬度,因为如果石头侵蚀,或分成非常细小的粉末。如果不存在一个物体,它将失去这种 135
特征。再有,我们排除色彩:我们通常显而易见地将石头看成无色的。

我们怎样理解这些论证呢? 一个物体必须有某种形状或另外的形状,但可能失去某种特定的形状。正如笛卡尔自己在别处提醒我们，一片蜡不可能是立体的与球形的。洛克论及第二特征的东西可能也论及某些第一特征，运动是第一特征，但一个物体可能是静止的。的确，如果运动与静止得到考察，正如洛克考察它们的那样，作为一对第一特征，在任何时候，一个物体必定缺少一个或它们中的一个。

第一特征的永恒性观点似乎取决于对它们一般的考察：一个物体不能不具有某种长度或其他的长度；某种宽度或其他的宽度；某种高度或其他的高度。其他特征的非永恒性的论证似乎依赖于个别地考察它们：一个物体可能失去它特定的颜色或气味或味道，一个物体可能无味、无芳香与不可见，这是真的，虽然一个物体不能缺乏一切广延。但这些特征是物体的非本质特征，这一事实并不显示它们不是物体的真正特征，这一事实较多于那样的事实，即一个物体可能不是立体的，这显示出一个立体的图形，当其持续时，不是物体的真正特征。

洛克论及第二特征只是在我们之中产生感觉的一种力量。即使我们认为这是真实的，或者至少接近真实，这并不表明第二特征只是主观的而不是看似拥有它们对象的真正特征，采用一个类似的案例来看，有毒的东西只具有一种对一个活的存在物产生某种影响的能力；但这是一个客观的事情，一个确定的事实，无论某种东西对于一个给定的有机体是有毒还是无毒。在这里，正如在笛卡尔与霍布斯那里，我们面临相对性与主观性之间的一个难题，它作为完全客观的存在时，一种特征可能是相对的。一把钥匙是否配一把锁是一个显然的事实，正如洛克同时代的波义耳（Robert Boyle）评论的那样，第二特征是配
136 特定锁的钥匙，那些锁正是人的不同感觉。

“特定的体积、数字、形状以及火的部分运动，或者雪，的确存在它们之中，”洛克说，“无论任何人的感官感知到它们与否。”另一方面，亮度、温度、白色与寒冷在物体中与疾病或疼痛在食物中一样不再真实，这种食物可能让我

们胃疼。“消除它们的感觉;不让眼睛看到光亮或色彩,耳朵听不到声音,味觉不能品尝,鼻子不能嗅,一切色彩、味道、芳香与声音,正如它们是这些特定的观念,不复存在与消失”(*E*,138)。这种论证与洛克曾论及的不一致,即第二特征是反对我们的因果感觉的力量,这些力量可以肯定只是在一种感觉器官的存在中起作用;但力量继续存在甚至不起作用时(我们中的绝大多数人具有复述“三只盲鼠”的能力,但几乎没有人实践它。)

洛克宣称,在我们之中产生的第二特征的观念的东西只是具有力量的对象的第一特征,比如,热的感觉是由一些其他肉体的细胞导致一种增长或我们身体微小部分的运动的消失所引发的。但即使这是一种真实描述热的感觉是如何引发的,为什么断定感觉本身只是“在我们神经中的微小部分的一种运动以及运动的程度”。这种结论的唯一基础似乎是类似产生类似的古老原则。但用洛克自己的事例来看,如果它本身没有疾病的话,一个实体可能产生疾病。

洛克否认白色与寒冷真正地存在对象之中,因为他认为心中的观念与身体中的特征之间不存在类似,这种观点处在模棱两可之中,我们一开始就在一种观念的论点之中认识这种歧义。如果蓝色观念是感知蓝色活动的事情,那么不再有理由期望那种观念类似那种颜色,期望弹奏小提琴类似一把小提琴。另一方面,如果蓝色观念是感知的东西,那么当我看见一棵飞燕草时,蓝色观念不是蓝色形象,而是蓝色本身。洛克只通过假定他开始证明的东西就能否认这一点。

洛克最后论证是感知与情感之间的一种类似:

> 他将考虑,同样的火焰,在一定距离中,在我们之中产生热的感觉,处在一个更近的距离,在我们之中产生远非疼痛的感觉,应该沉思自己,他不得不谈论何种理由,热的观念,在他之中,是由火焰产生的东西,实际上是在
> 火焰之中;疼痛的观念,同样的火焰在他之中产生同样方式,并不是在火 137

焰之中(*E*,137)。

这种类推正在被滥用。火焰是令人疼痛的,也是热的,论及它是令人疼痛的时,没有人宣称火感到疼痛;同样,说它是热的时,没有任何人宣称它感到热。如果洛克的论证起作用,那么这将会转向反对他自己。采用他自己的事例,当我切到我自己时,我感觉到小刀的锋利也感到疼痛——难道这也意味着运动也是第二特征?

洛克坚持认为,提出类似的事例时,同样对象产生的感觉将在环境中变化(温水对一只冷手来说是热的,而对一只热手来说是冷的,我们在斑岩上看到什么颜色依赖于照耀其上的光线强度等等)。但这种寓意并非是第二特征不是客观的。草是绿的,很好;但"绿"不是,正如洛克认为它是一种私人的不可言喻的经验名称,"是绿的"不是一种单一的特征,而是复杂特征,这种特征包含比如在某种光线条件下看似绿色的特征。

斯宾诺莎论认识的程度

在斯宾诺莎的体系中,认识论不像在洛克体系中那么重要,但它呈现了大量精妙的特征。在早期的《理智的改进》中,斯宾诺莎描述了认识或感知的四个层次。首先,有一种传闻的认识:我具有这种认识,我何时出生以及谁是我的父母。其次,有一种"来自粗略的经验"的认识:斯宾诺莎正在考虑归纳的结论,譬如,水灭火,以及我有一天会死去。第三,有一种认识,"一个事物的本质由另一个事物的本质推论,但不是充分的。"斯宾诺莎通过给予我们认识的事例,即太阳比它看上去大得多,从而阐明这种相当费解的定义。最后,借助它们的本质有一种事物的认识:一个事例是几何学给予的一个圆的认识。第四种认识是唯一的知识，它给予我们充足的、避免错误地把握事物(E II. 11)。这是值得注意的，尽管斯宾诺莎将所有这些认识的形式称为“感知”，粗略的感官感知本身并没有理解为一种认识。

在后来的《伦理学》中，斯宾诺莎区分了三种认识而不是四种认识。关于传闻的认识，一个通常被哲学家所忽视的重要主题——在18世纪荣耀只属于

138

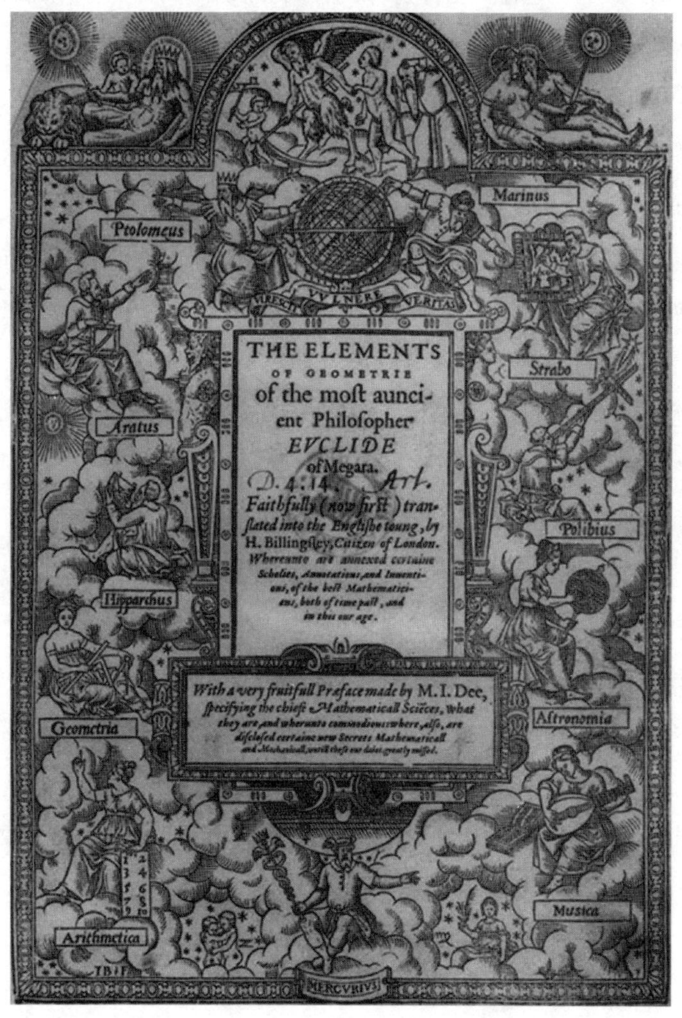

对于斯宾诺莎，几何学是认识的范式。他自己体系的呈现是欧几里得《几何原本》的翻版。

139 休谟,19世纪属于纽曼(Newman),20世纪属于维特根斯坦(Wittgenstein)。相反,我们被告知认识的三个层级,即想象、理性与直观。传闻成为想象细分的层级,这是更早期分类的第二项。理性与直观对应较早期分类的最后两项。

像笛卡尔与洛克一样,斯宾诺莎根据心中的观念描述认识,像他们一样,他断定在术语"观念"之下的概念(一个三角形的观念)与命题(一个三角形有三条边的观念)。他坚持认为,这种概念与命题是不可分的。如果没有一个三角形的概念,我不能肯定一个三角形有三条边;同时如果没有确定它有三条边,我不可能有一个三角形概念(*Eth*,63)。

当斯宾诺莎论及"X的观念"时,经常有一种歧义:我们可能想知道"的"是一种主观的或还是客观的属格;也就是说,X的观念是一种属于X的观念,或它是一种内容是X的观念?当斯宾诺莎告知我们上帝观念包括上帝本质以及必然从其推导出来的一切东西,他清晰地探讨上帝具有的观念,上帝观念,而非你与我可能有关上帝的观念(*Eth*, 33)。但并非每次"上帝观念"的推论是同样地明确,一种相应的歧义附属于斯宾诺莎的论点,即人的心灵是人的身体观念。①

然而,斯宾诺莎在术语"观念"的表述中排除一种歧义,阅读笛卡尔与洛克的著作时,观念术语经常给我们制造麻烦:

> 一种真正的观念——因为我们的确拥有这种东西——是不同于它的对象(ideatum)的某种东西。因而,一个圆圈是一种东西,而一个圆圈的观念则是其他的东西。一个圆圈的观念不是一个有圆周与圆心的东西,正如一个圆圈所具有的。此外,一个物体的观念是不同于物体本身的某种东西。(E II. 12)

① 参阅第七章。

一个男人彼得是某个真人;彼得的观念也是一个真实的观念,但是一个不同的真实物。我们也能具有彼得观念的观念,诸如此类不明确的观念。

斯宾诺莎坚持认为,如果我们认识某种东西,我们知道我们认识它,同时知道我们知道我们认识它,当我们有认识时,哲学家追问我们如何认识,寻找 140
区分知识与纯粹信仰的某种标准;他们认为,如果没有这一点,我们从来不会获得确定性。但斯宾诺莎论道,这从一个错误的目的开始。旨在认识我们知道的,我们必须首先认识;旨在获得确定性,我们不需要除一个充足观念的领地之外的任何特定符号。具有一种真正观念的人据此认识到他有一种真正的观念,不会怀疑它的真理性(*Eth*, 58)。"一个人如何能确信他的观念对应它的对象?"哲学家追问道。斯宾诺莎回答道:"他的认识只源于他具有的观念,这种观念事实上的确对应它的对象;换句话说,真理是它自身的标准"(*Eth*, 59)。

认识的不同阶段对应于具有不同特征的观念。即使不是充分的,一种观念可能是真实的,如果不具有清晰性与明确性,它也可能是充分的,从我们身体的经验与其他对象形成的联系中,我们不但集中像彼得这种个体的观念而且也集合像人、马或狗这样的普遍观念。斯宾诺莎在下面情形中解释这种普遍观念的起源:

> 它们源于这样的事实,譬如,如此多的人的形象同时形成,这些形象胜过想象力——不是全部地,但在某种程度上心灵无法认识个体(颜色、大小等)之间的细微差异与它们实际的数量。这只是明确地设想个体具有同样的认识,就身体受它们影响而言——因为正是在这一点上,每个个体主要影响它——心灵由名称人表现这一点,这在无限的个体中假定它。(E II. 112)

其他观念由象征、由我们阅读或听到的某些词汇塑造。这些观念,如果它们是真的，是混乱的与没有系统的，这些观念的剧目构成我们的第一类认识，我们可以称之为“意见”或“想象”。

然而，有某些观念，对一切人都是一样的，它们充分地呈现事物的特征。这些是广延与运动的观念。斯宾诺莎定义一种充足观念作为“一种观念，就其在自身中考察而言，与对象没有关系，具有一切的特征或一种真正观念的内在标志”(*Eth*,32)。这如何与他的观点一致，这并不是非常清晰，他认为一种真正的观念不需要它的任何真理的标志。可以倾向地认为斯宾诺莎的意思只是充足观念表现真理，这些真理是自明的，不是由演绎从其他真理推论出来的。事实上，充足观念通过彼此之间的逻辑联系关联在一起，形成必然真理的体系。这是理性(ratio)的领域，并构成第二类的认识(*Eth*, 57)。第二类与第三
141 类认识能给予我们真正的与充足的观念。

第三类认识被斯宾诺莎称为“直觉知识”，这是清晰的认识形式，得到最多的评价。然而在理解它的本质中，我们几乎没有获得帮助。显然，理性在一步步地操纵；直观是一种直接的精神视界，更重要的是，直观把握事物的本质；也就是说，它理解它们普遍的特征以及在宇宙普遍的因果秩序中的它们的位置。理性会告知我们太阳比起它看上去的大得多；只有直观能给予我们彻底把握这为何如此。但斯宾诺莎的直观认识的形式定义提出了像它一样解决的许多问题：“这种认识从上帝某种特征的形式本质的充足观念延续到事物本身的充足认识”(*Eth*,57)。或许只有全面把握《伦理学》的整个哲学体系才会得到这种认识。

斯宾诺莎两次尝试证明认识的三种层级，借助要求我们考察这个问题，发现数 X 与一个确定的数 C，同样的比例正如一个给定的 A 与一个确定的 B。他说，商人在运用比例法中没有任何困难，他们从经验获得或死记硬背中学会，数学家将运用欧几里得几何学的第七卷中的第十九个命题。这种论证足够清晰地区分了第一层级与第二层级；对于解决这个问题的直观方法，我们却不得而知。或许斯宾诺莎考虑到像印度数学家成就的某种东西，他们不需要

计算即刻就能解决这些问题。

斯宾诺莎的认识论不得不回答一个最终的问题。在任何观念的内容中，他坚持认为，只有真理才是肯定的因素(*Eth*, 53)。但如果在观念中没有肯定的因素，在描述它们称为错误的东西时，错误最终是如何可能的？笛卡尔曾在以下的情形中解释过失:犯错是错误判断，判断是意志活动，而不是理智活动;当意志缺乏来自理智的启蒙而做出判断时，错误发生。斯宾诺莎不能提供这种解释，因为对他来说意志与理智不是明确的，因此，他不能给予建议，以避免错误，当理智不能呈现一个清晰与明确的观念时，一个人应该搁置判断。 142

斯宾诺莎的答复认为错误不是某种肯定的东西。错误——只发生在认识的第一层级——不存在于任何观念的存在之中，但存在于应该存在的某些其他观念的不存在之中:

> 因而，当我们仰望太阳，想象它离我们二百英尺远，这种想象本身并不等同一个错误;当我们想象时，我们要么不知道太阳的真正距离要么不知道我们想象的原因，我们的错误更准确地说是这样的事实。(Ibid.)

至于悬置判断，这的确是可能的，但不是通过意志的自由作用。当我们说某人悬置判断时，我们的意思只是她理解她没有充分认识到所讨论的问题。甚至在梦中，我们悬置判断，当我们梦到我们做梦时(*Eth*, 66)。

莱布尼茨的认识论

斯宾诺莎的认识论包括一系列尝试，调和我们自然地探讨与思考知识和经验的东西和他的形而上学的论题，这个论题认为心灵的观念与物体的运动只是单一实体生命中的个体的项的两个方面，其中单一实体是上帝与自然。莱布尼茨的认识论同样尝试将日常语言与思想和一种形而上学相匹配——但与斯宾诺莎的认识论截然对立，在其中，观念与运动，如此背离于彼此间根本的一致性，根本没有相互作用以及属于两个不同的与整个独立的系列事件，在上帝心灵中通过前定和谐联系起来。

鉴于莱布尼茨正式的单子理论，很难理解他如何在日常的意义上具有任何的认识论。比如，他如何描述任何感性认识，既然在心灵与外在世界之间没有任何交流？他如何能有兴趣争论我们观念中的哪些是内在的与哪些是习得的，既然对他而言每种单一的观念是单一心灵的内在产物？然而，事实上，莱布尼茨最重要的著作无疑是认识论的著作：《人类理解新论》，在其中他详尽地
143 批判了洛克的经验主义的认识理论，《人类理解新论》是一部 500 页的 Philalethes 与 Theophilus 之间的长长的争论，Philalethes 是洛克的代言人，而 Theophilus 是莱布尼茨的代言人。这部著作的每一章对应洛克的《人类理解论》每一章，并一个个地回应。

莱布尼茨在《人类理解新论》中辩护的许多观点以及他运用的许多论证事实上能被一个更理智的具有形而上学气质的哲学家接受。莱布尼茨认识到这一点，通过论说可解释的目的，他有权谈论身体对心灵的作用，正如一个哥白尼式的哲学家继续谈论日升与日落而为自己辩护（G V. 67）。的确很难在《人类理解新论》中使得一切东西与正式的形而上学体系相一致。但这使得那些人对这部著作更感兴趣，他们更感兴趣的是认识论而不是单子论。

经验论者宣称在理智之中不存在任何东西，理智不在感觉之中。莱布尼茨通过增加“除了理智本身”来回答。我们的灵魂是与自身相一致的一个存在、一个实体、一个统一体、一个原因以及观念与推理的中心。因此，存在的观念、实体等可以由灵魂对自身的反思而获得。而且，它们从来不能由感觉获得（G V. 45, 100－101）。在彻底的意义上，这些观念是内在的。这并不意味着

一个新生的孩子已思考它们;但它具有不止一种单一的能力学会它们:它具有把握它们的素质。如果我们想将心灵作为一块最初没有绘制的油画布,我们可以这样做;但它是一块为作画已由铅笔数次勾勒的油画布(G V. 45, 132)。

在这种意义上的内在观念中,莱布尼茨包括逻辑学、算术与几何学的原理。但比如"红不是绿"与"甜不是苦"是何种真理?莱布尼茨准备论及"甜不是苦"不是内在的,在这种意义上,"一个正方形不是一个圆"是内在的。他论道,甜与苦的感觉来自感官(G V. 79)。这如何能调和两个论题,一个论题否定外在世界对心灵的作用,一个论题认为灵魂的所有思想与活动源自内在?

为答复这一点,我们必须想到对莱布尼茨而言人的灵魂是一个占优势的
单子,处在单子金字塔的顶端。这些单子是活跃的实体,它们对应人的身体不
同部分和情感。转换成单子,某些情感来自感觉并形成精神,这种观点似乎意 144
味着主要单子的某些观念来自次要的单子。次要单子的认识通过统觉,重要
单子的自我意识的认识而得以认识。单子是无缝隙的,莱布尼茨认为,从外在
世界来看似乎一无所知;但单子或许可以通过某种通灵术对单子诉说。①

莱布尼茨在研究认识的层次时提出这一点,这种认识是他认识论中最有趣的部分。"存在一千种含义,这些含义导致我们认为在我们之中存在连续的无数的认识,但没有统觉也没有反思"(G V. 46)。一个生活在工厂或瀑布旁的人不久就能忽略它产生的噪音。在沙滩上行走时,我们听到海浪声,但我们不会区分每一个海浪声。我们意识的经验在这种方式中包含大量细微的我们没有明确观念的认识。这种次要单子的认识特征是混沌的观念;重要单子的统觉给我们的观念带来清晰性与确定性,这是因为感性认识是混乱的,它们看似来自外在。

---

① 论感知与统觉,参阅第 234 页。

启蒙运动时期的崇拜者牢记莱布尼茨。

莱布尼茨在认识层级之间运用他的区分,以此回应一种对天赋观念的普 145
遍反对的观点,即我们认识个体的真理,远远早于我们认识逻辑的根本原则。"普遍原则,"他说,"进入到我们的思想并塑造每个灵魂以及构成它们之间的联系。它们是必然的,如同肌肉与跟腱必然用来行走一样,即使我们不思考它们。"心灵始终依赖于逻辑,但它努力确证它的法则并使得它们具体化,中国人以清晰的声音说话,正如欧洲人说话一样;但它们没有发明一种字母表来表达这种认识(G V. 69 – 70)。

对洛克而言,认识的根本基石只是由感觉呈现的单一观念。莱布尼茨将一种单一观念的观点视为一种幻象:

> 我相信一个人会认为感觉的观念看似是简单的,因为它们是混乱的:它们不会给予心灵以范围,以此区分它们的内容。像在这种方式中,远处的对象看似是圆的,因为我们不能区分它们的角度,即使我们理解它们的某些混乱的印象。显然,比如,绿是由蓝与黄调出来的,是混合色——因此你可能想当然地认为绿的观念是由这两种观念构成的。因此,绿的观念对我们来说看似像蓝或温暖那样的单一。因此我们必定认为蓝与温暖的观 146
> 念显然只是单一的。(G V. 109)

莱布尼茨拒斥洛克在第二特征之间的区分,譬如,色彩是主观的与主要的特征,譬如,形状是客观的:他认为主要的与第二特征都是现象的特征,他的这种观念全部来自贝克莱(莱布尼茨阅读并赞同他的早期著作)。

贝克莱论特征与观念

在《三篇对话》的第一部分,贝克莱将洛克作为一个同盟者,探讨第二特征的主观性;他于是通过平行论证主要特征的主观性从而战胜洛克。他断定没有任何观念,甚至没有主要特征的观念是对象的类似物。

在对话中,海拉斯是一个唯物论者,通过全盘接受洛克的前提,即我们不能感知物质对象本身,只能感知它们的感性特征,他在为物质辩护中受到限制。“借助可感知的事物,”他说,“我意思是那些只是通过感官感知,在真实中感官感知不到任何东西,它们不会直接感知,因为它们不进行推论。”(*BPW*, 138)物质的对象可能得到推论,但它们不被感知。可感知的事物事实上除许多这样可感知的特征之外没有别的。但这些特征独立于心灵。

在对话中,费劳斯是一个观念论者,旨在削弱海拉斯在感知特征的客观性中的信念,通过洛克的论证将他引向呈现热的主观性。热的一切层级由感官认识主要特征,越热,感觉越敏感。但热的一个高的程度是一种剧痛;物质的实体不能感受到疼痛,因此,热不在物体的实体中存在。所有层级的热同样是
147 真实的,因此,如果一种巨热不是一个外在对象中的某种东西,任何热也一样。

这种论证充斥谬误,这些谬误被贝克莱巧妙地掩盖。这种错误的动机是在海拉斯的言说而不是在费劳斯的言说中呈现出来。费劳斯只是提出了重要问题,海拉斯应该做出区分的时候,他只是用“是”或“否”来回答这些问题。譬如说有些事例:

> 费劳斯:热是一种可感知的事物吗?
>
> 海拉斯:当然是。
>
> 费劳斯:难道可感知事物的实在不是存在被感知的东西里吗?或者说它是某种区别于它们被感知的某种东西,并且这与心灵没有任何关系吗?
>
> 海拉斯:存在的是一种东西,而被感知的则是另外一种东西。

如果我们接受谈论的热作为一种可感知的特征，而不是作为在物理术语定义中的能量的一种形式。海拉斯有权说存在不是像被感知的东西：炉火可能是热的，没有人站在足够近的地方感到热，但他本不应该接受——正如他继续做的——费劳斯将“不同于被感知的”与“与心灵没有任何关系的”等同。客观性特征的更加机智的辩护者可能应该承认它们与感知有一种关系，同时坚持它们的存在不同于它们实际被感知的。另一个实例是：

费劳斯：难道最强烈与最剧烈的热的层级不是一种剧痛吗？

海拉斯：没有人能否认这一点。

费劳斯：任何不感知的对象是疼痛或愉悦吗？

海拉斯：当然不是。

费劳斯：你的物质实体是一种无感觉的存在，或者由感觉与感知赋予的一个存在？

海拉斯：毫无疑问它是无感觉的。

费劳斯：因此它不能是疼痛的对象？

海拉斯：绝对不是。

对于第一个问题，海拉斯本应该以一种区分回应：热的最大值导致剧痛，赞同这一点；而热本身是一种剧痛，否认这一点。当追问是否无感觉的对象会疼痛时，他应该做出一种相应的区分：能感受到疼痛，不；能产生疼痛，是。他从来就不应该承认物质的实体是无感觉的：某些是（比如岩石），某些不是（比如猫）。但在这里这种责难当然在于洛克，他论证一种物质的实体不能有感觉，因为它是具有感觉的东西。 148

这将会是冗长的、逐行的推论，借助这种手法海拉斯被诱导不但否认热的客观性而且否认味道、芳香、声音与色彩的客观性。在对话的半途中，海拉斯认为第二特征在心灵之外不具有任何存在。但他试图坚持洛克的观点,即主要特征真正地存在物体之中。费劳斯在如此强有力的观点中表明,通过洛克的论证削弱第二特征的客观性也能用来反对主要特征。

洛克已讨论芳香不是真正的特征,因为对我们来说难闻的东西对动物来说是甜蜜的。难道一个人不能同样地认为大小不是一个真正的特征,因为我们中的一个人几乎不能辨别的将对某个小动物来说看似为一座巨大的高山(*BPW*, 152)? 如果我们认为热与冷都不在水中,因为它能看似对一只手是温的,而对另一只手是冷的,我们也只能认为在世界中没有真正的大小或形状,因为对一只近处的眼睛看上去大的和有棱角的,而对一只远处的眼睛来说则看上去小的和圆的(*BPW*, 153)。

在第一次对话结束时,海拉斯接受物质对象本身是不可感知的,他仍然坚持它们通过我们的观念是可感知的。但费劳斯嘲弄这一点:一个真实的事物本身是不可见的,如何能像一种色彩一样?海拉斯不得不同意只有一种观念能像一种观念,同时如果没有心灵,不存在任何观念;因而他不能为这种观点辩护,即观念给予我们心灵之外的任何知识。

在接下来的一章,我们将推论在第二篇与第三篇对话中的论证过程,贝克莱寻求确立他的形而上学的非唯物论。但在完成我们对他的认识论的陈述时,我们不得不考察他不但对于感官的观念而且对于普遍观念的言说,普遍观念在传统中被视为理智的领域。洛克曾认为形成普遍观念的能力是人类与不会说话的动物之间的最重要的差异。不像动物,人类使用语言;语言的言语通过表示观念而具有意义,普遍的语言,比如,分类的谓项对应普遍抽象的观念。在《人类认识原理》中,贝克莱对洛克的抽象理论发起了决定性的攻击。抽象
149 观念据称从以下形式中获得:

> 心灵观察到彼得、詹姆士与约翰在外形与其他特征的某些普遍一致性上

彼此相似，心灵忽略了彼得、詹姆士以及任何其他特定的人所具有的复杂或深奥的观念，这种观念对每个人都是特定的，只保留对一切人是普遍的，因此形成一种抽象观念，无论何处一切特殊性同样参与其中；全部来自或者消除那些环境与差异，这些可能在任何特定的存在上确定它。在这种状态之后，据说我们获得人的抽象观念。(*BPW*, 48)

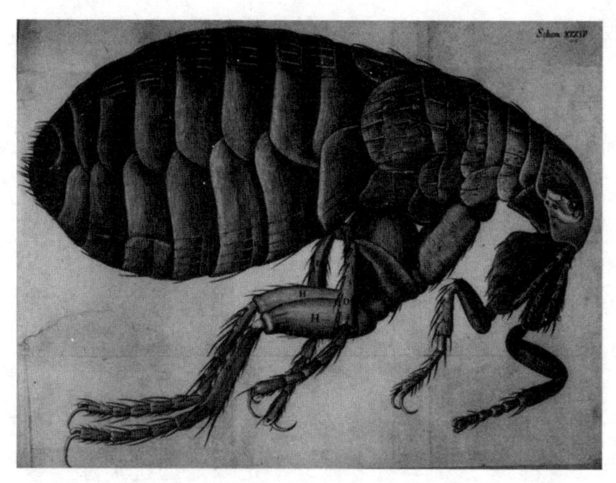

贝克莱运用显微镜的发现（比如胡克对跳蚤的再现）质疑主要特征的客观性。

因而，人的抽象观念包含色彩，但不包含特定的色彩；身高不包含特定的身高等等。

贝克莱认为这是荒谬的。“我塑造我自身的人的观念必定要么是白色的要么是黑色的，或是一种黄褐色的，或驼背的，或高的或矮的，或中等个的人。我不能借助任何思想的力量设想抽象的观念。”对于这一点，他的确是错误的。如果我们借助“观念”指示一个概念，那么毫无疑问，“人”的概念运用人类时不会考虑到它们的色彩或大小，拥有这种概念的任何人理解这一点。正如看上去更类似的那样，如果贝克莱正在思考将一种观念作为形象，他仍然是错误 150

的:精神形象无需包含形象所具有的一切特征。亚伯拉罕的精神形象不会使他要么高要么矮;我并没有他具有的任何观念。贝克莱构想精神图像非常多地来自真实图像的模式;但甚至承认这一点,他也犯错。画布上的一幅素描不需要描摹出一个坐者的所有特征,一种礼服不需要凸显一种色彩,即使任何实际的礼服必定具有某种特定的色彩。

在这一点上,洛克写道,需运用技巧形成一个三角形的普遍观念,“因为它必定既不是斜的,也不是矩形的,既不是等边的也不是不等边的,但一切以及这种三角形没有一个即刻如此。”贝克莱有权说这是一派胡言。但他应该真正地攻击洛克相信任何类型的形象特征足以解释我们概念的获得物。那是洛克真正错误的语言理论,并非他已选择错误的形象或在自我冲突的术语中描述它们。

运用一种形象或一种图形去呈现一个 X,一个人必定已具有一个 X 的概念。一个形象在它的表面上并不具有它呈现的任何确定性。一片橡树叶的形象像一片橡树叶的画作一样,再现一片树叶、一棵橡树、一棵树、一个男孩搜寻成果,一种军阶,或许多其他事物。概念不是只能通过消除形象特征获得,一个人从蓝色的形象去掉什么来将它作为一种色彩的形象?无论如何,有诸多没有形象相对应的观念:比如,逻辑概念,那些对应于“某些”或“不”或“如果”。存在从来不能从形象中明确推论的其他概念,比如,算术的概念。一个与同样的形象可以呈现四条腿与一匹马、或者七棵树与矮林。

在反驳洛克时,在区分理解语言与拥有普遍抽象的形象中,贝克莱是正确的。但他保留了这种观念,认为精神形象是语言的关键:对他而言,一种普遍的名称指示的不是一种单一抽象的形象而是“大量中立的特定形象”。但一旦概念所有权从创造图像中区分出来,精神形象对于语言与心灵哲学无足轻重。形象对思想而言不再是根本的,如同插图对一本书一样。并非是我们的形象
151 解释我们拥有的概念,而是我们的概念赋予形象以意义。

休谟论观念与印象

思维与形象的经验主义的一致性在休谟哲学中产生了一种极端的观点。然而，休谟的确尝试改进洛克与贝克莱的理论，通过对两种感知，即印象与观念之间做出区分，而不是将它们都称为“观念”。休谟认为，每个人认识情感与思维的差异。情感是印象的事实：感觉与情感。思维关系到观念：事物的种类在人的头脑中形成，比如当阅读《人性论》时（*T*, 1）。

显然，休谟的“观念”是心理形象。他认为，它们是像诸印象一样，只是更少些力量与活力。而且，单一观念是印象的复制。这看上去像一种“观念”的定义，但休谟诉诸经验来维护它。他不时呼吁读者自身证实这条原则并找到一个反例挑战他。他支持这种原则，通过告诉我们一个天生的盲人没有色彩的观念。然而，就色彩观念而言，他自己愿意提出一个反例。假如一个人已遇到除蓝色的一种特定色度之外的所有颜色：

> 假如那种色彩的一切不同色度，除那种单一色度之外，摆在他面前，逐渐由最深到最浅的变化；显然，他将感知一片空白，在这里色度是不足的，将是可感知的，在那个地方在比任何其他更邻近的色彩存在一个更大的距离。现在我追问，对他而言，这是不是可能的，从他自己想象出发，旨在提供这种缺陷，同时这是否向他自己提出特定色度的观念，虽然它从来没有通过感觉向他传达过，我相信几乎不存在，但意志是他可以有的观念。（*E* II. 17）

休谟准备接受这种思想实验作为提供给他原理的一个例外，这个原理是一切观念来自印象，“这个事例是特定的。”他继续说，“这几乎不值得我们去考察,不值得为单独的它我们应该改变普遍原则”。这种无动于衷地排除的反例必定质疑休谟在研究心灵的“实验方法”的真实性。没加阻止地,他将“没
152 有额外印象的任何观念”果断地运用在他希望攻击形而上学的任何地方。

休谟运用活跃性作为区分观念与印象的标准,他在两种不同观念之间的活跃性基础上做出了进一步的区分:记忆的观念与想象的观念。“很明显一眼可看出,”他告知我们,“记忆的观念比想象的观念更加活跃与有力,与任何由后者能力运用的相比,前者的能力以更明确的色彩描绘它的对象。”按照他的普遍原则,休谟认为,两种观念必定来自相应的印象,但他也指出它们之间的区别:想象的观念不像记忆的观念,不是联系最初印象的时间与空间中的秩序。

那么,我们被给予区分记忆与想象的两个标准:活跃性与秩序性。然而,不明确的是,这些标准是如何运用的。毫无疑问,我们以此区分真实的记忆与虚幻的记忆(我记得我邮过信,或我只是正在想这件事呢?)。第二个标准做出区分,但从来不会运用在怀疑的场合;怀疑者会运用第一个标准,但它不可靠,因为幻象比记忆更加有力与更迷人。

休谟将记忆作为在心灵中重温一系列过去的事件;但当然记得哈斯廷斯战斗的日期,记得如何做煎鸡蛋,或记得从伦敦去牛津的路,这些彼此是非常不同的。因此有许多其他不同类型的记忆。同样,“想象”的术语比心理形象的自由游戏包含更多:它包括错误的认识(“那是敲门的声音吗,或只是我想象如此?”),假定(“想象这世界像什么,如果每个人都以那种方式行事!”),以及创造的原创性(“《魔戒》是一部极具想象力的作品”)。休谟处理记忆与想象尽力挑选种类繁多的心理事件、能力、活动与错误置于一种单一的经验主义的严格限制之中。

存在诸事例似乎符合休谟合情合理的陈述,我听到一只小鸟在鸣唱,然后尝试从心理上重复韵律;我凝视一张有图案的墙纸,在我闭上眼睛之后我看到残留形象。甚至在这些场合中,休谟也错误地呈现这种情境。表面上,印象与

观念的差异是，虽然对我而言小鸟与墙纸是外在的，而事后的形象与无声的哼唱却是内在的事件。但休谟接受经验主义的论题，即我们已认识的一切是我 153
们自己的感知。我听到小鸟歌唱不是我自己与小鸟之间的一种转换，而是我面对像小鸟一样的活跃声音。对休谟而言，每个人的生命正像一个接一个的内省。

通过内省，我们必定区分记忆与想象之间的差异。有人可能认为，这两者之间的差异最好根据信仰来辨别。如果我自己喜欢去记住 P，那么我就相信 P；但我可以设想 P 的存在，假如没有任何这样的信仰。正如休谟自己所言，我们设想许多我们不相信的东西。但他对心理状态的分类使得他难以为信仰找到一个合适的位置。

在纯粹具有 P 的思想与实际信仰 P 之间的差异不能是内容的差异。正如休谟指出的那样，信仰不能存在于一个外在观念附加到一个观念或诸观念，这些观念构成被信仰的东西，对它的一种论证是我们自由地增添我们喜欢的任何观念，但我们不能选择相信我们愉悦的任何东西。一个更有说服力的理由将是，如果信仰存在于一个外在的观念，相信卡莎死在他床上的人与不相信卡莎死在他床上的人可能彼此不会存在冲突，因为他们不是在考虑同样一个命题（*T*, 95）。

在《人类理解研究》中，休谟认为信仰是一个“增添一种情感或感情的不同于想象的幻象的白日梦”。但这种情感的确是一种印象；在《人性论》附录中，休谟强有力地论证这直接与经验相对——信仰只包含观念，但他仍然坚持“一个观念赞同区分于一种虚构的观念，”他提供各种名称描述情感：“力量、活泼、孤独、坚强、坚定”。他通过承认“不可能完全地解释这种情感或概念的形式”来结束（*T*, 628）。但他促使我们接受在看似不真实基础上的陈述，阅读历史作品（我们相信是事实的）比读小说（我们认为是虚构的）更生动（*T*, 97）。

在休谟论述活跃作为信仰的标志中，某些难题不在他的体系之中。我们认识到他在发现一种感知时的尴尬处境，这种感知既不是一个观念又不是一 154

种印象。我们想知道如何区分卡莎死在他床上的观念与卡莎躺在床上生命垂危的记忆,既然活跃是每个人体的标志。但其他的难题也不只是内在的。关键的问题是信念根本不涉及想象(我坐下,我相信椅子能支撑我;但对事物而言没有任何的形象或思想进入到我的心里)。同时当一种信念涉及想象时,一种沉迷的幻象(比如,一对配偶的不忠)可能比一种真正的信念更加的活跃。

对于休谟的幻象存在某种令人遗憾的东西,这种幻象出现在他对观念的联系为数不多的散见的评注,他对于认识论正在做牛顿已在物理学中所做的。但是,责备他是不公平的,因为他的哲学心理学是如此不成熟:他继承了从17世纪前辈的贫乏的心灵哲学。与他们承认经验主义传统的鸿沟与不一致性相比,他通常更加坦诚。他的伟大哲学家的洞见能使他从他们的心理圈套解脱出来,同时继续激发反思,他处理因果关系、自我、道德与宗教将在合适的章中探讨。他对认识论的主要贡献是呈现怀疑论的一种新形式。

这开始于区分,我们在若干哲学家那里遇到这种区分,这是表述观念联系的命题与表述事实命题之间时的区分。休谟认为,每种事实的对立是可能的,因为它从来不能暗含一种冲突。太阳明天不会升起就像确信它将升起一样是可以理解的与前后一致的。那么我们为何相信后者而不是前者呢(*E* II. 25 – 26)?

休谟论证道,我们一切的推理涉及事实,这些推理建立在因果关系基础之上,但我们如何获得因果关系的认识?对象的感知特征并没有向我们揭示出产生它们的原因或从它们而来的结果。只看看黑色火药,将不会告诉我们它会是爆炸的东西;需要经验认识点火燃烧某种东西。甚至最单一的自然的同一性不能建立在先天之上,因为原因与结果是两种彻底不同的东西,一个不能从另一个推导出来,我们看到一个台球滚向另一个台球,我们希望它的运动能与另一个联系起来。但为何呢?“或许两个球并非保持一种绝对的静止状态?第一个球或许不是在一条直线上回归,或从任何一条线或方向都跃过第二个
155 球?所有这些假定是一致的与设想的吗?”(*E* II. 30)

A

TREATISE

OF

Human Nature:

BEING

An ATTEMPT to introduce the experimental Method of Reasoning

INTO

MORAL SUBJECTS.

Rara temporum felicitas, ubi sentire, quæ velis; & quæ sentias, dicere licet. TACIT.

VOL. I.

OF THE

UNDERSTANDING.

LONDON:
Printed for JOHN NOON, at the *White-Hart*, near *Mercer's-Chapel*, in *Cheapside*.

MDCCXXXIX.

"在出版社死而复生"的休谟《人性论》第一版扉页。

足够明显的是,这个答案是我们从经验中领会自然法则。但休谟把他的探索引向深入。甚至在我们具有因果操作的经验之后,他追问,对于从经验中得出结论,在理性中存在怎样的基础?经验只给予我们有关过去对象与发生之事的知识:为何它应该延伸到未来的时代和对象,对于我们认识的东西难道只是在现象上类似过去的对象吗?面包在过去喂饱我,但哪种理由如此做让

156 我相信面包将在未来喂养我?

> 这两个命题距离一样非常遥远,我发现这个对象总用这个结果参与,我预见其他对象在现象上类似的将用类似的结果参与。我将承认,如果你愿意,一个命题可以正好从另一个命题推导出来:我知道,事实上,它总是被推导出来,但如果你坚持观点由一系列推理推导出来,我希望你运用那种推理。(*E* II. 34)

没有任何论证的是可能的:假定我在下次将壶放在火炉上,水将不会沸腾,在这个假定中根本不存在自我的冲突,但无一来自经验的论证是可能的;因为如果我们认同自然过程可能变化的可能性,那么我们不能将经验看做是一种可靠的向导,任何来自经验的论证证实未来将类似过去,这种论证显然必定是循环的。显然,这不是推理使得我们相信它将如此。

在论证层面,怀疑论是成功的。但休谟告诉我们不要因为这种发现而沮丧:我们通过比推理更强的原则引向相信自然法则。这个原则是习俗或习惯。没有人可以从单一经验中推论因果关系,因为因果力量不是由感官感知的某种东西。但在我们观察类似对象或事件并不断联系起来之后,我们立即从其他的事件类型中推导出事件的一种类型。因此,一百个事例给予我们做出结论的理由并不比一个单一事例给予的更多。“两个对象的不断联系——比如,热与火焰、重量与固体——我们只是由习惯从其他现象中期望一种现象”(*E*
157 II. 43)。正是习俗而非理性成为人类生活的伟大向导。

康德的先天综合

许多读者已将休谟的结论作为小小的安慰,以弥补他破坏性地摧毁我们经验的任何推理的法则。没有人比康德更多地受到休谟怀疑论挑战的困扰，也没有人更加努力地面对这种挑战并在认识法则中重新确立理智的功能。

正如休谟以事实与观念联系之间的一种对照开始他的论证，康德通过区分不同类型的命题开始他的回应。但不是一种简单的区分，他有一对区分，一个是认识论的，一个是逻辑的。首先，他在两种知识类型之间做出区分：来自经验的知识，他称之为后验知识，以及独立于任何经验的知识，他称之为先天知识。其次，他在两种判断之间做出一种区分，分析的与综合的，他解释如何确定形式"A 是 B"的判断属于哪种判断：

> 要么谓项 B 属于主词 A，正如某种东西包含(虽然隐蔽地)在概念 A 中，要么它存在概念 A 之外，即使它附属在它之上。在第一个实例中，我称这个判断是分析的，在第二个实例中，这个判断是综合的。(A, 6)

康德提出一个分析判断的事例"所有物体是广延的"，以及一个综合判断的事例"所有物体是重的"。他解释广延是"物体"观念的部分，然而重量不是。

康德在分析命题与综合命题之间的区分并不是完全令人满意。这明显地有意普遍运用于各种命题，然而并非所有命题在他的定义中运用简单的主—谓形式建构起来。"包含"的观念是隐喻的，同时尽管这种区分明显有意成为逻辑的区分，康德有时论及它好像是一个心理学的事实。某些后来的哲学家尽力加强这种区分，其他哲学家尽力打破这种区分；但在后来的哲学探讨中保留一个永久的位置。

认识论区分先天\后天与逻辑区分分析\综合之间的关系是什么呢？这两种区分在不同的基础之上，按照康德的说法，它们并不在它们运用中同时发生，所有分析命题是先天的，但并非所有先天命题是分析的。在先天综合命题

158 的观念中没有任何矛盾,的确有许多这些命题的事例。数学知识是先天的,因为数学真理是普遍必然的,虽然没有任何来自经验的概括具有那些特征。然而算术与几何学的真理是综合的,不是分析的。“两点之间的一条直线是最短的,这是一个综合命题,因为直线概念不包含任何的大小观念,而只是质的观念”(B, 6)。物理学也包含先天综合原则,比如物质保存原则。最后,除非我们具有真理的先天综合知识,真正的形而上学是不可能的。

先天综合判断是如何可能的,这是哲学的重要问题,通过对方式的反思而找到答案,即人的认识来自感觉与知性的联合作用。正是感觉以对象呈现给我们;正是知性使得对象可以思考,感觉确定经验的内容;知性确定它的结构。在区分内容与结构之间的对立时,康德运用了亚里士多德术语“质料”与“形式”。感觉的质料包含区分蓝色斑点与绿色斑点或者小提琴声与小号声的东西。如果我们将感觉与真正属于知性的每种东西分离,我们发现存在两种纯粹感觉的认识形式,空间与时间:我们的感觉适合普遍的结构。但在真实生活中,人从来没有纯粹的感觉认识。

对人的认识而言,感觉与知性是必要的:

> 这两种能力没有一个对另一个具有优先性,没有诸感觉,那么没有任何对象给予我们,如果没有知性,对象就不能思考。没有内容的思想是空洞的,没有概念的认识是盲目的……知性感觉不到任何东西,感觉不能思考任何东西。只有通过它们的联合才产生知识。(A, 51)

在人的经验中,感觉的任何对象也是思考的对象:经验到的任何东西是分类的与规范化的;也就是说,它通过知性在一个或更多概念之下提出来。

除知性之外,康德告诉我们,人具有判断力,知性是形成概念的能力,而判断是运用它们的能力。知性的运作在个体术语中得到表述,而判断在整个句子中得到表述，一个概念只是做出某些类型判断的能力。（比如，拥有概念“植物”就是具有做出判断的能力，通过包含术语“植物”或它相对等的句子表述出来。） 159

存在许多不同类型的判断：譬如，它们可能是普遍的或特殊的，肯定的或否定的。更重要的是，正如康德通过事例证明的，它们可能是直言的（“有一个完美的正义”），或假言的（“如果有一个完美的正义，那么顽固的邪恶将受到惩罚”），或选择的（“世界存在要么通过盲目的偶然，要么通过内在的必然性，要么通过一个外在原因”），相对于判断的不同类型，存在根本不同的类型概念。

概念与判断可能是经验的或先天的：一个先天判断被称为原理，而一个先天概念被称为范畴。在一个详尽的与并非彻底令人信服的“范畴演绎”中，康德将每个范畴与一个不同类型的判断相关。比如，他将一个实体范畴与一个直言判断相关，假言判断与原因的范畴相关，选择判断与相互关系的范畴相关。我们通过这些特定的联系是不是确信，我们不能否认康德一般断言的重要性，他断言存在某些必要的概念，如果任何东西被视为知性运作的话。这种断言是真的吗？

回答这个问题更加容易，如果我们在语言的形式中提出它。有这样的概念吗，它们必定在任何完全成熟的语言中得到表达？这个答案似乎是任何真正的语言运用者，无论多么陌生，他们可能对我们而言，需要有一个否定的概念，有能力运用诸如“一切”与“一些”这样的量词。康德区分肯定与否定判断以及区分普遍与特殊判断，这些是相对应的概念。再有，任何理性的语言运用者需要从前提中得出结论的能力，这种能力在把握像“如果”、“那么”以及“因此”术语中表述出来，这些术语与康德假言判断的分类相关。因此，无论我们思考范畴的先验演绎的特定细节，概念与判断相联系，宣称某些观念对一切的理解必定是根本的，这似乎是正确的。 160

康德继续探讨,不但存在先天本质的概念,如果我们打算理解经验,而且也存在先天判断,康德称之为“原理”。某些判断是分析的,但真正有趣的原理是那些强调综合判断的原理。

一个这样的原则是所有的经验具有广延。无论我们经验到什么,都是广延的——也就是说,要么在空间要么在时间中,具有不同于其他部分的部分。正是这个原则奠定了几何学的先天综合原则,譬如,两点之间只有一条直线是可能的原则。

另一条原则是,在所有现象中,感觉对象具有密集的量。比如,如果你感受到某种热的强度,你意识到你可能感受到某种更热或不太热的东西:你正感受到的是朝两个方向延展的程度的一个点。一种色彩也是位于色谱上的属性。当我有一种感觉时,我知道在通常程度上另一个点的类似感觉的先天可能性。康德称之为“感知预想”,但这个术语是不幸的——他并不意味着你能分辨随即出现何种感觉;正如他自己所谈论的,“感觉正是那种不能预想的因素”。一个比“预想”更好的术语可能是“投射”。

实在论与观念论

在后面诸章中,我们将更详尽地探讨康德在先验分析过程中推导的其他范畴与原理。他精彩地阐释了经验中的先天因素从而提出了认识论问题:我们的许多感知是我们自己心灵的创造物,我们具有对真实的、外在心理世界的真正认识吗?一个第一批判的读者开始担心这一点,在先验分析之前,当他在先验感性的最后被告知时,时间与空间在经验上是真实的,但在超验上是观念的。“如果我们取消主体,”康德告诉我们,“空间与时间消失:这些作为现象不能在自身中存在,只有在我们之中存在。”

如果空间与时间在这种方式上是主观的,某种东西能比纯粹现象更多?康德回应,对所有人而言,我们通常在经验中区分所有人具有的经验与只属于单一观点的经验。一道日照阵雨的彩虹可以被称为一种纯粹的现象,然而雨 161
被视为一种物自体。在这种意义上,我们当然认为并非每种东西是纯粹现象。但康德继续指出,现象与实在的区分是某种纯粹经验的东西。当我们更近地观看时,我们认识到“不但雨点是纯粹的现象,而且甚至它们圆的形状,甚至它们降落的空间,它们本身只是我们感觉认识的纯粹修正或根本形式,超验对象仍不为我们所知”(A, 46)。

这些段落使得康德好像是一个观念论者变得合乎情理,观念论者相信在我们心中只有观念是真的。事实上,康德急于将自己远离以前的观念论者,无论他们像笛卡尔是“问题的观念论者”(“我存在”是唯一经验归纳的论断),或者像贝克莱是“独断的观念论者”(外在世界是幻象)。康德紧紧抓住这一点,这是两种观念论版本共同具有的,即内在世界比起外在世界更好地得到认识,同时外在实体从内在经验中推论(正确地或错误地)出来。

事实上,康德推论,只有假定外在经验,内在经验才是可能的。我意识到改变心理状态,因而我认识到我在时间中的存在,也就是说,首先在某一刻然后在另一刻具有某些经验。但变化的认识涉及某种永恒东西的认识:如果存在变化,正如与纯粹的延续相对的,必定存在先是一种然后是另一种的某种东西。但这种永恒的东西不是我自身:我经验的统一体不是经验对象。因而,除非我拥有外在经验,我才有可能对过去做出判断——甚至对于我自己过去的内在经验(B,275 - 276)。

康德论道,哲学家在现象(现象)与本体(思想的对象)之间做出了一种区分。他们将世界区分为感知的世界与理智的世界。但正如先验分析所揭示的那样,不能有一个纯粹现象、纯粹感觉材料的世界,这种材料不归入任何范畴或用任何具体事例说明任何原则。在任何肯定的意义上,不能有纯粹的本体,

也就是说,理智直观的对象不依存于感觉的意识。然而,如果我们打算探讨现
162 象,我们必须思考它们是某种东西的现象,康德称之为“先验对象”的东西。然而,它只是一个未知的X,“在我们所认识以及我们知性的目前规制中可以认识的,没有任何东西”。我们不能对它说出任何东西:这样做,我们不得不将它置于一个范畴之下,这些范畴只适用于感觉的意识。本体概念只能在一个否定的意义上得到理解,正如一个限制性概念的功能设定感性的诸界限一样(A.255－256; B,307－310)。但对康德的论断而言,这是根本性的,他宣称当他是一个超验的观念论者时,他在经验的层面是一个实在论者,而不是像贝克莱一样的观念论者。

康德竭力将他自己的观点与近代早期的其他哲学家的观点区分开来。最终,这可能是有益的,将他的观点与一个更早时期的哲学家进行比较,与康德类似贝克莱或笛卡尔相比,康德更近似这位哲学家:阿奎那。康德与阿奎那认同只有通过感觉与理智之间的协作,认识才是可能的。按照阿奎那的说法,不只是旨在获得而且运用概念,理智必定在他称之为“幻象”的基础上运用这些概念,这对应康德“感觉的多样性”——内在与外在感官的解放。对于阿奎那,正如对于康德,没有经验的概念是空洞的,没有概念的幻象是不可认识的。

我们可能追问,在最终分析中,阿奎那与康德是不是观念论者:他们难道相信我们从来不认识或理解真实的世界,只是认识或理解心中的观念? 就阿奎那而言,更容易给出一个直接的答案。对他来说,诸观念是共相,共相本身是心灵的创造;在真实世界中没有像一个共相的东西。但这并不意味着他在确定的意义上是一个观念论者。普遍概念不是理智认识的对象:它们是诸工具,通过理智获得我们周围世界的物质实体的本质认识。因此,一切思想运用观念,并非所有思想与观念有关。自然对象具有它们自身的一种实在性,在其中通过经验我们能获得一个片段的或部分的认识,虽然自然界的许多本质仍

不为我们所知。①

康德无论如何只通过宣称存在一个本体,一个构成现象的基础的物自体, 163
他的立场与贝克莱的区分开来,对于物自体,我们除了通过感觉或理智没有任何途径,物自体不能在言说废话的努力中被描述出来。他断定,认为只存在现象是错误的;但对于他的众多读者而言,似乎将不能做任何事情,正如对于某种东西,只能沉默一样。

观念论者的认识论

康德一去世,他的体系就受到了彻底批判。费希特坚持认为在《纯粹理性批判》中存在极端的不一致性。这如何同时是真实的,我们经验是由物自身产生的,同时原因概念只能在现象的范围之内运用? 费希特宣称,避免这种冲突的方式在于放弃一种未知的、现象的独立原因的观念,在于全部地接受观念论者的立场,即经验世界是一个思想主体的创造。

费希特很少确信从个体的自我的主观性推导普遍性的可能性,同时黑格尔给予德国观念论一种更加模棱两可的与更有影响力的形式,他赞成排除物自体,但他理解精神的创造性活动发生在宇宙的层面而不是在个体意识的层面。

然而,对于意图的形而上学,《精神现象学》包含日常认识与感知的本质的某些敏锐反思。在他熟悉的传统中,黑格尔将人的认识能力三分,意识的上升层、自我意识与理性。意识按顺序经历三个阶段:首先是感觉意识(*Die sinnliche Gewissheit*),然后是感知(*Wahrnehmung*),最后是知性(*Verstand*)。

对于黑格尔生前身后的许多哲学家来说,直接的感觉意识与接受粗糙的

① 参阅第二卷,236-238页。

感性材料,似乎是认识的最丰富与最固定的形式。黑格尔表明这事实上是意识的最薄弱与最空洞的层面。如果我们尽力表述我们经验的东西,如果剥夺知性的范畴,我们等于无能为力的沉默。我们甚至不能将我们感性的材料确定为“这、这里、如今”;对于非常不同的经验、时间与地点而言,所有这些索引
164 式的表述真的是普遍的,可以运用在不同的场合。

正是在感知的层面,意识可以首先宣称是知识。在这个阶段,我们习惯将感觉对象看做是具有诸特征的事物。但这也是认识的一种幻想形式。黑格尔继续以康德的模式表明如果我们将感觉经验的多样性与一个实体特征的统一性一致起来,我们不得不上升到知性的层级,知性激发科学的、非感知的范畴,赋予感觉形象以法则。因而我们诉诸力量的观念,建构自然法则以调节它的运作。但反思表明,这些法则是知性本身的创造,而非某种超现象的客观体系。因而意识必定回归自身并成为自我意识。

意识与自我意识在它们的顺序中产生更高的理性能力,这种能力理解作为意识对象的本质,以及理解心灵是自我意识对象作为一种单纯无限精神的显现。在这一点上,认识论转变为形而上学。理性的任务不再是观察与认识世界,而是创造世界与改变世界。因为理性自身是无所不包的精神生活的一段插曲。

在我们已考察的整个时期中,认识论是一门学科,它占据哲学研究的中心:“我们能认识什么,我们如何认识它”成为关键性的哲学问题。的确,命名重要的哲学流派——“经验论”与“唯理论”——在认识论术语中定义它们。这使得在近代早期和古代与中世纪时期之间,以及在近代早期与黑格尔之后的时代之间做出了一种重要的划分。在黑格尔传统中,认识论与形而上学相混合;在另一个传统中,它逐渐占据20世纪世界的许多部分,逻辑学与语言学的研究代替了认识论作为重要的哲学学科。我们将在下一卷即最后一卷书中认识到这一点。

第五章

物理学

自然哲学

在自然世界的哲学中,16 世纪末与 17 世纪初的这段 165
时期极其重要。对于这一点,曾是一门单一学科的“自然哲学”逐渐被分成两个不同的部门:自然科学的哲学与物理学科学。两门学科具有相同的主题,但它们具有不同的目的并以不同的方式运作。自然哲学寻求一种概念的理解,我们在描述与揭示自然现象时运用这些概念:概念诸如“空间”、“时间”、“运动”与“变化”。科学的物理学寻求确立与解释现象本身,不是通过先天的推理或概念的分析,而是通过观察、实验与假设。这两门学科不存在竞争,的确彼此需要;但最重要的是要牢记它们的目标与方法的差异。

在挑战亚里士多德自然哲学权威的过程中,它包含不加区别地困扰这两门学科的因素,这两门学科在近代早期独立出来。在这个时期，哲学仍在天主教与新教大学中占据统治地位，它的影响毫无疑问作为科学发展比如力学与天文学的一个障碍。这些科学汇集起来的冲动，只在某种程度上扔掉了亚里士多德的枷锁，这首先是因为三个哲学家从学院主流之外攻击这种体系：伽利略、培根与笛卡尔。令人遗憾的是，物理学的解放伴随着哲学的贫乏。虽然亚里士多德的科学物理学被揭示出犯了巨大的错误，然而他概念的体系仍存在诸多价值。一切通常好的与坏的都
166 一起被抛弃。

萨斯特创作的步入老年的伽利略肖像。

审判伽利略的机构被作为守旧、保守与愚昧长期受到历史学家的谴责。

特别地,学院教授们曾因为喜欢先天的思辨而不喜欢观察与实验而受到谴责。这种谴责在继续,他们不但不情愿亲自研究,而且他们不愿意重视其他人的研究。他们拒绝观察,甚至已经传到他们手边时,正如一个帕多瓦大学教授拒绝通过伽利略的望远镜进行观测。 167

虽然有些过度,这种谴责基本上是公正的。伽利略的某些耶稣会会士对手本身就是令人尊敬的天文学家。更重要的是,我们必须牢记这些近代的亚里士多德派的反经验主义的偏见不是亚里士多德自身的特征。在一个著名段落,亚里士多德已确信事实优先于思考:"我们必定相信观察而不是理论,只有结果与观察到的现象一致,才相信理论。"[①]的确,这个段落通常被伽利略的批评者援引:太阳中心说只是一种理论,但我们可以用眼睛看到太阳的运动。

亚里士多德的著作充满原初的与仔细的观察,这绝对不是他的耻辱,如果他的物理学在18世纪的过错之后被揭示出错误。这是矛盾的,古代世界最伟大的一位科学家在近代早期的世界中原本不应该成为科学进步的最大障碍。这种解释无论如何是简单的。当西方拉丁世界重现发掘亚里士多德的著作时,它引入到事先由文本奠定的一个社会。基督教像犹太教与伊斯兰教一样,是"一本书的宗教"。《圣经》是至上的权威;教会的功能是保存、宣扬与解释包含在那本书中的信息,完善那些理想以及实践它所呈现的。一旦亚里士多德的文本保证在拉丁学术界中被接受,而阅读不是作为深入研究的刺激,它们被尊崇为一部神圣的书来对待。因而伽利略与亚里士多德的真正对立产生许多流言飞语,如同他设想的与《圣经》的对立。

正如在最近几个世纪中通常理解的那样,科学方法包含四个重要的阶段。首先,系统的观察使得现象得到解释。其次,提出一种理论,它将提供这些现象的一种解释。再次,从这种理论出发,某些现象的一个预言被推导出来,而

---

① 参阅第一卷,73页。

绝不是包括在这种概述中。最后,在经验中检验这种预言:如果这种预言原来是错误的,则排除这种理论;如果这是事实,那么这种理论是如此确信,应该得到进一步的检验。在每个阶段,数学起到了关键性的作用:在精确测量被解释的现象与检验实验的结果中,以及在恰当假设与它们期望结果的推导的结
168 构中。

在这个时期,四位哲学家,通过他们的著作,贡献出了最终一致的特征:亚里士多德、伽利略、培根与笛卡尔。然而,他们中的每一个,不能理解一个或其他的因素,这个因素对于合题是需要的,对于他们中的大多数,一个关键的缺陷是误解了科学与数学的关系。

亚里士多德,在实践中受人尊敬的经验研究者,他的《后分析篇》呈现了基于几何学的非理性的科学模式,这是在他那个时代最先进的数学分支。他相信一种完整的科学可能呈现为一种先天准则的体系,如同后来由欧几里得发展起来的体系。笛卡尔本身是一位杰出的数学家,他认为科学应该模仿数学,不是采用它的推理和计算方法,而是寻求真理,这些真理具有一种直接直观的诉求,诉诸简单的算术与初等几何的命题。

培根,比任何一位哲学家更加关注描述过程,旨在经验材料的体系集合与恰当假设的构型时,在这两项任务中几乎没有理解数学的重要性。他将数学视为科学的一种纯粹的附属物,他抱怨"数学家的优雅与自豪,他们将需要有这样的科学,几乎压制了物理学"(*De Augmentis*, 476)。

在论及的四人中,只有伽利略彻底理解数学的本质作用。宇宙之书,他的著名的说法,"是用数学语言写就的,它的特征是三角形、圆形与其他的几何图形,如果没有这些,人不可能理解宇宙的一个简单术语"(*Il Saggiatore*, 6)。他的最薄弱的一点确切地说是他的亚里士多德学派的对手坚持的那种观点:他不能彻底地理解一个假设只有得到确证,而不能由确定性证明,借助一个成功的假设。这一点被20世纪科学哲学家理解,比如杜海姆(Pierre Duhem)与波

普尔(Karl Popper),他们裁断在宇宙中心论中的争论的胜利者是贝拉米尔(Bellarmine)。他们可能更宽宏大量归因于这位枢机主教完全掌握假设演绎的方法。

169

笛卡尔的物理学

像伽利略,而不像培根,笛卡尔认为数学是物理学的钥匙,尽管他没有像伽利略在实验的建构与验证中把握数学的应用。在《哲学原理》中,他写道:

> 我承认在有形的物体中没有任何的物质,除非物质易受到每一种区分、形状与运动的影响,这些被几何学家称为数量而他们假定作为它们证据的主体。此外,我考虑的唯一特征是它们的区分、形状和运动;对于它们,我只接受可以从那种不容置疑的自明类型的公理推导出来的东西,属于数学的一个证明。正如我将呈现的那样,所有的自然现象能以这样的方式解释:因此,我并不认为物理学的任何其他原则要么是必然的要么是可取的。(AT VIII. 78;*CSMK* I. 247)

笛卡尔的物理体系是机械的;这就是说它假设所有的自然现象可以通过几何问题的运动解释。这不仅是看到一切的问题,在精神之外,只是像钟机械一样。即使是时钟的最简单的形式,如同自然地解释那样,不是一个机械的体系,因为它涉及重量概念,对笛卡尔而言,重量明显不同于运动或广延,而只是许多特性之一,这些特征是作为主观的或第二位的而被抛弃:

> 我观察……颜色、气味、味道和其他这类东西只是在我思想中存在的纯粹感觉，与疼痛相比，与身体没有任何区别，不同于强加给它的工具的形状与运动。最后，我理解重量、硬度、热量、吸引力与洁净和所有其他的特征，我们在物体中经验到这些，只是在运动或其缺席中存在，以及在它们部分的配置和情境中存在。(AT VII. 440;*CSMK* II. 397)

旨在证明物质的本质由广延构成，笛卡尔认为，一个物体，假如真是一个物体，在没有广延中可能失去它的任何属性。考虑到我们对于一块石头的观念。硬度不是它的本质:它可能会被磨成粉。颜色不是本质的:有些石头是透明的。对于一个物体而言，重量不是本质的:火在形状上只是光。石头可能会发生变化，从温暖到寒冷，但也只是一块石头。“现在我们可以看到，我们观念
170 中没有任何元素是绝对存在的，除长度、广度和深度的广延。”

有人可能会同意，譬如，颜色及温暖的属性对于物体来说不是本质的，声称它们是真正的、客观的属性。这就是笛卡尔“经院哲学的前辈”的观点，他们将这些东西视为实体的“实在的偶然物”——之所以说是“实在”的，因为它们是客观的，之所以说是“偶然物”，因为它们不是本质的。笛卡尔提出了若干论证反对这个观点。

首先，这些特征只是通过单一感官而感知到，不像形状和运动是由几种感官感知——温暖与色彩，在亚里士多德的术语中，是“快适感觉”，不是“普通感觉”。这似乎是一个贫乏的观点。这是真实的，如果判断是客观的，它们必须能够评价与纠正，以及一个单一感觉的判断不能由任何其他感觉的运作来纠正。但是，任何个人的感觉判断，可以通过同样感觉的进一步的深入考察，或者通过运用同样能力的其他观察者的合作来修正。

笛卡尔对于快适感觉的主观性的主要观点是消极的:“实在的偶然物”的学术观念是不连贯的。如果事物是真实的，它必须是一个实体，如果它是一个

偶然物，它不可能是一个实体。如果以实际上不可能的方法，存在像真实的偶然物这样的东西，它们必须不时特别地由上帝创造（AT VIII. 505，VII. 441；*CSMK* II. 298，III. 208）。

笛卡尔同时代的一些学者可能容易接受这种观点。数百年前的阿奎那曾指出，偶然形式必定是实体的观点来自语言的误解：

> 对于形式，许多人判断它们作为实体而犯错。这似乎说明，因为形式在抽象中谈到，好像它们是实体，正像我们谈到白或美德或这样的东西。因此，有些人受到日常运用的误导，认为它们是实体。因此这些人出现错误，他们认为形式必定是隐藏的，以及认为形式必定是创造出来的。（*Q. D. de Virt in Comm.*，ed. R. Pession[Turin：Marietti，1949]，11）

笛卡尔认为经院哲学理论的偶然物与形式没有必要，因为他声称只需按照运动与广延就能解释整个自然。由于物质与广延是相同的，他认为，不能有
一个空洞的空间或虚空，以及物体唯一可能的运动最终是圆形的，用 A 将 B 推 171
论它自身的位置，B 推论 C，类推直至 Z，运动到 A 开始的位置。最初上帝以运动与静止创造物质：他在宇宙中保留整个运动的总量，但按照自然规律，变化其分布。笛卡尔从上帝永恒性中演绎这些先天法则。第一条法则规定，如果不受外来原因的影响，每一个物体保持同样的运动或静止状态；第二条法则认为，简单的或基本的概念始终是在一条直线上。在这些法则的基础上，笛卡尔建构了一个旋涡的精细体系，也就是说，物质部分的中心在大小与速度上变化。他坚持认为，这种体系足以解释自然界的所有现象（AT VIII. 42－54，61－68；*CSMK* I. 224－233；240－245）。

笛卡尔的物理体系在一段时间中得到有限的普及，但在一个世纪中，它被彻底取代。但事实上，它内部不连贯，这可以在许多方面表现出来。惯性提供

了最简单的事例。根据笛卡尔的第一法则,所有东西都倾向于在它所是的状态下保持同样的运动与静止状态,正如它能够的那样。但如果一个运动的物体继续运动,这不是物体的真正属性,那么它就不能解释物理的效应。另一方面,如果这是物体的真正属性,那么这不是真实的,即物体只有运动与几何的属性。因为运动的趋势无法与实际运动一致起来;那么一个只能是在没有另外一个的情况下出现。笛卡尔做得不好,他轻视亚里士多德的潜在性与实在性的范畴。

在他自己一生中,实验的观察暴露了笛卡尔体系的弱点。笛卡尔把他与威廉·哈维最近发现的人体的血液循环结合起来解释,但他试图解释,根据收缩与扩张,这是纯粹机械的。这涉及他在对心脏运动的解释方面与哈维自己的结论是彻底冲突的,因为不像哈维,他认为心脏扩张而不是收缩才产生血液循环。

再次,因为笛卡尔将物质与广延一致起来,他否认一种虚空的可能性。如果上帝带走一条船中的所有东西,没有允许其得到替换,他认为,那么当时这条船的双方将相互联系(AT VIII. 51; *CSMK* I. 231)。因为他拒绝虚空,他也反对原子论假说。物质等同于广延,必定是无限可分的,而且没有原子这样的东西在物质中运动。笛卡尔试图消除一个虚空的存在证据,这在 1643 年由托里拆利发明的气压计提供出来。

伽桑狄的原子论

172 笛卡尔发表《哲学原理》时,原子论正由伽桑狄(Pierre Gassendi)复苏,对于德谟克利特(Democritus)和伊壁鸠鲁(Epicurus)的古代理论模型,他们的思想通过卢克莱修(Lucretius)伟大的伊壁鸠鲁诗歌得到发现与广为传播,并为文明世界所熟知,即《物性论》(*De Rerum Natura*)。① 一个天主教神甫,他既是数学教授又是一个天主教教堂的负责人,伽桑狄试图表明,异教的伊壁鸠鲁哲学与异教的亚里士多德哲学相比,并不更难与基督教调和。两个异教的哲学家都在教义上有错误,即世界是永恒的、自存的;但是从哲学的观点看,按照原子的活动,物理现象的解释,比按照实体的形式与实在的偶然更加可行。伽桑狄在他早期的论著中攻击亚里士多德,在 1647 年与去世的 1655 年中,在一系列著作中,伽桑狄不仅为原子论辩护,而且也为伊壁鸠鲁的理论与品格辩护。

伽桑狄论道,按照伊壁鸠鲁的说法,自然物体是物质的小单位的集合。这些单位是原子,也就是说,它们是不可分割的。它们有大小、形状,"和重量、坚固或不可穿透性"。根据伽桑狄,这些原子拥有由神的最初驱动者的不断影响的运动:它们将在一条直线上,除非它们与其他原子发生碰撞或纳入到一个更大的单位(他所谓的"分子")。不论大小的所有物体由原子组成的分子构成,原子运动是自然中一切运动的起源与原因。 173

对于原子论的哲学上的反对观点,伽桑狄认为,来自于物理学与形而上学之间的混淆。人们可以接受任何幅值必须在理论上进一步细分——无论一条线是多么的短,这总是有意义,谈论一条线只是谈论了一半——然而坚持有许多自然物体,它们由于缺乏上帝全能的力量而不能区分。这两种细分的区别是可以把握的,只要他接受笛卡尔的物质与广延的同一性。但伽桑狄拒绝这种同一性,并愿意接受亚里士多德的术语"主要物质"描述原子的最终构成。

伽桑狄同时反对亚里士多德和笛卡尔,但后来再次追随伊壁鸠鲁,他认为不可能有任何运动,无论是原子或复合的物体,除非有一个虚空或真空让它们移动。当空气被压缩时,比如,空气的原子在它们之间的空隙之中运动。他相信,空的空间会存在,即使有没有任何存在的物体,它在创造之前就存在,时间

---

① 参阅第一卷,179 - 180 页。

也是如此：

> 即使没有物体，但仍然存在一个稳定的地方与流动的时间；因此时间和地点似乎不依赖于物体或是物体的偶然……地点和时间必须被视为真实的东西或实际的实体，尽管它们不是实体与偶然通常被视为的那种东西，它们的确实际存在，并不依赖于像一种幻想的心灵，因为无论心灵是否思考到它们，空间仍在，而时间流逝。(1658，182－183)。

根据伽桑狄的观念，空间是巨大的和静止的，空间区域也是无形的——不是在精神意义上，而是在可穿透的意义上，在某种意义上，一个坚实的物体是不可穿透的。

牛顿

后来的思想家往往赞同伽桑狄而不是赞同笛卡尔关于物质本质与一种真空的可能性。然而，在17世纪中叶，伽桑狄的体系还不是笛卡尔理论的真正对手。给笛卡尔物理学致命打击的是牛顿爵士(Sir Isaac Newton)1687年出版的《数学原理》。牛顿确立了万有引力定律，这表明通过一种力，物体彼此吸引力的大小，与它们的大小成正比，并与它们之间距离的平方成反比。重力的作用超越单纯广延的物质运动，这是笛卡尔物理学允许的一切。笛卡尔已考虑
174 物体之间的吸引力概念，但最终像亚里士多德的终极因一样取消了它，只是涉及惯性物体的意识属性。

牛顿追问，它是什么，即同种类的硬物部分粘合起来？笛卡尔告诉我们，它无非是运动的缺乏；伽桑狄谈到鱼钩与原子的眼。第一个答案没有解释出

任何东西;第二个答案只是重新回到这个问题。“我从它们的内聚力中推论,”牛顿认为,“它们的部分通过某种力一个吸引另一个,在直接联系中是极为强烈的。”重力正是这种相同的引力对物体施加影响而不再直接联系。这大概是在远处的行为个案吗?牛顿最初否认这种说法;但借助他的《光学》(1706 年)中的时间,他似乎愿意接受重力、磁力与电力的确是能量或通过在距离中能施加影响的物体部分的能量。他似乎仍然是不可知论者,他发现的这些法则是否最终不诉诸穿越真空的行动来解释——通过假定某种媒介比如乙醚。[①]

通过接受自然力量的存在,对于我们知道的一切,这些力量按照物质和运动不可能有任何解释,牛顿的物理学与笛卡尔的有机论彻底决裂。不仅地球上的落体运动,而且月球绕地球和行星绕太阳运动,都被置于一个单一的法则之下,牛顿永远终结了亚里士多德的观点,即陆地物体和天体彼此是完全不同的。他的物理学非常不同于它所取代的并在竞争的体系,在未来两个世纪中的物理学,简单地说,是牛顿式的物理学。

连续统一体的迷宫

物理学从自然哲学分离,从伽利略开始,到现在完成。然而,牛顿给哲学 175
家留下了一个多世纪或更长时间需要阐释的问题:空间的本质。在一个真空中的实验基础上,牛顿认为,空间是绝对的实体,而不是物体之间一系列纯粹的关系。在这一点上,牛顿近似伽桑狄,但牛顿比他走得更远,当他将空间描述为“上帝的感觉中枢”时。这不是很明确,通过这一点他意味什么——他可能不希望将器官归因于上帝,但毫无疑问,他认为某些空间是某种神圣的属

① See Steven Nadler, ‘Doctrines of Explanation’ (〈解释的学说〉), in *CHSCP*, pp. 342 - 346.

性。“上帝永恒存在并无所不在，”他写道，“借助总是与到处的存在，他构成空间、永恒性与无限性”（Newton 1723:483）。

1715 年，莱布尼茨在给威尔士公主卡罗琳的一封信中批判了牛顿的这些观点。这引发了与牛顿的崇拜者克拉克（Samuel Clarke）的著名通信。莱布尼茨认为，空间不是真实，只是理念：“我认为空间仅仅是相对的东西，正如时间一样；我认为这是一种共存的法则秩序，像时间是一种连续的法则一样。空间指的是，根据可能性同时存在的一种法则，并作为共存来考察。”（A, 25－26）。他认为，一个空的空间将是没有主体的一种属性，他提出许多论据反对空间是一个实体或任何绝对的存在。

克拉克通过重申时间和空间属于上帝的牛顿的观点来回应：

> 空间不是一个实体，而是一种特征……空间是巨大的、不可改变的与永恒的：绵延也是如此。然而，根本不能因此推论，任何东西在神之外是永恒的。因为空间与绵延不是在神之外，而是由他的存在产生的，是他存在的直接与必然的结果：要是没有它们，将剥夺他的永恒性和无处不在（或无所不在）。

空间与神的广袤的同一性并不矛盾，因为上帝没有任何部分，而且它是空间观念的本质，空间的一部分不同于另一部分。另一方面，莱布尼茨自己的观点，不仅反对空间的绝对观念，还否认空间的任何现实性。他的体系中唯一真正的实体是单子，这些不是处在彼此相关的任何空间关系中，只是自身的世界是每一个世界。他采取这一立场，因为他理解接受连续性的现实没有连续一致的方式。“几何学家，”他写道，“表明，广延不包含点，但形而上学断言物质必定由统一体或单一实体构成。”（G II. 278）

这个问题似乎是这样的。因为空间是无限可分的，占据空间的物体必须是无限可分的。因此,它们必须包含一个无限数量的部分。这些部分有多大呢? 如果它们没有任何的大小,像一个点,那么即使是无限的数量的它们也将没有大小,任何物体将没有广延。另一方面,如果它们有大小,那么包含在无限数量中的它们中的任何物体本身在广延上是无限的。

亚里士多德早就表明,避免这个问题的方式是从无限可分性的两种感官做出区分。"无限可分,"他坚持认为,"意思是不断的区分,不是分为无限多的部分。"但通常是对一个大小进行划分,它始终可以进一步划分——对于它的划分没有终点。但是,这并不意味着连续性具有无穷多的部分:无限性总是潜在的,从来不是实在的。① 伽桑狄已阐明,这种形而上学的无限可分性在原子论中并不矛盾,这种原子论认为某些自然对象通过任何自然力量是不可分的。

正如莱布尼茨称为的,"连续统一体的迷宫",取决于两个基础的一个幻想:排斥实在性与潜在性的亚里士多德的形而上学,以及接受笛卡尔的物质与广延的同一性。假如没有前者,也没有任何理由来理解在无限可分的观念中的任何矛盾。假如没有后者,也没有理由相信物体必定是无限可分的,因为空间是无限可分的。要是没有广延,物质可能是高低不平的原子存在。

然而,在整个18世纪,连续性被看做是哲学的最大难题之一。休谟寻找到了一条强大的出路:他根本否定空间和时间的无限可分性,讽刺这是最强有力的与最难解释的观点,由"纯粹经院哲学的吹毛求疵"支持。他反对任何无限可分性的论证建立在人的心灵的有限本质之上:

> 无论是在无限中能区分什么,必定包含一个有限数量的部分,这不可能对部分的数量设定任何限制,假如不同时对区分做出限制的话。它几乎不

① 参阅第一卷,180页。

需要任何推论,由此断定我们形成的任何有限的数量,不是无限可分的,而推断通过适当的区分与分离,我们可以将这种观念提升为次一级观念,这些将是完全单一的与不可分的观念。反对心灵的无限能力时,我们假定在它的观念分歧中它可以达到一个目的;没有任何可能的手段回避这种结论。因此,肯定的是,想象力达到一种最低限度,可以提升自身成为一种观念,其中它不能设想任何的细分,要是没有彻底的消灭也不会削弱。(*T*, 27)

什么想获得观念,也想获得印象:“沾一点墨水在纸上,眼睛盯住那一点,然后退后到这样的距离之外,你最后看不到它;显然,在它消除图像或印象之前,这个时刻是完全可分的”(*T*, 27)。

康德的二律背反

177 康德用一种新颖的方式处理连续统一体的问题。他代替前辈的论证方式(赞同与反对时间的无限延伸,赞同与反对物质的无限区分),不是偏袒它们之间的某一方,他宣称解决这种争论的不可能性表明,将普遍的作为一个整体来探讨或者将空间与时间作为它们自身具有的实在性来处理,这是一个错误。这是他在称为“纯粹理性的二律背反”的先验辩证部分中采用的策略。

第一个二律背反涉及时间与空间的广延。如果我们目前不考虑空间,这个论题是“世界在时间中有一个开端”,反题是“世界在时间中没有任何的开始”。两个命题已长久地得到哲学家的探讨。亚里士多德认为反题能证明,奥古斯丁认为正题能证明,阿奎那认为两个论题都不能证明。康德如今提议两个论题都能证明:当然,并不表明有两种冲突的真理,而表明理性没有能力探讨作为一个整体的“世界”(A, 426-434)。

正题的论证是这样的。一个无限的系列是从来不能完成的系列,因此这不能是事实,即时间状态的无限系列已经消失。这种论证不成功,因为在术语“完成的”中的一种歧义。任何不相关的具有两个目的的系列不能是无限的,这是真实的;但这样一个系列在一个目的中可能是封闭的,在另一个目的中是永远继续的。在当下具有一个终点,消逝的时间将是“完成的”,到达永远的过去。 178

反题的论证同样不令人信服。如果世界有一个开端,也就是说,世界没有存在时,有一个时间。没有任何东西区分这种“空洞时间”的任何时刻与其他时刻;因而,对于问题“当世界开始时世界为何开始”,不可能有任何的答案,一个人可能赞同从外部(空洞时间中的这样一个点)追溯世界的开端是不可能的,然而坚持从内部(在现在之前的如此多的时间单元)一个人定位它。奥古斯丁与阿奎那会赞同排除空洞时间的观念:对他们而言,世界开始时,时间开始。

第二个二律背反不是集中在时间而是空间——或者,实体的空间可分性。正题是:“世界中的每个综合实体由单一部分组成”;反题是:“世界上没有任何综合的东西由部分组成。”正题是肯定,反题是原子论的否定。再次,康德在二律背反的每一方呈现的论证是不包含的:它们不能彻底地解释亚里士多德在被细分为无限部分的某种东西与无限细分成部分的某种东西之间的区分。

这些二律背反设计为呈现普遍的不得要旨,即追问或回答关于世界作为一个整体的问题,但在空间与时间的特定事例中,康德已经在第一批判的前面,在先验感性中论证它们的非实在性。他从一个内在与外在感官的连续的区分开始。他宣称,空间是外在感官的形式;它是我们认识外在于我们自身对象的主观条件(A,26)。另一方面,时间是内在感官的形式,借助心灵,经验它自身的内在状态,这些在空间中没有广延,但在时间中秩序化:

那么空间与时间是什么呢?它们是真正的存在吗?它们只是确定性或事

物的关系，然而这属于事物，即使它们不会直觉到？或者空间与时间是如此，以至于它们只属于意识的形式，因此属于我们心灵的主观构成，脱离它们不能归因于任何东西？

康德告诉我们，一个独断的形而上学家会认为无限的空间与无限的时间是由经验预设的，同时我们可以设想没有对象的空间与时间，但不可以设想没
179 有空间与时间的对象。但我们可能追问它如何是我们能认识有关空间与时间的真理，这些真理基于意识（因为它们不是分析的）以及是先天的（因为它们是普遍必然的）。康德的答案是，关于空间与时间的先天综合真理的知识只是可解释的，如果它们是感性经验的形式因素而不是物自身的特征。

数个世纪的哲学家争论时间的现实或其他方面。康德将它看做是主观现象，16 世纪的法国木刻将它拟人化看做是因果关系的动因。

这难道意味着它们不是真的吗？康德回应，在经验上，它们是真的，但在 180
先验上，它们是理念的。“如果我们取消主体，空间与时间消失：作为现象的这些不在自身中存在而只在我们之中存在。”何种事物是物自身，超越现象，是我们未知的某种东西。

在本卷书涵盖的这个时期，正如我们理解的，物质世界的哲学经验经历了两个阶段。在第一个阶段，17 世纪逐渐从自然哲学的旧的学科分离出物理学的科学，其作用是实际的自然法则的经验研究，物理学的哲学任务是分析由任何物理学研究假定的这些概念。在第二个阶段，哲学家们研究空间与时间的可能概念的广泛领域，范围涉及从牛顿与克拉克的极端观念论到康德主观观念论。在我们接下来的与最后一卷书中，将不会有专章探讨物理学的哲学。到 19 世纪，物理学是一门彻底成熟的经验科学，并独立于哲学；物理学史如今与哲学史区分开来。确信的是，物理学的哲学以它的方式继续作为新的物理学理论的概念涵义的分析。无论如何，这门学科通过那些有更多现代物理学科学的知识得到探究，而不能在哲学史导论的读者中假定。

第六章

形而上学

苏亚雷斯的形而上学

正是直接地或间接地通过苏亚雷斯的《形而上学的 181
论争》,近代早期哲学家熟悉了中世纪经院派的形而上学。苏亚雷斯(Suarez)通晓中世纪前辈的著作,他概括他们的观点,修正他们的观念,同时借助从他们提供的材料中选取东西来创建他自己的体系。《形而上学的论争》的主要观念的一种概要相应地为这个时期的形而上学的考察提供了一个合适的出发点。

苏亚雷斯以亚里士多德的主观定义作为学科的出发点,这个学科研究存在作为存在。他借助提供存在的不同类型的分类扩展了这一点,通过一系列的两分延伸。首先,在无限的存在与有限的存在之间存在一种区分,或者,正如他通常认为的,*ens a se*(由己之是)与 *ens ab alio*(由他之是)。有限存在的生命世界首先区分为实体与偶然。实体是像星星、狗与卵石以它们自己方式存在的东西;偶然是像光、强度与硬度只通过内在于实体而存在的实在。如果我们希望将实体细分为有生命的与无生命的,生命的实体分为动物与植物等等,那么我们进一步继续分下去;我们也至少确认与亚里士多德的范畴相对应的偶然的九种类型。但是这些深入的区分将我们带出一般形而上学的领域,这种形而上学在更抽象的方
182 面起作用。所有这些项是诸存在,但形而上学只关注探究它们作为存在。比如,活的存在作为活的东西的研究,只是研究自然的而不是形而上学的学科——生物学、动物学或心理学。

对于亚里士多德的定义,苏亚雷斯增加了一个限制条件。形而上学的主题,严格说来,不是任何以往的存在,而是真正的存在。我们把在上一段探讨的所有项像强度与硬度看做是真正的存在。既然如此,人们想知道,其他的存在是什么呢?另外,苏亚雷斯谈到,理智存在者(*entia rationis*)只有在心灵而不是在现实中存在。盲目是一种理智存在(*ens rationis*):这并不意味着它是某种不真实的或虚幻的东西;这意味着它不是一种肯定的实在,正如洞见力量所具有的,而只是这种能力的缺乏。联系的某些类型构成另一类的理智存在:我成为一个大伯父时,我获得一种新的关系,但在我自身中没有任何真正的改变。最后,存在想象的诸创造物:假想的鬼怪与怪兽。因此有三种理智存在者(*entia rationis*):否定、关系与虚构。这些是形而上学家的次要主题而不是他的主要关切。

回归中心:真正存在。有一个单一的只有一个意义的存在的概念,这个概念以同样意义运用在一切变化的存在的类型?阿奎那已对此说不:“存在”是一个类似的术语,像蚂蚁是存在,上帝不是在同样意义上的一个存在。司各脱已对此说是:“存在”可以用于“上帝”,的确在同样意义上用于生物。苏亚雷斯提供了一个精妙的答案,他相信的东西使得他既偏袒阿奎那又偏袒司各脱。存在一个单一抽象的存在概念,这个概念运用于每种类似的事物,司各脱迄今

为止是正确的;但这不是一个概念,这个概念对于它运用的对象来说告知我们任何真正的与新的东西,在这种意义上,阿奎那是对的。像“这个动物是一只狗”或“这只狗是白色的”的句子只能是指示的,因为谓语已携带主语绝对的信息。但这个谓语“是一个存在”从来不能在同样的方式中指示:存在不是一个区别于存在一个动物或存在一只狗的积极活动或者态度(*DM* 2.1; 9; 2.3, 7)。

在谈论这一点时,苏亚雷斯正触及在中世纪引起许多公开讨论的一个争论,即是否在生物中存在一种本质与实在的区分。这个观点并不是一个明确的观点,它的意义取决于两个决定。首先,它关系到我们是否将“本质”作为种类的本质或个体的本质(比如,像“人”或像“彼得的人”)。其次,它关系到我们是否将实在作为同等的“存在”或者作为无所不包的谓语“存在”。存在一 183
种选择,它给出一个明确的答案。如果在种属的意义上理解本质,以及将实在作为存在,那么在本质与实在之间存在一种不可否认的差异:本质事实回答“何为X?”的问题,实在是回答“有诸X吗?”这些问题之间的差异是如此巨大以至于“真正的区别”的探讨似乎只是通过节制的陈述才能澄清。

苏亚雷斯事实上否认在本质与实在之间存在一种真正的区分;他谈到,这种区分只是精神上的(*tantum ratione*)。我们必须细致地理解他正在做出的诸多选择。显然,他借助“本质”意指个体的本质;一个个体的人的本质,彼得,不是在抽象的意义上像人的某人。同时通过实在他意指描述全部形而上学主题包含的谓语。在否认这种真正区分中,对于彼得而言,他正在否认存在与存在彼得之间存在任何真正的区分。有许多能用于彼得的不同谓语:我们可以说“彼得是彼得”以及(在拉丁语中,如果不是在英语成语中)“彼得是”。但在使用这两种言说的形式中,我们不是论及彼得的两个不同的真正项,正如同我们说“彼得是高的”与“彼得是聪明的”。

某些早期的经院哲学家,譬如,著名的阿奎那,会认同这种判定,这种判定告知彼得的本质不是“彼得是彼得”,而是“彼得是人”。这是因为阿奎那相信个体原则是事实:是什么使得两粒豌豆成为两粒,而非一粒,在它们特征之中没有任何差异,但事实上它们是两粒不同的东西。按照阿奎那的说法,在一个像彼得的个体的人,除给予他的个体性的人性之外,没有任何别的形式因素。对司各脱以及他的学派而言,另一方面,彼得拥有除他人性之外一种深入的个体化特征,他的 *haecceitas* 或“此性”。再次,苏亚雷斯想与他的两位伟大的前辈站在一起。“个体化的充足原则是统一的内容与形式,形式的存在是主要的原则,就其自身而言是充分的,对于构成的作为某类的个体事物在数字上探讨的对象”(*DM* 5.6, 15)。结果,苏亚雷斯明确地站到司各脱一边。在彼得中存在一种真正的形式因素,一种不同的个体特征,除人性的特殊本质之外,这是
184 使得他成为彼得而不是保罗的原因(DM 5.2, 8 -9)。

正如我们刚刚阐释的那样,对于阿奎那运用的工具,司各脱增添了一个额外的形而上学的项。苏亚雷斯在他的改变中增加了他自己的一个额外的项。对于彼得,我们好像没有亚里士多德的所有追随者接受的内容与形式,我们没有斯多亚主义者接受的个体化因素,而是有一个附属物,这使得彼得成为一种本质而不是一种偶然。实存,实体的特定存在形式与偶然相对,给一种个体化的本质增加一种模态。存在一种特别构成的形式,这是模式加事物的修正形式。苏亚雷斯利用他的模态观点,尝试阐明呈现一种灵魂存在与死后不同的灵魂存在之间的差异。但他的新的专业术语得到广泛的运用,尤其通过笛卡尔普及开来。

笛卡尔论永恒真理

笛卡尔借用许多经院哲学的形而上学的技术术语——实体、模式、形式、

本质等等——但用新颖的方式使用它们。他对形而上学最重要的革新观点在他出版的著作中并没有彻底阐明只是变得清晰，当大量通信在他死后公之于众时。这是他的永恒真理的创造学说。

1630 年，笛卡尔正在完成他的著作《世界》，他在给麦瑟勒的信中写道：

> 你称为永恒的数学真理已由上帝规定，并全部取决于他，就像一切其他的人一样……请不要犹豫始终坚持与宣称正是上帝已在自然中制定这些法则，正像一个国王在他的王国中制定法律一样。（AT I. 135；*CSMK* III. 23）
> 至于永恒真理，我再次探讨它们是真的或可能的，只是因为上帝认识到它们作为真的或可能是那样的。它们不是通过上帝作为真的来理解，在任何方式暗示出它们是真的独立于他……在上帝中意欲与认识是一种单一的东西，在这样一种方式中，通过意欲的真正事实，他认识到这一点，这只是因为这种原因，这种东西是真的。（AT I. 147；*CSMK* III. 13）

探讨逻辑与数学的真理取决于上帝的意志，这是一个新的开始。经院哲学家认同它们取决于上帝，不过只取决于他的本质，而不取决于他的意志：他 185
们不相信，正如笛卡尔所做的那样，上帝使得这不是真的，即一个欧几里得三角形的三个角之和等于两个直角之和（AT IV. 110；*CSMK*. III. 151；Aquinas, ScG II. 25）。而且，经院哲学家相信先于创世逻辑与数学真理并没有独立于上帝的任何实在；虽然对笛卡尔而言，这些真实是不同于上帝的生物，借助上帝的创造性力量从一切永恒中产生实存。“肯定的是他不只是生物的创造者”本质，他一样是它们的存在；这种本质只是永恒真理……我理解上帝是一切的主人，以及这些真理是某种东西，最终他是它们的创造者（AT I. 151；*CSMK* III. 25）。

对笛卡尔而言，逻辑与数学的真理既不在物质世界也不在任何神的或人的心灵中拥有它们的存在。永恒真理不是关于物质对象的真理:三角形的定理可以得到证明,即使没有一个单一的三角形对象存在,几何学坚持真理,即使外在世界是一个彻底的幻象。永恒真理先于并独立于任何人的心灵,虽然它们依存于并区别于上帝的心灵,永恒真理归于它们自身的第三领域,这个领域类似古代柏拉图已找到他诸理念的那个领域。奥古斯丁已在上帝心灵中重新安排柏拉图的诸理念,在基督教哲学家比如苏亚雷斯中,这有一种统一的观点。笛卡尔新颖的学说使得他成为近代柏拉图主义的鼻祖。①

在笛卡尔的形而上学与物理学中,永恒真理创造的理论起到了一个基础性的作用。在这时,他正在向麦瑟勒解释他的理论,笛卡尔正在不断攻击真实特征与实体形式的亚里士多德形而上学。实体形式的否定需要本质的否定,因为这两者在亚里士多德体系中是紧密相关的——对于非物质的存在而言,本质与形式一致,就物质存在而言,它们包括形式加上恰当的内容。笛卡尔并不否定本质的术语,不像他坚定地拒绝形式与质的术语,但他重新极端地解释
186 它。正如他告诉麦瑟勒,诸本质只是永恒真理。

在亚里士多德体系中,正是形式与本质在现象之流中提供稳定的因素——这种稳定性对于普遍有效的科学知识来说是必需的。一旦否定本质与形式,对于物理学,笛卡尔需要一个新的基础,他在永恒真理中创建它,如果没有任何本质的形式,那么联系一个事物的历史与另一个的契机只能是上帝不变的意志(AT VII. 80;AT XI. 37)。

上帝制定自然的法则,保存在永恒真理中。这些不但包括逻辑与数学的法则,而且包括惯性法则与其他的运动法则,最终它们提供机械物理学的基础。但如果它们依存于上帝没有限制的意志,我们如何认识它们将不会改变?当然,不能有上帝改变他心灵的任何问题;但难道他本不应该从一切永恒中裁

① 关于柏拉图,参阅第一卷,52－53 页。在经院哲学家中,根特的亨利(笛卡尔最不可能读到的人)最接近笛卡尔的立场(参阅第二卷,85 页)。

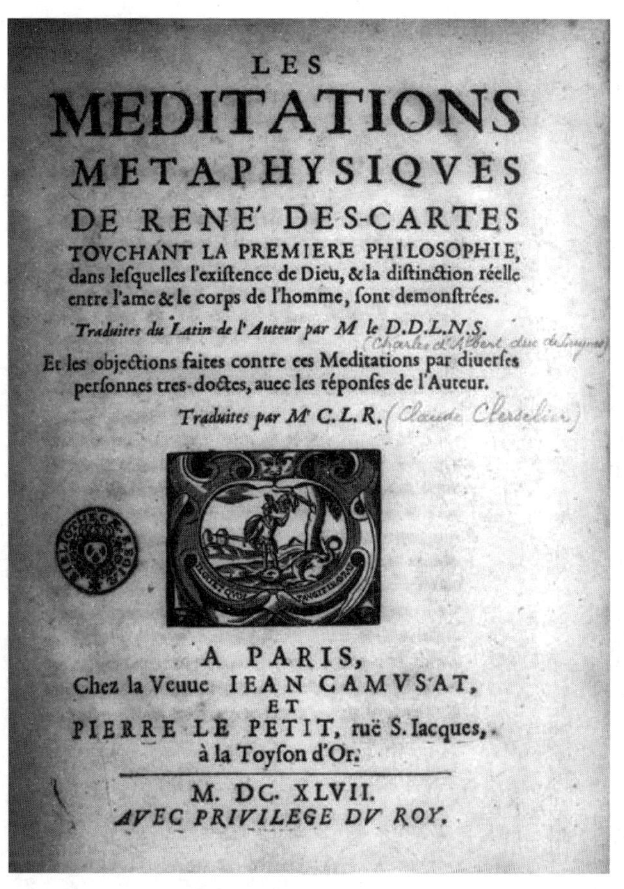

LES
MEDITATIONS
METAPHYSIQVES
DE RENE' DES-CARTES
TOVCHANT LA PREMIERE PHILOSOPHIE,
dans lesquelles l'existence de Dieu, & la distinction réelle
entre l'ame & le corps de l'homme, sont demonstrées.

Traduites du Latin de l'Auteur par M le D.D.L.N.S.

Et les objections faites contre ces Meditations par diuerses
personnes tres-doctes, auec les réponses de l'Auteur.

Traduites par Mr C.L.R. (Claude Clerselier)

A PARIS,
Chez la Veuue IEAN CAMVSAT,
ET
PIERRE LE PETIT, ruë S. Iacques,
à la Toyson d'Or.

M. DC. XLVII.
AVEC PRIVILEGE DV ROY.

笛卡尔《沉思集》第一版扉页。

定在时间中的某一点这些法则应该改变吗？旨在排除这种可能性，笛卡尔再次诉诸上帝绝不是一个欺骗者的观念。在他的后亚里士多德式的体系中，上帝的真实性必然确立清晰与明确地认识到的真理的永恒有效性。 187

永恒真理的创造学说，正如我们已论及的，从一种观点看，是一种巨大的革新。但这也可以被看做是整个中世纪后期哲学发展的顶点。至于道德真理的确定，比如，与阿奎那所做的相比，司各脱与奥卡姆已将神的意志安排到一个更加自由的领域。在宗教领域中，这种趋势已由上帝绝对权威的加尔文学说引向一个极端，他自由地与不加考虑地前定人类要被拯救或诅咒。笛卡尔将神的自由延伸到逻辑学与数学的领域，这可以被看做是加尔文绝对论的哲学对应物。

实体的三种观念

在亚里士多德体系中，实体观念是极其重要的：一切特征与其他属性是属于诸实体的偶然物，只是诸实体是真实的与独立的。笛卡尔也给实体指派一个重要角色。“一切东西都有特征或属性，”他写道：“因此我们在某处感知到的某些东西必然是一个事物或它们依存的实体。”在从思维到存在的论证中，即首先发现的实体的存在，笛卡尔自身的自我，这是一个步骤。在他的《哲学原理》中，他提供了一个实体的定义，“一个如此存在的东西不需要任何其他的东西来存在”。严格说来，他认识到，只有上帝能通过这种定义作为一个实体，但创造的实体可以被看做是为了存在只需要上帝共存的东西（AT VIII. 24；
188 *CSMK* I. 210）。

对于亚里士多德学派来说，存在许多不同类型的实体，每一种通过一种特定的实在形式表现——人借助人性的形式等等。按照笛卡尔的观点，绝对不存在像实在形式这样的东西，只有两类实体：心灵或思维实体，与物体或广延的实体。这些并没有实在形式，但它们的确具有本质：心灵的本质是思想，而物体的本质是广延。这两种特定的实体如何个体化，这在笛卡尔的体系中仍然不清晰，就物体而言，他有时论道好像只有一个单一的、宇宙的实体，对此我们面对的对象只是在局部处理中的局部断片（AT VIII. 54，61；*CSMK* I. 233，240）。

亚里士多德学派相信诸实体是可见的与有形的实际存在物，可由感官感觉到,即使理解每种实体的本质需要智慧。当我看到一片黄金时,我真正地看到一个实体,虽然只有科学能告知我黄金真的是何物。笛卡尔采取了一个不同的视角。“我们并没有直接认识到实体,”他在《第四回答录》中写道,“相反,从我们感知某些形式或特征的纯粹事实中,在这些必定存在某种具有存在的东西之中,我们称这种东西在其中,它们存在一种实体”(AT VII. 222;*CSMK* II. 156)。因此,实体不是由感官感知的——不但它们重要的本质,而且它们真正的存在,是只由理智推论所确定的某种东西。

洛克深化了实体是不可感知的论题。他谈到,实体观念源于我们的观察,即某些观念不断联系在一起。如果对于某种普遍的实体观念,我们加入“某种灰白色彩的单一观念,与某种重量、硬度、延展性与可熔性一起,我们具有铅的观念”。任何特定种类的实体观念总是包含普遍的实体观念;但这不是一种真实的观念,当然不是一种清晰与明确的观念,而只是一种“我们不认识什么支持这些特征的假定,这些特征在我们之中能产生单一的观念;我们通常称之为偶然”(*E*,295)。

那么,实体的一种明确类型观念的运用部分将是许多单一观念构成的一种复杂观念。比如,太阳的观念是“那些若干单一观念的一个集合体,亮度、温度、圆、不断地有规则的运动、远离我们以及或许其他的东西”(*E*, 299)。实体类型的观念比如马或黄金称为“类的观念”:单纯共存的观念集合加上未知的 189
实体的混乱观念。特定实体是属于这些不同种类或类型的具体个体。

不同种类的实体具有诸本质:是一个人,或是一棵橡树,具有人的本质或橡树的本质。但对洛克而言,有两种不同的本质:真正的与名义上的。真正的本质是:“真正的、内在的但在实体中普遍的、未知的事物的构成,取决于它们可发现的特征。”名义的本质是单纯观念的集合,这些观念组合起来并命名,旨在将诸事物分成类或属。名义的本质赋予一个特定名称的权利,名义的本质更大程度上是人类语言的武断创造。

就一个三角形而言,真正的本质与名义本质(三边形)是一样的。就实体而言,并非如此。洛克探讨了戴在他手指上的金戒指:

> 这是其不可感的部分的真正构成物,所有那些特征,诸如色彩、重量、可熔性与稳固性等等取决于这些部分,并在其中发现它们。我们不认识那一种构成;因此对它没有特定的观念,也没有任何指称它的名称。但这是它的色彩、重量、可熔性与稳固性等等。这使得它成为黄金,或者给它一个合法的名称,这因此是它名义上的本质,既然没有任何东西可以被称为黄金,但诸特征与那种抽象复杂观念相一致,这种名称相容。(*E*, 419)

事物的真正本质像黄金潜藏的构成物一样,一般不为我们所知。甚至对人而言,我们也没有对于他的真正本质有更多观念,与一个农夫用轮子与发条使得教堂的钟敲响相比(*E*, 440)。

本质属于类,不属于个体。个体既没有真正的也没有名义的本质。洛克谈到,“我没有任何东西对我来说是本质上的。一次事故或疾病,可能彻底改变我的肤色或体形;一次发烧或堕落可能带走我的理性或记忆,或二者一起;一次中风失去感觉,或没有知性也没有生活”(*E*, 440)。似乎可以推论,真正
190 的洛克是各种特征中的根本的、不可穿透的基质;绝不是一个人的某种东西。

洛克坚持实体本身是不可描述的,因为它是无特征的。但这似乎不可信,人们应该谈论实体没有任何确定的特征,因为它是具有这些特征的东西。个体没有任何名义的本质的论题意味着一个人能确认一个个体,A,然后继续需要个体的确具有或的确不具有这些特征,这些将有资格将它称为“人”或“山”或“月亮”,但一个无特征的个体如何首先就是一致的呢?

在亚里士多德传统中,绝对没有像一个无特征的实体的东西,一个能作为某种特定个体而不参照任何种类的统一的东西。非多是一个同一的个体,只

要它仍然是一只狗,只要这种“狗”能真正地运用于它,我们不能追问是否A是像B一样的个体,假如不追问A是像B一样的同样的个体F,在这里,“F”对于某种分类占据一个位置,对于“人”、“山脉”的某种分类或无论何种东西。洛克混乱的实体学说导致他陷入了无法解决同一性与个体化的难题之中:我们在第八章探讨个体同一性主题时,我们将再次面对它们。

单一必然的实体

洛克在英国分析某种重要内容的实体观念时,斯宾诺莎在荷兰已使得实体成为他的形而上学体系的基础,可以在《伦理学》中读到一个重要定义:“借助实体,我意思是这就其自身而言,是通过自身认识到的:一个概念能独立于任何其他的概念来构成”(*Eth*, 1)。笛卡尔已定义实体是“无需任何东西只需要自身而存在”。斯宾诺莎认为,这样一个定义至多能用于上帝;有限的心灵与身体,笛卡尔视为实体的,为了存在,需要上帝的创造与保存。

斯宾诺莎像笛卡尔一样将实体的观念与特征和模态的观念联系起来。一个特征对于一个实体是构想为本质的特征。用这些定义武装起来,斯宾诺莎证明至多只能存在一个给定类型的实体。它们要么通过它们的特征要么借助它们的模态必定彼此区分,它们不能通过它们的模态区分,因为实体先于模态,因此任何模态之间的区分必定推论出,不能创造出实体之间的一种
区分。因此它们必定借助它们的特征进行区分,如果存在具有共同特征的两 191
个实体,它们将不会是这样。而且,没有实体能产生任何其他的实体,因为一种结果必定与它的原因是共同的东西,我们刚阐明两个实体必须在类型上是截然不同的。

《伦理学》第一卷的第七个假设是“存在属于实体的本质”,其论证如下:

> 一个实体只能由它自身产生;它因此必定是它自身的原因——也就是说,它的本质必然关系到存在,或者说它属于它存在的本质。(*Eth*, 4)

迄今为止,除引导性的定义中谈论到无限的实体之外,在《伦理学》中还没有提及"上帝"的术语。到现在,无论如何,每位读者必定怀疑斯宾诺莎正在把他引向何方。正是在下一个假设中,我们被告知任何实体必然是无限的。在这一点上,一个人可能倾向于反驳,既然实体已给予这些严谨的特征,我们不能想当然地认为在存在中有许多实体。斯宾诺莎会赞同:《伦理学》最初的少数假设设计为阐明至多一个实体存在。只有在第十一个假设中,他转向阐明至少一个实体存在,即上帝。

斯宾诺莎对上帝存在与本质的处理方式将在第十一章中详细探讨。这里我们关注他对有限存在的形而上学得出的结论。精神与物质不是实体,因为如果它们是,那么对上帝呈现出有限性,同时上帝将不会是,如其所是,无限的。任何存在的东西是在上帝之中,如果没有上帝,任何其他东西不可能存在或被设计。思想与广延、精神与物质确定的显著特征,事实上是上帝本身的特征,因此上帝既是一个思想的又是一个广延的:他既是精神的,又是身体的(*Eth*, 33)。个体的精神与身体是神的思想与广延特征的模态或者特定的形
192 貌。正是这样,任何个体东西的观念涉及上帝永恒与无限本质的思想。

斯宾诺莎同时代的人都赞同无限的实体依存于上帝并作为它们的第一因。斯宾诺莎所做的呈现了上帝无限实体之间的关系,不是根据自然的原因与结果,而是从主语与谓语的逻辑关系来看的。对于一个无限实体的任何自明的观点在现实中是一个对于上帝的断言:论及像我们一样的生物的恰当方式不是使用一个名词而是一个形容词。的确,术语"生物"并非真正地处在合适的位置:这表明在一个创造者与他所创造的东西之间的一种区别,虽然对斯宾诺莎来说在上帝与自然之间没有这样的区分。

与实际的他相比，斯宾诺莎的雕版像使得他看似是《圣经》的一个更虔诚的研究者。

斯宾诺莎的一元论的关键因素不是只有一个实体的学说；必然性与因果性之间的任何区分都消失了，只有一个单一的因果关系：一个结果与其原因以及一个结论与其前提相统一。烟在火之后，同样一个定理从公理中推论出来，自然法则因此像逻辑法则一样是必然的与无一例外的。从任何给定的原因中，必然推论出它的结果，每种东西都由其绝对的逻辑必然性主宰。对于其他的大多数思想家，原因必须与它们的结果区分开来。对斯宾诺莎而言并非如此，鉴于他将因果性与必然性统一起来。正如一个命题需要自身，上帝是他自身的原因，他是所有事物永恒的而不是暂时的原因。 193

理解这个体系极端困难，最终可能无法理解。更有益的是，追随斯宾诺莎提供的另一种思路，旨在解释宇宙的结构。他评论道，许多不同的部分构成我们的身体，在种类上彼此变化；部分可能改变与变化。同时每个个体保持它的本质与同一性。“我们容易推演到无限，设想本质的整体作为一个个体，它的部分，也就是说，一切前提在无限方式中变化，在个体作为一个整体中没有任何变化”(*Eth*, 43)。这要求我们在有限的存在与上帝之间理解这种关系，不是根据原因与结果，而是根据部分与整体。

我们通常谈论我们身体的部分进行活动与经历变化——但不难理解这是一种不恰当的谈论方式。这不是我看的眼睛，或净化我血液的肝脏。眼睛与肝脏并没有自身的生命，这些活动是我的整个有机体的活动。亚里士多德以来的哲学家已指出，认为我用眼睛看以及身体用肝脏净化血液，这更加准确。如果我们追随斯宾诺莎的思路，我们将理解他正要求我们将自然理解为一个单一的有机整体，在其中我们中的每个人是一个部分与一种工具。

自然作为单一整体的这种观点，在自身中包含自身的一切的解释的统一体系，对许多人来说是有吸引力的。许多人也愿意追随斯宾诺莎，断言如果宇宙包含它自身的解释，那么所发生的一切是被决定的，除实在的东西之外，没有任何事件相关的可能性。“在自然之中，”斯宾诺莎论道，“没有可能的东西。每种东西是决定的，通过神的本质的必然性，以某种方式存在与运转。”(*Eth*, 20)

创造偶然空间

对于斯宾诺莎同时代的人来说，最接近他思想的哲学家是马勒伯朗士。像斯宾诺莎一样，马勒伯朗士认为原因及其结果之间的关系必定是一种必然的关系。“一个真正的原因正如我理解它的那样，”他写道，“是这样的以至于精神认识到它及其结果之间的一种必然联系。”(*R de V* 6.2, 3)读过休谟论因果性的许多人相信先于他的那个时代，这是一个毫无疑问的哲学观念，即原因与结果必定存在一种必然的联系。但事实上，从一个原因推论一个结果被当做从一个前提推论一个结论，斯宾诺莎与马勒伯朗士是非同寻常的。比如，阿奎那已坚持认为一个原因的关系绝不是一个引发事物的确定部分。他探讨了一个争论，这个争论声称事物即便没有一个原因也能产生。这种论证这样进行： 194

> 没有任何东西阻止理解一个东西，即便没有属于它的概念，比如，没有白色的男人；但导致一个原因的关系似乎不是存在事物的概念部分：因为没有这个也能理解它们，因此，即便没有这个它们也能存在。(*ST*. 1a, 44.1)

阿奎那并不认同，如果没有一个原因事物能形成，但他没有在这种论证的较小前提中发现任何缺陷。

对斯宾诺莎与马勒伯朗士而言，另一方面，原因与结果的必然联系的确是一种概念的联系。阐明这一点作为一种真正的因果关系的条件，两人都认识到，他们在世界中找到真正的因果关系的事例变得更加困难。运动事物的部分不能是真正的原因。一个物体可能不能移动自身，因为物体的观念并不包括运动的概念，任何物体不能移动别的，因为在一个物体的运动与另一个物体的运动之间没有任何逻辑的关系。事实上，斯宾诺莎与马勒伯朗士都得出了这个结论，只有一个真正的原因在自然界起作用，它就是上帝。

然而，马勒伯朗士的观点比斯宾诺莎的更加复杂。对于斯宾诺莎，上帝是唯一的原因，不只是在自然界，而在作为一个整体的宇宙之中(既然对他而言心灵与广延是同样实在的两个方面）。再有，对于斯宾诺莎，上帝并不只是宇宙中的唯一原因，而且是唯一的实体，他的存在以及运作是一切逻辑必然性的事件。

另一方面，马勒伯朗士赞同除上帝与物质世界之外存在有限的精神，这是
195 真正的原动力并享有自由度。譬如，人能在一个方面而不是在另一个方面主导它们的思想与意欲，但创造的精神不能在自然界中产生任何影响。我甚至不能移动我自己的手臂。我想移动的时候它移动，这是真的；然而，他谈到，我不是这种运动的自然原因，而只是它的偶然原因，也就是说，我内在的意愿行为提供这种偶然，因为在外部世界中上帝导致我手臂的运动。适合我身体部分的东西更不必说适合其他的物质对象："论及你能移动你的扶手椅时，存在一个矛盾……没有任何力量能运送它，上帝也不会运送它，上帝不会安置它"（*EM*，7，15）。

对于马勒伯朗士，不像斯宾诺莎，在自然宇宙中存在偶然性，因此，只能从上帝永恒自由的裁判中推论。上帝愿意没有任何的改变或连续，一切将发生在时间的进程中。他不是（不像斯宾诺莎的上帝）必须希望自然历史的进程，除他之外，没有任何其他原因的动力将偶然性引入到物质世界。

在这里，莱布尼茨马勒伯朗士与斯宾诺莎一起考虑问题：旨在给予神的与人的自由，他希望在整个宇宙中为偶然性留下空间。在《单子论》中，莱布尼茨在理性真理与事实真理之间做出了一种区分。理性真理是必然的，它们的对立物是不可能的；事实真理是偶然的，它们的对立物是可能的。理性真理由逻辑分析确定，类似数学从公理与定义中推出定理一样；它们最终的基础是不矛盾的原则。事实真理基于一种不同的原则：没有东西是事实，假如没有一个充足的理由，它应该如此而非别的（G，6，612－613）。

莱布尼茨给充足理由原则附加了更重要的意义，这是他自己的革新。如何调和事实真理是偶然的观点与它们依存于充足理由原则的观点，这并非一

目了然。我们发现一致性是在一种新的与最低限度的偶然性的折扣价格中购买的。

表面看来,人似乎具有某些必然的特征,而其他特征是偶然的。安东尼当然是人,但他是未婚还是已婚,这是一件偶然的事情。正因为如此,经院哲学 196
家区分了一个实体的本质特征与偶然特征。但这根本不是莱布尼茨如何理解这个问题。他相信,每个谓语事实上对于一个特定主语是真实的,这个谓语在某种方式中是它本质的部分,"因此无论谁完整地理解主语的观念,也会判断谓语属于它"(*D* VIII)。

考察伟大的亚历山大的历史,这存在一系列真实的事实。上帝理解亚历山大的个体观念时,理解包含在其中的真正归因于他的所有谓语:无论他征服达瑞斯,他是否属于自然死亡等。谓语"达瑞斯的征服"必定在一个完整的与完美的亚历山大的观念中显现。谓语不是真的某个人,不会是我们的亚历山大而是某个其他的人(*D* VIII)。

莱布尼茨告诉我们必然真理比如几何学与算术的真理是分析的:"一个真理是必然的,只能通过分析找到它的理由,也就是说,借助在更加单一的观念与真理中分析它,直到获得重要的理由。"作为这是如何实现的一个事例,我们可以采用莱布尼茨的证明 $2+2=4$。我们以三个定义开始:(i)$2=1+1$;(ii)$3=2+1$;(iii)$4=3+1$、这个公理是,如果相等数量由相等数量替代,那么等量一样。我们如下论证:

$$2+2=2+1+1(\text{df i})$$

$$=3+1(\text{df ii})$$

$$=4(\text{df iii})①$$

如今事实真理不能论证这种类型;人似乎只有通过经验调查才能发现它

① 正如弗雷格后来指出的那样,在这种论证中有一个缺陷:莱布尼茨不言而喻地假定 $2+(1+1)=(2+1)+1$,这取决于加法中的联想原则。

们。但莱布尼茨描述个体的观念,这意味着在事实的每个陈述中,谓语是潜在地包含在主语之中。因此,事实陈述在某种意义上是分析的。但必然显示这
197 一点的分析可以是一个无限的分析,这只有上帝才能完成。

但如果从上帝的观点来分析事实的陈述,它们如何能是偶然的?莱布尼茨回答它们的谓语属于它们的主语的这种证明"不像数量或几何学的那些论证一样的绝对,但这假定事物的联系,上帝已自由的选择以及在上帝最初裁判中的创建,这种涵义总是非常完美的"(*D* XIII)。在这种答案中存在两个因素:首先,在一个被达瑞斯打败的亚历山大的看法中,没有任何内在的矛盾,比如在一个三角形的观念中有四边。其次,我们的亚历山大观念中的谓语包含物是,上帝自由裁断的结果创造这样一个人。诚然,这使得亚历山大的征服在某种意义上是必然的,但只有通过道德的必然性,不是通过形而上学的必然性。上帝只能选择最好的,但这是因为他的善,不是因为对他全能的任何限制(*T*, 367)。

我们留下的偶然性似乎非常薄弱。对于实际的亚历山大拥有的每种特征以及他一生中经历的每个事件,没有任何是偶然的。偶然的是这个特定的亚历山大的存在,在这段特定的历史中,而不是上帝本应该创造的任何其他可能的亚历山大,甚至从上帝的观点看,这是某种偶然的:唯一必然的存在是上帝自身的存在。

这里明显存在一种非同寻常的同一性观念。如果我想象我自己的下巴与我所具有的相比有更多的毛,那么在莱布尼茨的术语中,我正在想象一个不同的人。莱布尼茨对于同一性的逻辑给予了相当多的思考,它阐明了两个定理,一个是如果A与B一致,那么A是真的也就是B是真的,B是真的也就是A是真的。另一个是如果A是真的就是B是真的,反之亦然,那么A与B是一致的。第一原则,虽然一般称为"莱布尼茨原则",在他之前与他之后的时代得到广泛的接受。第二原则通常被称为不可分辨的同一性原则,总是引起更多

198

通过庭院中的女人，呈现其中没有任何两片树叶是真正类似的，莱布尼茨图示难以分辨的同一性。

的争议:论题是没有任何两个个体具有它们共同的一切特征。当莱布尼茨在《形而上学》(IX)陈述对于两个实体彼此全部类似以及只是在数量上区分时,这是不可能的。莱布尼茨自己描述这一点作为"一个有名的悖论"。

然而,他可以引用权威观点来证明。经院哲学的亚里士多德学派已坚持个体化的原则,这谈到一个个体与另一个的区分:两粒豌豆是类似的,是两粒
199 豌豆不是一粒豌豆,因为它们两个不同。[①] 作为一个结果,像阿奎那一样的思想家辩称,如果有非物质的实体——天使——那么,可能每一类只是一个,因为没有任何物质区分一类的一个成员与其他的。莱布尼茨的个体观念学说或本质促使他这样概括:所有实体,而非阿奎那的天使,是他们类中的独一无二的种。他认为如果在本质上两个存在彼此难以区分,那么上帝会没有任何充足的理由厚此薄彼(G VII. 393)。

难道有难以辨别自身必然的或偶然的同一性原则吗?莱布尼茨似乎并没有放在心上。既然,旨在确立它,他诉诸充足理由的原则,而不是不矛盾的原则,这似乎是偶然的;在一封信中,他写道,设想两个难以辨别的实体是可能的,即使错误地假定它们存在(G VII. 394)。然而,在他的《人类理解新论》中,他认为如果两个个体是完全类似的与难以区分的,那么他们之间不会有任何区别;他继续得出结论,原子理论必定是错误的。这不足以认为一个原子在不同的时间与地点不同于另一个:必定有某种内在的区分原则或只有一个原子而非两个原子(G V. 214)。

贝克莱的观念论

从古希腊的观念论以来,莱布尼茨的哲学是第一次的体系呈现,即实在最

---

① 参阅第二卷,204-206 页。

终包含心灵实体的理论,也就是说非物质的感知者伴随他们的感知。在他生活的时代,主教贝克莱提出了另外一种观念论的版本。这两种体系彼此相似,但是在它们之间存在重要的差异:莱布尼茨的观念论是一种唯理论的观念论;贝克莱的则是一种经验论的观念论。这些差异来自两种哲学的不同出发点。因此,在细致地比较这两种体系之前,我们应该遵循论证的思路,贝克莱通过它到达他的目的地。 200

在贝克莱《三篇对话》的第二部分,海拉斯已较早地被说服承认主要特征与次要特征只是在心灵上类似,然而此时却试图为物质实体的概念辩护。他慢慢放弃了物质存在的论证。物质不是感知的对象,因为已经认同只有观念才被感知。因此,一定是理性而不是感觉发现某种东西。那么我们可以说这是观念的原因吗?但是物质是惰性的与不能思想的;因此它不可能是思想的原因。但是海拉斯申辩物质运动可能是至上原因上帝的一个工具。但是物质不具有可感知的特征,不可能具有运动或者甚至广延的特征;真正的上帝凭借纯粹的意志而行动,并不需要无生命的工具。我们可以认为,正如马勒伯朗士所言,物质提供给上帝行动的契机吗?的确全知的人不需要提高!“你无须竭力感知,”费劳斯嘲弄道,“在所有这些物质的不同接受中,你本应该只是猜测你不认识什么,对于非理性的方式,不认识运用的种类吗?”他乐观地概括他的论点:

> 你要么直接地要么间接地感知物质的存在。如果是直接的,祈祷告知我通过感官感知它。如果是间接的,让我知道通过什么推导它从你直接感知的东西中推论出来。对于感知到此为止。那么对于物质本身,我追问它是不是对象、基体、原因,工具或偶然?你已为这些中的每一个辩护,改变你的观念,使得物质有时在一个形状中出现,然后在另一个中出现。你所提供的已由你自己否定与排除。(*BPW*, 184)

如果海拉斯继续为物质存在辩护，那么他不知道对于“物质”他意味着什么或对于“存在”他意味着什么（*BPW*,187）。

我认为我们必定赞同贝克莱连续探讨洛克的实体观念，在其中，贫乏的海拉斯陷入困境。但假定费劳斯打算不是与海拉斯而是与亚里士多德争辩。他会接受怎样的答案？他被告知，物质的实体的确由感官感知。以猫为例：我可以看到它，听到它，感受它，闻到它，如果我如此倾向地感受、品味它，这是真实的，这不是通过感觉而是理智，我知道它是哪种实体——我知道这是一只猫，因为我已经学会如何区分动物——但这并不意味着我通过推理推断它是一只
201 猫。对于物质实体就谈这么多；物质本身是什么呢？我也通过感官感知，因为我们遇到的实体是物质的块，物质在这种情况下具有不引人注意的形式。主要物质，没有任何形式物质，确实是不会由任何感官感知的；但是那是因为在现实中没有任何这样的东西；主要物质是为重大转变的分析目的的一种哲学抽象。①

当然不可以想当然地认为亚里士多德的实体与物质的解释可以与这种进步一致或运用在这种进步中，在运动与变化的分析与解释方面，17 世纪的科学家取得了这种进步。我在这里希望得出的观点只是传统的实体观念，它没有由贝克莱废除的非常不同的、外在不一致的观念来处理，这种观念由洛克提倡。

物质的批判事实上对于贝克莱观念论的建构不是根本的；它只是消除它接受上的障碍。物质被幻象化旨在成为我们观念的基础。贝克莱体系的角色不属于物质而属于上帝。这种论证的第一个前提是人只是认识观念；同时这个前提很久得到说明，在攻击物质的实体观念之前。在《人类认识原理》第一部分的开始：

① 参阅第一卷，192 页。

显然，任何人概览人的认识对象，它们要么是实际上铭刻在感官上的观念，要么是别的观念，比如，通过增加激情与心灵运作而感知到的；要么是最终的观念，由记忆与想象的帮助形成的。(*BPW*,61)

这根本不是显而易见的。运用术语“观念”，如果你希望，在这样宽泛的意义上使得我任何时候感知、记忆或思考 X，我有一种 X 的观念，我无论何时学会、相信或认识 P，我有一种相应的观念。这仍然不能推断所有人的知识的对象是观念。从这个定义的非常宽泛的本质上看，推断任何认识的行为或状态将涉及我们具有的观念；但这并不意味着每个人的行为或状态与那些观念有关，或将那些观念作为它的对象。如果我看到的是一只长颈鹿，鉴于这个术语，我将有一只长颈鹿的观念，但我看到的是一只长颈鹿，不是一种观念。如果我思考在花园尽头的一棵落叶松，我将再次有那棵树的观念；但我正在思考的是那棵树，不是那种观念。确定的是，我也可以思考那种观念；比如，我可以认为这是一个相当模糊的观念。但这是一种非常不同的思想，关于一种观念的思想，而不是关于一棵树的思想。在思考它的过程中，我并没有认为树是一 202
棵非常模糊的树。如果你必须用这种方式谈论观念，那么观念就是我们在其中思考的东西；它们一般不是我们思考的东西。

在援用《人类认识原理》公开的段落已假定的那种观念论，应该是长期争论的结果。在心灵行为与它们对象之间的最初冲突中，观念论是明晰的。不能说贝克莱没有认识到这种批评可能获得平衡。在第一次对话快结束时，海拉斯在对象与感觉之间做出一种区分。他说：

我喜欢的感觉是一种心灵感知的行为；除此之外，存在某种感知到的东西；这被称为对象。比如，那朵郁金香存在红色与黄色。但是感知那些色彩的行为只存在我之中，而不是在郁金香之中。(*BPW*, 158)

费劳斯采取了一种非常间接的思路拒绝这种区分。他选择“行为”这个术语并继续探讨一种感觉——比如,闻郁金香——是消极的而不是积极的事情。

虽然这种断言令人厌烦,但是这无须海拉斯去争辩他并为他的区分辩护。他必须做的是用“心灵事件”代替“心灵行为”的表述方式。但是,通过用含混的词汇“感知”代替含混的术语“观念”,费劳斯得出结论,同时想当然地认为一种感知的对象是那种感知的一个部分(*BPW*, 159)。

如果除观念之外不存在我们认识的对象之中,如果观念只能存在一种心灵之中,那么对贝克莱而言,得出他的结论并不难,即我们能认识的存在的所有东西只在上帝心灵之中:

> 我否定可感知的东西是一种心灵之外的一种存在时,我并不意味着我的特定心灵而是意味着所有的心灵。如今明显的是,它们有一种外在于我心灵的存在;既然我借助经验认识到它们不依存于心灵。因此,存在某种别的心灵,它们存在其中,在我们感知它们的时间间隔中:就像它们存在于我诞生之前,以及可能存在于我设想破灭之后。至于所有其他有限的
> 203 创造精神,这同样是真实的,这必然推论出存在一种全能永恒的心灵,它能认识与理解各种东西。[①]

在最终的对话中,贝克莱赋予费劳斯演示的任务,他呈现在一个有限或者无限心灵中除观念之外无一存在的论题,这是与我们关于世界的日常信念完全一致的东西。这关系到对日常语言的一种英雄般的重新解释。关于物质实体的观点必须转换为关于观念集合的观点:比如,一颗樱桃只是感知印象的集合体或者借助各种感官感知到的观念(*BPW*, 211)。费劳斯争论道,比起将它阐释为关于

① 在第十章详细探讨贝克莱的上帝存在的证明。

洛克的内在实体观点来说,更容易做到这一点。“真正的事物正是我们通过感官看到、感觉到并感知到的东西……比如,比起你千万次的谈论不可感知的、不可知的面包,一片可感知的面包吃到肚子里感觉会更好”(A,192)。贝克莱相信,只有他自己的现象学体系可以让一个人真正地谈论雪是白色的而火是热的。

因此,一个物质的实体是各种感觉感知观念的一个集合体,由于各种感觉不断的彼此联系,借助心灵被视为一体。根据贝克莱,这个论题完全与科学工具的运用与自然法则的形成联系在一起。这些法则不是强调事物间的关系而是现象间的关系,也就是观念间的关系;科学工具所做的是给我们带来与旧现象相关的新现象。如果我们在现象与实在之间做出一种区分。我现在真正在做的是在更有活力的观念与更少活力的观念之间作比较,同时比较伴随我们观念的自动控制的不同程度。不存在潜藏的实在:一切皆为现象。这是“现象学”的学说,这个词直到19世纪才被创造出来。

莱布尼茨与贝克莱在某种意义上都是现象主义者,因为他们认同物质世界是现象世界而不是现实世界。但他们对于现象本质做出了不同的解释,同时给予了他们强调的理由的不同解释。就经验论者贝克莱而言,观念不是无限可区分的,因为对于通过感官区分的心灵能力来说,存在一种有限的限制。另一方面,唯理论者莱布尼茨则拒绝这种原子论:现象界具有通过几何学和天文学展示的特征。正如在现象本质中的差异一样,在他们坚持的原因中也存在这种差异。对于莱布尼茨,强调的实在是活力单子的无限性;对于贝克莱,它则是唯一的全能的上帝。

休谟论因果性

如果两派哲学最终都是不可信的,那么这绝不是因为在它们的创造者中 204

缺乏原创性。确切地说,每一个体系的缺陷可以追溯到唯一的根源:混乱的观念的认识论,这是由唯理论者笛卡尔们以及经验论者洛克诸人馈赠的。我们可以最全面地理解这种认识论结果的是哲学家休谟的论著。按照无论任何东西都是一种纯粹的观念和印象集合的观点,他正式发表的体系绝对是荒谬的。然而,休谟的天才使得尽管他的体系强加给他那些错误与限制,他依然能够对哲学作出杰出的贡献。在他处理因果性问题方面,更能昭示这一点。

先于休谟,关于因果关系的如下命题在哲学家中广为接受:

(1) 每个偶然的存在必定有一个原因。

(2) 原因与结果必定彼此类似。

(3) 鉴于一个原因,必然伴随其结果。

在亚里士多德式的哲学及其反对者中,前两个命题是共同的基础。亚里士多德的动力因范式的事例是活的存在的产生以及四因的关键。每种动物有父母,父母与后代彼此相似:狗像狗、猫像猫,一般说来类似物像类似物。火燃起、水弄湿:也就是说,一种热的东西让其他东西发热,一种湿的东西使得其他东西变湿;可以说,类似物产生类似物。现代早期的哲学家提供其他更为精妙的因果关系事例,但是他们不断地将其归因于命题(1)与命题(2)。

第三个命题并不是这样一个单一的问题。斯宾诺莎强调"鉴于一个确定的原因,结果伴随必然性"(E I,3),霍布斯宣称一种情境的所有原因是当下的,"除非它的结果产生出来,否则我们不能理解它"。然而,亚里士多德不像
205 斯宾诺莎和霍布斯是决定论者,他在自然因与理性因之间做出了区分。一个自然原因,像火,"决定一件事情";一个理性原因,比如一个人,具有两方面的能力,一种能力可能得到施展或根本得不到施展。甚至在这个场合中,亚里士多德不愿意联系原因与必然的观念:一种理性能力的拥有者,如果它有愿望行

使它，必然可以这样做。[1]

休谟开始消除上面设定的所有三个论题。他改变因果关系的标准事例，从而这样做。对于他，一个典型的原因不是一个代理者（像一条狗或一个火炉），而是一个事件（像台球在桌面上滚动）。这种范式的变化是通过他将原因与结果作为“对象”来掩盖的。严格说来，在人类世界中，唯一可能的世界是观念的出现与印象的发生；但幸运地，在讨论中并没有一致地关注这种法则。一条的确固定的法则是这样的：原因与结果必须是彼此一致独立的两个事件。

在攻击因果关系的传统解释中，休谟首先否认无论开始存在什么，必定有一个存在的原因：

> 正如所有明确的观念是彼此区别的，正如原因与结果显然是明确的，我们将容易设想任何对象是这个时刻的非存在，以及下一时刻的存在，没有使它联系原因的明确观念或产生的原则。（*T*，79）

既然这些观念可以分离，那么这些对象也可以分离；因此，要是没有一个原因，也有存在的实际开端，在这里没有任何矛盾。肯定地，“结果”与“原因”是相关的术语，像“丈夫”与“妻子”一样。每个结果必定有一个原因，正如每个丈夫必定有一个妻子。但这并不意味着每个事件必定是产生的，除非每个男人必定已婚。

如果在设想某种东西没有任何原因而存在中没有任何荒谬，那么在设想它没有一个特定种类的原因而存在时，没有任何荒谬。休谟认为，任何东西可以产生任何东西。没有任何逻辑的理由相信喜欢必定由喜欢产生。“对象不是相对的，没有任何东西阻碍它们具有这种连续的结合，原因与结果的关系全

① See G. E. M. Anscombe, ‘Causality and Determination’, in *Metaphysics and the Philosophy of Mind*（《形而上学与心灵哲学》）（Oxford: Blackwell, 1981）, pp. 133 – 147.

206 部取决于这种结合。”(*T*, 173)因为许多不同的结果从逻辑上设想为来自一个特定的原因,只有经验引导我们期望一个实际的原因。但是基于何种基础呢?

休谟提出三个原则并据此来判断原因与结果:

(1) 原因与结果必须在时空上一致。

(2) 原因必须先于结果。

(3) 原因与结果之间必须是一个连续的整体。(*T*,173)

第三个原则是最重要的:“不间断和连续不足以让我宣称任何两个对象存在因果关系,除非我们认识到这两种关系在若干的实例中都存在。”但是这如何使得我们做出进一步判断?如果原因关系不能在一个单一的实例认识,它如何在重复的实例中认识?

休谟的答案是不断联系的观察在心灵中产生一种新印象。一旦我们观察到B在A之后的足够数量的事例,我们感觉到一种确定的东西,当我们面对A时,随即就是B。这是必然联系观念的起源,这在传统原理的第三条原则中得到了表述。必然性“只是心灵的一种内在印象,或者一种决定使得我们思想从一个对象转移到另一个对象”。这种解释使得休谟宣称,这个论题再次得到证实,如果没有事先的感觉,就不存在任何观念。当原因向自身呈现时,感受到结果的预期,一种由习惯结合产生的印象,是由必然联系观念派生出来的印象。

休谟通过提供两种因果性的定义来总结他的讨论。第一种定义是:一个原因是“先于并联系另一个的对象,所有类似前者的对象处在那些类似后者对象的优先与连续的一种类似的关系之中。”在这种定义中,没有论及任何必然的联系,没有提到心灵的活动。因此,他给我们提供了第二种定义,这使得哲学分析更加明确。一个原因是“先于并联系另一个的一个对象,在想象中与它统一起来,一种观念决定心灵构成另一个的观念,一个对象的印象构成另一个

更加生动的观念”(*T*,170,172)。 207

两种定义都存在问题。先考察第二种定义。据称,心灵借助另一种观念的存在“决定”形成一种观念。因为“决定”不同于“原因”,那么这里就存在一种循环吗?牢记休谟必然联系的理论既运用在道德必然性又运用在自然必然性,既运用在心灵的因果性又运用在自然的因果性。如果我们回到第一个定义,我们需要更加审慎地考察相似观点。如果我们从字面上理解休谟的定义,我们将不得不否定这样的事物,比如我儿子的白鼠是笼子里奶酪片不见的原因;因为所有白色的东西类似我的老鼠,但是并非所有白色的东西导致奶酪不见了。如果相似观念不借助某种不言而喻的原因概念可能得到恰当地定义(比如参照自然的种类),这必定受到质疑。

康德的回应

休谟的因果性陈述值得并得到了严格的哲学审查。康德反驳那种时间的连续定义因果性的观点;并且,我们运用因果观念确定时间的结果。更晚近的是,人们开始质疑存在的无原因的初始是否可以理解:这里也在论证我们运用因果观念来确定事物何时开始。① 然而,休谟在因果性的哲学探讨以及探讨的议题中引入了一种全新的方法,时至今日还存在他设定的那种讨论之中。

康德对休谟的回应出现在《纯粹理性批判》中的原理体系中,在一章无益的题为《经验类推》。这章开始确定下面的论题:如果必然联系应该在我们感知中找到的话,那么经验是唯一可能的。在这种论证中,存在三个阶段,康德称之为第一、第二、第三类推。下面是前两个类推:(a)如果我们打算拥有经

---

① See G. E. M. Anscombe, ‘Times, Beginning and Causes’, in *Metaphysics and the Philosophy of Mind*(《形而上学与心灵哲学》), pp. 148 – 162.

208 验,那么我们必须经验一个客观的领域,同时这必定包含持续的实体;(b)如果我们打算经验一个客观的领域,那么我们必须经验确定因果关系的实体。每个这样的阶段从我们对时间认识的反思中开始出现:时间最初作为绵延,随后被视为连续。第三类推出现在某种附属于前两个类推提供的推论中,源于共存于时间中的思考。同时存在不同对象彼此必定共存于空间之中,如果事实如此的话,那么它们必定构成相互作用的一个体系。

康德一开始就指出时间本身是不可能被感知的。瞬间感觉被视为一种独立的经验原子。并没有显示它何时发生,或者它是否在任何其他给定的内在事件之前或之后发生。如果我们能将这种现象与某种永恒的实体相联系,我们只能认识时间。而且,相对于单一的延续,如果存在一种真正的变化,那么必定是某种东西最先是一种东西,随后是另一种东西。但这种永恒的因素不能由经验提供,经验本身处于连续变化的状态;因此,它必定由某种客观的东西提供,这种东西被称之为"实体"。"时间中的所有存在以及时间中的所有变化必须只能被看做是保持并持续的某种东西存在的一种模式"(A,184)。

第一类推的结论总体上并不清晰。难道康德认为他已经阐明在经验的变化背后一定存在一个单一永恒的东西——某种保存物的永恒的量?或者难道他的结论只是阐明至少必定存在某种永恒的东西,并非瞬间延续的客观实在,比如我们常常将岩石或者树视为的东西?只有在最后,更没有说服力的结论必然用来反驳经验论者的原子论。

第二类推基于一种单一的考察,康德的确是一个明白其意义的哲学家。如果我静立并注视一艘在河中航行的船,我会看到一系列的不同景象:首先是船逆流而上,然而是顺流而下,诸如此类。但是,同样,如果我看一座房子,在我经验中也存在某种连续的东西:首先,我可能看到屋顶,然后看到上层和下层的地板,最后看到地下室。在一种纯粹主观连续的现象(看到房子的不同方面)以及一种变化的客观考察(船顺流而下的运动)之间存在何种区别?在一

在威廉的18世纪绘画中，加尔各答，我们可以容易地确定什么是静止的与什么是运动的。但康德追问，这是什么，告诉我们这一点？

种场合，而不是在其他场合，我任意地颠倒我感知的顺序，这是可能的。除某种必然的因果原则之外，并不存在做出这种区分的基础：

> 我们设想存在一个事件，根据一种法则，相随它的没有先于它的东西。一切感知中的连续只是在综合之中，这只是主观的，没有办法确定诸认识孰先孰后。我们应有一种与任何对象无关的印象游戏，在我们的认识中，在一个现象与另一个现象之间做出时间上的区分，这是不可能的。（A 194）

这表明，休谟认为我们首先在事件之间感知到时间的延续，随后继续将其中一个视为原因，另一个看做结果，这种观念是非常错误的。事实恰恰相反：要是没有因果关系，我们不能在时间中确定顺序。康德继续阐明，即使我们能确定,单一的时间延续不足以解释因果性。因为原因与结果可能同时发生。
210 很早以前奥古斯丁就说过一只脚产生一个脚印,而不是相反,康德回应道,一个放在软垫上的球产生一个凹处,同时凹处也在垫子之上,然而球是原因,凹处是结果。因为每个球产生凹痕,而并非所有的凹痕包含一个球,从而我们认识到这一点。

第三类推像第二类推从同样的起点开始,但是转向相反的方向:

> 我能首先感知月亮,然后感知地球,或者相反,我先感知地球,然后感知月亮;因为这些对象的感知在任何的顺序中能彼此相随,我认识到它们是共存的。(B,258)

但在两种感知中我们并没有被告知它们之间的顺序能互换,也就是说,它们彼此共存。"因而,"康德断定,或许过于草率,"空间实体的共存不能在经验中认识,假设它们彼此相互作用。"(B,258)

无论如何康德类推的细节已构成诸多的批判,毫无疑问,它们确定的时间和因果性之间的关系比起休谟设想的复杂得多,贝克莱放弃实体的观点消除现象设定的先后次序,根据他的观念论坚持世界的实在性。

然而,康德在《纯粹理性批判》中竭力阐明脱离有限经验世界的知识论断的无益。尤其在《精神现象学》中,黑格尔试图确立一种形而上学的真实性,它提供一种无条件的绝对知识。在某种意义上,黑格尔的观念论标志着形而上学的思辨高峰,形而上学的反对者经常选取他文本中的一点作为事例,以此阐明任何这样的努力必然晦涩与无益。更令人惊奇的困难是,从他著作中选择和呈现的这些段落与这章关注的主题相关,并揭示出诸多洞见。这不是因为黑格尔不是天才:这是因为整体性成为他思想的显著特征。黑格尔坚持认为,在每个层面,部分只能作为整体的部分来理解,我们不能真正地认识最小的一项,除非我们理解它与整个宇宙之间的关系。除整体的真理之外,没有任何真理。他的一些著作能发掘出深邃洞见的金块,但是他的形而上学体系要么必须被作为一个整体对待要么被置之不理。 211

在笛卡尔和黑格尔之间的时期是建构形而上学体系的伟大时代。在中世纪时期有许多天才的形而上学家,但是他们没有思考过去创建一个新的体系;而且,他们只是部分地修正了基督教教义和亚里士多德的天才所给予的体系。另一方面,笛卡尔、斯宾诺莎、康德与黑格尔,第一次从自身出发创建一个调和业已存在的各种基本真理的完整体系。不能认为他们中的任何一个在这项伟大的事业中取得了成功;但是从他们英雄般的失败中获益会更多。

在19世纪与20世纪,西方哲学陷入了欧洲大陆与英语世界的冲突传统中,一种传统采用中世纪的模式,另一种传统追随近代早期形而上学家的思路。在德国和法国,哲学家不断将哲学视为创建一种新体系作为他们的任务,这种体系已取代他们前辈的体系。在英国和美国,大多数哲学家投身于尝试在一个框架中阐明或者修正特定的因素,这个框架由自然科学家的工作以及我们日常生活中的语言给予。但是许多哲学家已反对借助这两种范式来判断他们;避免偏向任何一方的最好方式是研究长时段的哲学史。

第七章

精神与灵魂

笛卡尔论精神

在近代早期,精神哲学在哲学领域经历了最重要的 212
发展。这首先是因为笛卡尔工作。虽然笛卡尔物理学的生命短暂且默默无闻,然而笛卡尔心理学得到了广泛的接受,在许多不读他著作的人或者明确拒绝他体系的人的思想中,时至今日其影响力依然巨大。

笛卡尔重新区分了精神与物质的界限,他引入了一种新的方式来确定心灵的特征。在他生活的时代,哲学家和科学家建构心理学已是自然而然的事情,这种方式不同于中世纪与文艺复兴时期的他的亚里士多德式的前辈。[①] 这甚至影响到了对人性与自然界的日常思考。

亚里士多德学派将心灵视为能力或者一系列的能

① 参阅第二卷第八章。

力,这些能力将人类与动物区别开来。不能说话的动物与我们一样具有某些能力和行为:狗、牛、猪像我们一样能看、听、感觉;它们与我们一样具有这种能力或感觉能力。但是只有人类能思考抽象的思想同时做出理性的决定:他们拥有理智和意志,这使得他们区别于其他动物。对于亚里士多德学派而言,这两种能力在根本上构成心灵。虽然如果没有物质的身体,感觉是不可能发生的,理智的行为在某种特定的意义上是非物质的。

213 对笛卡尔及其追随者而言,精神与物质的界限在其他地方设定。正是意识而非理智或者理性成为定义心灵的标准:精神正是容易接近内省的领域。因此精神不但包括人的知性和意志,而且包含人的视觉、听觉、感觉、痛苦以及愉悦。按照笛卡尔的说法,人的经验的每种形式包含一种因素,这种因素是精神的而不是物质的,并包含一种现象的因素,这种因素只是偶然地联系身体的原因、表现以及心理机制。

笛卡尔像亚里士多德式的前辈一样相信正是精神将人类与其他动物区别开来;但是他这样做基于迥然不同的原因。对于亚里士多德学派而言,精神由理智的灵魂限制,这只是人所拥有的东西。对于笛卡尔而言,精神也延伸到感觉,但是只有人才具有真正的感觉。在人当中身体的机制伴随感觉也可能在动物的身体上发生,但是在动物身上,像疼痛这样的现象只是单纯的机械事件,不伴随任何意识。

在将动物看做是纯粹机器的方面,并非许多人追随笛卡尔,但是,他将意识代替理性作为定义心灵特征的方式得到了广泛的认同。这使得精神出现在一个特定的单独位置。语言运用者显著的理智能力没有任何特别单独之处来表征:我理解量子物理学是由抱负激发,比起我认识的,另一个人可能认识得更好。另一方面,如果我想认识某人正拥有何种经验,我必须给予他的言说一种特定的情形。如果你告诉我你似乎看到或者听到的东西,或者你正想象或自言自语的东西,你所说的不能被误解。当然,这无须是真的——你可能撒谎，或者误解你运用的词汇——但你的言语不是错误的。因而，经验具有某种不容置疑的特征，笛卡尔正是将这种特征作为思想的本质特征，并且作为其认识论体系的基础。①

要理解笛卡尔影响这种革命性变化的方式，我们必须回到第二《沉思集》。已证明他自己满意自己的存在，笛卡尔继续追问："何为我，这是我认识的存在？"直接的答案是，我是一个思想者（*res cogitans*）。"何为一个思想者？它是 214
一个怀疑、理解、认识、确信、否定、意愿、拒绝，同时也想象和感受的人"（AT VII. 28；*CSMK* II. 19）。正如对于笛卡尔的"思"，总是应该得到广义的理解：思总是思考某种这样那样的东西，不但理智的沉思默想而且意志、感觉以及情感被当做思想。以往的研究者从未这样广义地使用这个术语，但是笛卡尔并不认为他正在改变这个术语的含义。他将其运用在日常的项，因为他认为它们具有那样的特征，这些特征是日常事物最重要的，即直接意识。"我使用这个术语来包含任何东西，这些东西存在我们之中，我们能立即认识到它"（AT VII. 160；*CSMK* II. 113）。

依次考察笛卡尔列举的"我思"的显著特征的那些行为。知性与概念——概念的把握以及清晰思想的构型——对于他与亚里士多德学派一样，是理智的运作者。清晰与明确的思想和认识对他而言是理智作为优先性的运作。随即术语肯定与否定被视为先于笛卡尔所说的理智行为；但是对笛卡尔而言，做出判断不是理智而是意志的任务。比如，理解命题"115 + 28 = 143"是一种理智的认识，但判断这个命题是真的，实际上确信"115 加 28 等于 143"，这是意志的一种活动。理智只提供观念，这些观念是意志做出判断的内容（AT VII. 50；*CSMK* II. 34）。自己思想的心灵并不是一个判断的事例：只是考虑一种观念或设定观念，这并不是做出一个

① 参阅第四章。

判断,不确定或否定它们与真实世界之间的任何关系。“肯定与否定”并没有与笛卡尔列举的先前项一致,“知性与设想”更是与后面的项“意愿与拒绝”相协调。意志是对命题(对于事实如何)与项目(关于做什么)说“是”或“不”的能力。

理智是认识能力(*facultas cognoscendi*),意志是选择能力(*facultas eligendi*)。在许多场合,意志选择限制对理智呈现的那些观念做出判断。质疑(因为正是源于笛卡尔普遍的怀疑思想,并来自笛卡尔清单的第一项)也是一种意
215 志行为,而不是理智行为。然而,当这种理智的认识是清晰与明确的时,怀疑是不可能的。一种清晰与明确的感知是一种强化意志的认识,不能怀疑这种认识,无论是多么的难以尝试,这就是由“我思”产生的一个人自己存在的感知。这是可能的,但是错误的,因为意志在没有清晰与明确的感知中做出判断。为避免错误,一个人应该悬置判断,直到感知获得适当的清晰性与明确性(AT VII. 50;*CSMK* II.34)。

笛卡尔信奉意志自由;为了理解他的学说,我们必须记得冷漠性自由(在诸多选择之间的选择能力)与自发性自由(追随一个人意欲的能力)之间的区分。笛卡尔认为冷漠性自由没有太大的价值:那是唯一可能的,赞成与反对一个特定选择,有诸理由的一个平衡。清晰与明确的感知没有留给意志任何的地盘,带走冷漠性自由而不是自发性自由:“如果我们清晰地理解某些东西对我们而言是好的,这是非常困难的——从我的观点看是不可能的,只要一个人继续有同样的思考——停止我们意欲的过程。”人的心灵是最好的,当自发地而不是无动于衷地接受清晰与明确的感知材料。

对于理智与意志的能力就谈这么多。不过,在我思的活动中,想象力和感觉也位列其中。在这里,笛卡尔做出了他最显著的创新。对亚里士多德学派而言,如果没有一个身体,感觉是不可能的,因为它涉及身体器官的运作。笛卡尔有时以类似方式使用动词“感觉”,当他还没有消除他的读者对于他们的

亚里士多德式的偏见时。但在笛卡尔体系中,感觉严格说来只是一种思维方式。我们已经遇到这个段落,在这里尽力从他的怀疑中摆脱出来,他认为,“我现在看见光,听到噪音,感觉热。这些对象是不真实的,因为我睡着了;但至少我似乎看见,听见与感觉热。这不可能不真实,而这正是我恰当称为的感觉。”在这里,他寻求隔离一种不容置疑的直接经验,似乎看到光不能是误会,这一项同样是真实与幻觉的经验。这并不涉及任何判断:这是我可以拥有的一种思想,作为笛卡尔怀疑法则的部分,虽然限制做出任何判断。当然, 216
这种思想可能伴随判断,不是亚里士多德主义纯化的一个人的确将伴随错误的判断,即在全部类似我感知的世界中有真正的东西(AT VII37;*CSMK* II. 295)。

人的感觉由体内运动本端相伴与引起:视觉,例如,通过视觉神经末端运动。但是,这些机械事件只是偶然地联系纯粹的心理思想,笛卡尔能够确认在一个阶段中感觉的发生,他仍然怀疑他是否有一个身体以及是否有一个外部世界。只有在对上帝的真实性沉思之后,上帝给予他官能的本质,他在一个位置基于机械因素发音,这种因素涉及出现在一个包含的心灵中的感觉。

同样的机械运动可能出现在非人类的动物体内。如果我们愿意,我们能够在一种广义中运用这些感觉。但动物不能有思想,感觉,严格说来正存在于思想中。因此,对于笛卡尔,这推断出动物无法承受疼痛,虽然它的身体的机能可能会导致其以一种方式反应,在一个人身上,这将是一种痛苦的表现:

> 对于动物具有思想,我看不到任何论证,除这样的事实之外,既然它们像我们一样有眼睛、耳朵、舌和其他感觉器官,这似乎是可能的,它们像我们一样有诸多感觉;同时既然思想包含在我们感觉方式之中,类似的思想似乎归因于它们。这个论点是显而易见的,从人类最早的时代起,它就已拥

有人类心灵的财富。但还有更有力的与更多的其他观点,但对每个人而言不是这么明显,这些观点竭力主张相对的东西。

动物没有任何感情和任何意识,这种学说似乎并不令笛卡尔同时代的人感到震惊,不像这种学说震惊当今的大多数人。但是,人们恐惧地反应,当他的一些追随者宣称人类与动物一样,只是复杂的机器时。

二元论及其不满

对于人,笛卡尔在心灵与身体之间做出了一种尖锐的区分。在第六《沉思集》中,他谈到他认识到,如果他能清晰明确地理解其他的一个事物,这表明两
217 种东西是不同的,因为上帝至少可以区分它们。既然他知道他存在,但没有认识到任何其他东西属于他的本质,只知道他是一个思维的东西,他断定他的本性或本质只是存在于一个思想的东西之中;他真的从他身体中区分开来,假如没有它也能存在。考虑到这一观点,避免这个结论是困难的,即笛卡尔是令人困惑的,即“我可以清晰与明确地感知 A,假如没有清晰与明确地感知 B,”以及“即便没有 B,我也可以清晰与明确地感知 A。”

作为一个偶然事实的问题,笛卡尔认同,世界中的人是心灵与身体的化合物。但是,这种结构本质,这种心灵与身体之间的“密切统一”是笛卡尔体系中最令人疑惑的特征之一。这个问题甚至变得更加晦涩,当我们被告知(AT XI. 353;*CSMK* I. 340)心灵不是直接受到身体任何部分的影响时,而是受到大脑中的腺体松果腺影响时。一切感觉和情绪包括身体的运动,这些运动通过神经传递到这种腺体,同时在那里给予偶然有某种经验的心灵一个信号。

笛卡尔解释视觉的机制如下：

> 如果我们看到某个动物接近我们，从它身体上反射的光线描绘出它的两个图像，一个在我们的每只眼中，这两个图像形成两个其他的图像，借助视觉神经，在大脑的内部表面，面对自身的孔洞；然后从那里，借助腔内充满液体的重要流动，这些图像辐射到小腺体，这一腺体由这些液体包围，运动构成每一个图像的每一个点，这种运动倾向于这个腺体的同一个点，这个腺体倾向于这种运动，这种运动形成其他图像的点，这个点再现出这个动物的同样部分。借助这种手段在大脑中的这两个图像构成基于腺体的唯一一个，直接影响灵魂，导致它看到这个动物的形式。（AT IX. 355；*CSMK* I. 341）

谈论灵魂看到或阅读到大脑的图像是想象灵魂作为一个小人或小矮人。这是一个谬论，当他描述视网膜图像的结构时，笛卡尔在《屈光学》中告诫自己反对这种谬误。他告诉读者，这些图像是从世界到大脑传递信息过程的部分，它们保留对象的相似程度，它们源于这些对象。"我们不能认为"，他警告道，"这是通过这种图像使得我们认识对象——好像我们在头脑中还有另外一双 218
眼睛来观看它。"

但人体模型的谬误居然涉及处理灵魂与腺体之间的交流，似乎这只是观看或者阅读的问题。心灵与物质之间的相互作用在眼睛几厘米之后在哲学上是令人困惑的，如同这是在眼睛本身之中一样。心灵—身体问题通过引入腺体没有得到解决，但只是变小了。

正如笛卡尔设想的，心灵与物质之间的相互作用，是高度神秘的。在笛卡尔自然体系中，物质原因的唯一形式是运动交流，心灵不是在空间中运动的事物类型。"心灵如何驱动身体?"伊丽莎白公主追问。确实，运动涉及联系，而

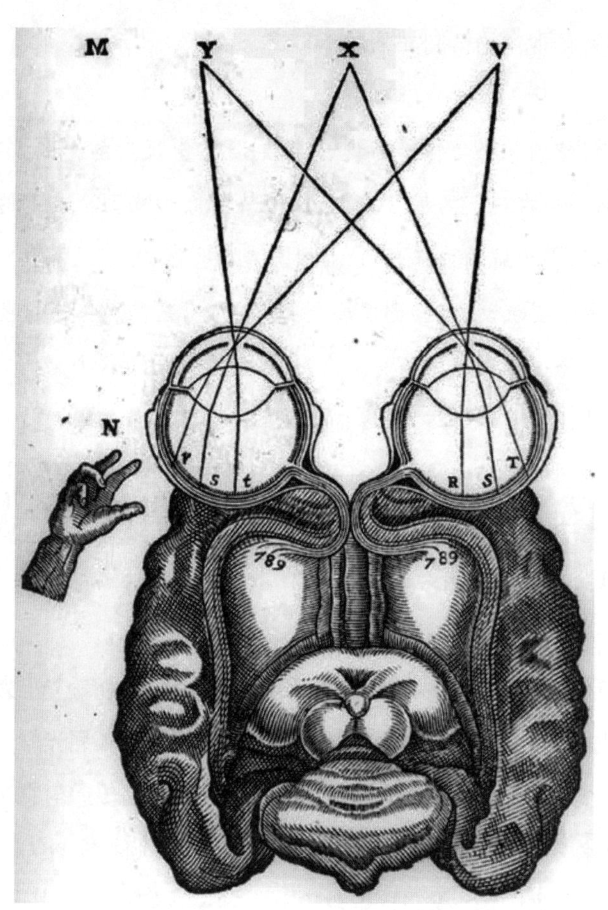

在《方法论》中笛卡尔图解视觉机制。

219 联系涉及广延，而灵魂不是延展的。笛卡尔回应并告诉她去考虑重量，考虑身体的重量，重量对它施加向下的力，然而并不存在任何表面的联系。但重量概念，正如伊丽莎白迅速指出的那样，是笛卡尔自己将它视为一个混乱的经院哲学概念。经过数次交流之后，笛卡尔简要地告诉公主再也不要让这个问题困扰美丽的她。

事实上，伊丽莎白已将这个根本的弱点置于笛卡尔的心灵哲学。笛卡尔的体系是二元论的，也就是说，这是在两个独立世界中的类似信仰——包含物质的自然世界以及包含个体心灵事件的心理世界，这两个世界在体系不同的方式中得到定义与描述，心灵的与自然的实在能相互作用，如果在根本上，只是在一种神秘的方式中，这种方式超越因果性与证据的通常法则。这种二元论是一种根本错误的哲学。伊丽莎白认识到的那种不连贯性在后来数世纪由康德和维特根斯坦以极大的耐心指出来。但笛卡尔的二元论仍存在并在21世纪充满活力。

决定论、自由与相容论

在笛卡尔时代，二元论最严厉的批评家是唯物论者霍布斯，他否定像笛卡尔的心灵一样的任何非延展的、精神实在的存在。虽然笛卡尔夸大人类与动物的区别，然而霍布斯则缩小这种差别。他把人类行为描述为动物行为的一种特定形式。在动物中存在两种运动类型，他认为，一种称为生命的，一种称为自发的。生命的运动包括呼吸、消化以及血液流动。自发的运动是“行走、言说、移动四肢，以这种方式好像首先在我们心中想象到”。笛卡尔（以及他之前的亚里士多德派）归因于理性的操作被霍布斯安排给想象力，一种所有动物共同具有的纯物质的能力。任何类型的所有思想只是头脑中的小运动。如果一种特定的想象是由词语或者其他符号引起的，他称之为“知性”。但是这对所有动物来说司空见惯。“因为一只狗得理解呼唤或理解它主人的地位，许多其他的兽也是如此”（*L*, 3, 10）。 220

动物与人之间的差异在这里只是，当一个人想象一种东西时，他接着想知道他可以用它做什么。但这是一个意志而不是理智的问题。这并不是说意志是人的特殊能力：一种意志只是一个简单的欲望，欲望在慎思结束时出现，“具有慎思的野兽必然也有意志”。人类与动物的欲望同样是机械力的结果。不同的只是人具有一个更广泛的意欲需求,服务于他们施展想象。人的意志自由并不比动物的更伟大。

这种论点引起了极大的反感,并引发了一场著名的争论,与布拉姆霍尔,一个保皇党主教,已遭受霍布斯式的流放。[1] 霍布斯坚持认为,“避免必然性的自由不会在人的意志或动物的意志中找到。”然而,他声称,自由和必然并不一定不相容:

> 自由与必然是一致的:像在水中一样,不仅有自由,而且是由一个通道下来的一种必然;所以人们愿意做同样的行为;因为他们遵循他们的意志,顺从它们的自由;然而,因为人的意志的每个行为、每种意欲与爱好来自同样的原因,来自另一个原因的,在一个连续的链条上,他首要的环节在上帝手中,所有原因的第一因,他们服从必然性。(*L*, 140)

“这是一种残酷的自由,”布拉姆霍尔反驳道,“当鸟的翅膀被夹住时,这种自由像一只鸟一样必须飞翔。这难道不是一种荒诞的自由?”霍布斯回应说一个人可以自由地按照他的意志,但人的意志是不自由的。写作的意愿,比如,或者从写作中逃避出来,并没有使得一个人作为某种以前意志的一个结果。“他不能理解这种差异,即如果他愿意自由去做它与自由去想之间的差异是不合适的”,霍布斯嘲弄道:“听到这种冲突的争论,至少不要当一个作家。”霍布斯的自由解释宣称他是这种学说的创建者,这是所谓的“相容论”,认为自由与决定彼此相容。他以一种简要形式提出它,正如布拉姆霍尔指出的,不能对无生命的代理人的行为方式与像人的理性代理人的行为方式之间的明显差

---

① Published in 1663 as *The Questions concerning Liberty, Necessity and Chance*(《论自由、必然与偶然》), from which the following quotations are taken.

异做出公正的判断。他的观点取决于因果关系的线性模式,在顺序排列的事件中,由于因果关系每一个联系着下一个。因此,我的行为之前由我的意愿引发,我的意愿之前由我的思考引发,这之前由一系列运动引发,这些运动在我的控制之外,这最终在上帝首要的因果性中结束。我的行为是自由的,因为直接先于它的事情是意愿的行为;它是必然的,因为它出现在一个系列的最后,每一项必然是其前者的一种结果。 221

在一个系列的观念中有问题,观念在精神与自然的事件中交替。的确,对于霍布斯,精神事件(一种思想或意志)并没有发生,正如对于笛卡尔它们也如此,在物质空间之外的一个精神领域;对于他,心灵的一切活动实际就是身体的运动。但也存在深入的问题,后来的哲学家将探讨它们,在这种方式中只是确证精神与物理的事件。而且,在许多自愿行为的情形下,在行动之前,没有任何一致的心理活动来履行这种因果作用,霍布斯的相容论版本需要这种意愿。相容论的优点和缺点最好在后来形成的版本中来评价,尤其更为深刻的思想家们,比如康德。①

洛克对于意愿的解释已是对霍布斯的一种改进。他认为,我们发现自己,开始或容忍我们精神与身体行为的一种能力"几乎由一种思想或精神的偏好左右,或者正如它受到指令去做或不做这个或这样一件特定的事情。"这种权力就是我们所说的意志,以及这种权利的行使——发出这样的命令——是意志力或意愿。一个服从这种命令的行为就是所谓的自愿。每当一个人有能力思考或不思考,动或不动,按照他心灵的指引,他迄今为止是自由的(*E*,236-237)。

平等或自由需要两种东西:行为的意志力、行为或宽容的能力。一个网球不是自由的,因为它没有这两种东西。一名男子从坍塌的桥上坠落,具有一种

---

① See below, p. 243, and my *Will, Freedom and Power*(《意志、自由与权力》)(Oxford: Blackwell, 1975), pp. 145-161.

阻止降落的意志,但没有力量这样做;他的坠落不是一种自由行为。即使我有意愿做一些事情,而我实际上做它,这可能不足以使得我的行为成为一种自由行为:

> 假设一个人快入睡时,被领进一个房间,那里有一个人,他希望看到他并与他说话;他在那里被锁在里面,他自己没有能力出去:他醒来时,高兴地发现自己是一个渴慕的伙伴,他愿意待着,比如,他宁愿自己待着也不愿意走开。我要问,这种停留难道不是自愿的吗?我认为,没有任何的身体会怀疑这一点:然而被牢牢地锁在里面,显然,他不待着并非不自由,他没有离开的自由(*E*,238)。

222 这说明一种行为即便不是自由的也可能是自愿的。自由是必然的对立面,但自愿与必然相容。一个人可能喜欢他处在没有变化或变化的国家,即使必然已使得它没有改变。但是如果自愿不足以成为自由的充分条件,这是一个根本的先决条件。代理人根本没有任何的思想和意志,他们全部是必然的代理人。

对于人类意志是否自由的问题,我们了解什么呢?洛克告诉我们,这个问题是不恰当的,如同追问睡眠是否迅速或者美德是不是方形的。这种意愿是一种能力,而不是一个代理者,自由只属于代理者。我谈论意志作为一种能力时,我们应该认识到对它的个人化。如果我们希望,我们能够谈论一种歌唱能力或者舞蹈能力;但认为歌唱能力是唱歌或舞蹈能力是跳舞,这将是荒谬的;这同样是愚蠢地认为意愿选择或意愿是自由的。

在这里,洛克似乎正在回避霍布斯关注的问题。关于洛克自己的解释,一种意志是心灵指导或限制特定行动的一种行为。难道我们说代理人自由地执行或宽容这样一种心灵的特定行为?洛克视为一种普遍的命题。如果一种特定的思想是这样的，我们有能力提出来，或者使之消失，按照我们的偏好，我们是自由的。但他认为，意志不是这种思想。“一个人对于意愿或意志的行为，在他的力量中的任何行为已提供给他的思想时，目前所做的就不能是自由的”（*E*, 245）。

这不仅是我们不能在清醒的生活中帮助某种意愿或其他的东西；洛克认为，我们不能帮助我们具有的特殊意愿。追问一个人自由地愿意运动还是休息、言说还是沉默；他喜欢去问，一个人希望他愿望的东西——这是不需要回答的一个问题。在这里，洛克似乎有愧于一个谬误，这困惑了其他伟大的哲学家：来自真实前提“必然地，如果我喜欢 X，那么我喜欢 X”，到怀疑的结论“如果我喜欢 X，那么我必然喜欢 X”。

但洛克有一个正面的理由来否定意愿选择的自由。他坚持认为，实施一种行为的选择，受到一种先前的心理状态的决定：在目前事物状态中的一种担心。担心独自对意志施加影响并决定它的选择。我们不断地受到各种担心的 223
困扰，那些不可消除的最具压迫性的一种担心“不断地在构成我们生活自愿的列车上决定意志”。当我决定是否对它施加影响使得我们从长远来看幸福时，我们最多能做的是搁置一种特定意欲的执行。洛克认为，这是一切自由之源，这就是所谓的（不恰当的）自由意志。但一旦权衡利弊，产生的意欲会决定意志（*E*, 250 – 263）。

洛克认识到，反对观点能挑战他的体系，即一个人根本不自由，如果他不是自由的愿意，如同他打算做他愿意的事情。他没有直接回到这种反对观点；相反他详尽地考察了是什么因素导致人们做出错误的选择。他的主要解释与柏拉图在《普罗泰戈拉》的对话中给予的解释相同：通过一种视觉错觉的理智对应物，我们误判目前的痛苦与快乐以及未来的痛苦与快乐的比例。他用一个醉酒者的事例来阐明这一点：

> 要是喝酒与快乐相伴，那么在那一刻一个男人夺走他的酒杯，对于生病的胃与疼痛的头，一些男人一定在不多的小时后追随，我认为没有任何身体，无论他在酒杯中获得多少快乐，会在这些条件下，曾让酒沾他的嘴唇；然而他每天呕吐，恶的一面将只是通过时间上的一点差异的谬误来选择（*E*,276）。

洛克论个体同一性

洛克对于人的哲学研究的最有影响力的贡献，不是自由意志而是个体同一性的本质研究。在探讨同一性与多样性时，洛克认同同一性是相对的而不是绝对的：A 或许是像 B 一样的 F，但不是像 B 一样的 G。物质（没有任何增加的部分与没有任何减少的部分）的体量的同一性标准与一个活的存在的同一性标准是不一样的：

> 在活的生物的情境中，它们的同一性不取决于同样部分的一个量；而是取决于别的东西。因为在它们之中物质的大部分变化不改变同一性：一棵橡树，从一株植物长成一棵大树，然后被砍掉，仍然是相同的橡树；一头柯尔特长成一匹马，有时肥，有时瘦，任何时候都是同样的马：虽然，在这两种情况下，可能有部分明显的变化：因此，它们任何一个都不是同样的物
> 224 质的量，虽然它们中真的是其中一个，一个是同样的橡树，另一个是同样的马。（*E*,330）

按照有机体的代谢特征，植物与动物的同一性存在于连续的生命之中。人是动物式的有机体，洛克提出"同样人的同一性"的类似解释。（对于人，当

然，他意味着某一性别的人。）一个人的同一性存在于“一种介入同样连续的生活，借助不断稍纵即逝的物质颗粒，在连续中重要的统一在同样系统的身体中。”他认为，只有这样一种定义，将能使得我们接受一个胚胎与“数年中的一年，疯狂或清醒”能成为一个人以及同样的人，假如不必接受同一性的疯狂的不可能的事例。

迄今为止，洛克的人的同一性的定义似乎是合理的与直接的；但这是复杂的，他不得不将他自己关于灵魂复活与转世的古代理论，与长久尸身的最终拯救以及被遮蔽的灵魂生存的基督教学说关联起来。洛克认为，我们不能将我们对一个人的同一性的解释建立在一个人的灵魂的同一性之上。因为如果灵魂从一个身体移到另一个身体，我们不能肯定，苏格拉底，本丢·彼拉多，切萨·雷博鲁吉亚不是同样的人。有些人以为邪恶的人的灵魂——比如罗马帝国皇帝黑利阿迦巴鲁斯——在死后进入到动物身体作为一种惩罚。“但我认为没有任何身体，要是他能确信黑利阿迦巴鲁斯的灵魂在一头猪中，将会认为，猪是一个人或是黑利阿迦巴鲁斯”（*E*, 332）。一个人是某种并确实有某种形状的动物。无论一只鹦鹉表现出多么的机智与聪明，它依然不是一个人。

然而，解决人的同一性的问题依然没有解决个体同一性的性质。洛克区分人的概念与个人的观念。一个人是“一个思维的理智存在者，他有理性与反思，同时能将自我作为其本身在不同时代与地方有同样思维的东西。”自我意识是个人的标志，一个人的同一性是自我意识的同一性。“这种意识回溯任何过去的行为或思想，至今形成个体的同一性；这是同样的自我，正如它过去的那样；在目前的自我是同样的自我，现在它反思这一行为是做”（*E*,335）。

225

在基督教堂大厅的科勒的洛克肖像。

因此，如果我们想知道 A 是否（在这一刻）像 B（以前）一样是同一个人，我们追问 A 的意识是否延伸到 B 的行为。如果是这样，A 像 B 一样是同样的人；如果不是这样，他们就不是同样的人。但对于意识在时间中向后延长，这是什么呢？但什么是它的意识在时间中向后延伸？这似乎无可非议，我的意识向后延伸，只要这种意识有连续的历史。但是，是什么使得这种意识成为如其所是的个体意识？洛克不能回答这种意识是这个人的意识，因为他在人与个人之间做出过区分。 226

如此看来，洛克必定认为，正如我记得，我目前的意识向后延伸至今。他承认这意味着如果我记住生活在我诞生之前的一个人的经验，我与那个人是同样的个人：

> 无论是否有现在与过去的意识，这是它们共同属于的同一个人。要是我有同样的意识，我看到方舟与诺亚的洪水，当我看到去年冬天泰晤士河河水溢出来，或者我现在写作，我不再怀疑我现在在写作，即看到流溢的泰晤士河河水的去年冬天，目睹常见的洪水泛滥，是同样的自我……与我写作这篇文章的那个我相比，是同样的自我，虽然我现在写作……我是昨天的我（*E*, 341）。

与此相反的是，如果我遗忘它，我过去的不再是我的过去，我能消除我不再记得的行为。我不是同样的个人，但是同样的人，这人做过我已经遗忘的事情。

洛克认为，惩罚与奖励不与人相关，而与那个人相关：这似乎推断出我应该因为我已遗忘的行为而受到惩罚。洛克似乎愿意承认这一点，虽然他选择证明他接受的是非常特殊的事例，是有目的选择出来的。如果一个人适合疯狂，他认为，人的法则不会惩罚“那个疯人因为那个稳重的人的行为；人的法则也不会惩罚稳重的人因为那个疯人做出的事情，因此把他们区分成两个人”。但洛克似乎不愿意考察论题的进一步的结果，如果我错误地认为我记得当时希律王下令屠杀无辜，那么我因为他们的谋杀受到正义的惩罚。一个结论可以从洛克的一个人的定义中推论出来,非常年幼的婴儿,尚未获得自我意识,还不是个人,因此不享有人权和个人享有的法律保护。后世的哲学家已得出这个结论——一些将它作为洛克在个人与人之间区分的一种归谬法,其他人将它作为杀害婴儿的合法化根据。

这不仅是伦理方面的考虑,然而,也可能使一个人犹豫地接受洛克的人格
227 与自我意识的一致性。主要的难题——18 世纪由主教巴特勒(Joseph Butler)提出——在洛克分配给记忆作用的联系中出现,如果一个人称她缇缇,宣称记得某件事情,或在某个地方,我们可以检验她的记忆是否准确,通过调查她是否真的做过那件事或在恰当的时机出现过。我们通过追查她的身体来确认这一点。但是,如果洛克是正确的,这将不会告诉我们有关名为缇缇的那个人,而只告诉我们人缇缇。缇缇自己不可以从里面区分过去事情的真正记忆与目前的意象,这些事情提供它们幻觉作为记忆。洛克对自我意识的解释使得在真实与虚假意识之间的区分变得异常困难。可以做出这种区分,如果我们愿意整合一起,洛克已提出并承认个体是人。

不管洛克在个人与人之间所做的区分有何优点,这并没有穷尽他对人的同一性解释的复杂涵义,因为它包含第三个范畴,精神的范畴。按照洛克的理论,我们同时是一个人(一个动物的人)、一种精神(一个灵魂或非物质的实体),以及一个个体(自我意识的中心)。这三种实在是可以区分的,洛克将变化放在它们的不同组合上。黑利阿迦巴鲁斯化为猪的灵魂为我们提供了两个身体中的精神事例。一个精神可能统一在两个人之中:洛克有一个友人认为他已继承苏格拉底的灵魂,虽然他没有苏格拉底的任何记忆。另一方面,如果目前的昆斯伯勒市长记得苏格拉底的生活,我们将在一个人当中有两种精神。洛克探索了我们不需要探索的更为复杂的联系。有许多难题,绝不是对于洛克体系是特殊的,在灵魂的整个观念作为一种非物质的、精神的实体之中,洛克近代崇拜者几乎不希望保留他的个体同一性理论的这个部分。

斯宾诺莎论灵魂作为身体的观念

在笛卡尔与洛克中,灵魂与身体之间的关系存在问题,当我们转向斯宾诺莎时,这种关系变得比以往更加模糊。斯宾诺莎强调它的方式听起来似乎是简单优美的:灵魂是身体的观念。这意味着什么是不明显的;但它至少表明, 228
斯宾诺莎认为,旨在理解灵魂我们首先要理解身体(*Eth*, 40)。人是身体,与其他身体相关并受到它们限制;所有这些身体是广延的神圣属性的模式。每个身体以及每个身体的每部分是上帝心灵中的一种观念的显现;也就是说,在广延的神圣属性中的每一项对应思想神圣属性的一项。与神圣广延的项即彼得的身体相对应的神圣思想的项是构成彼得心灵的东西。斯宾诺莎认为,这说明人的心灵是上帝无限理智的部分(*Eth*, 39)。

究竟什么是"对应",这种对应构成个体灵魂与个体身体之间的关系?对于斯宾诺莎,这只是同一性。从两种不同的观点审视,彼得的灵魂与彼得的身体是一个与同样的东西。他告诉我们,思维的实体与广延的实体是一个和同样的实体——即上帝——时而在一个特征之下审视,时而从另一个特征之下审视(*Eth*,35)。同样的东西获得这些特征的模态。彼得的灵魂是思维特征的一种模态,彼得的身体是广延特征的一种模态:它们都是一个和同样的东西,以两种方式表现,这种学说意味着消除了困扰笛卡尔的这个问题,即如何解释在这种方式中灵魂与身体相互作用。斯宾诺莎回答,它们根本不互相作用:它们是同样的东西。①

人的身体由大量的部分构成,每个部分是复杂的并能够通过其他的身

① 这不是显然的,即形而上学的论题应该与认识论的论题相一致,后者的论题是 X 的观念是明显区别于 X 的某种东西;或许我们有一个上面证明的"X 的观念"的含混个案。

体以不同的方式修正。构成心灵的观念同样是复杂的，由大量观念构成（*Eth*,44）。斯宾诺莎认为，心灵绝对认识发生在身体中的一切东西（*Eth*,39）。这种非常令人吃惊的观点是由一个后来的命题证明的（*Eth*, 47），这个命题认为人的心灵对身体一无所知，同时不知道它存在，除了通过修正的观念，凭借身体受到影响。我们剩下想知道为何可能没有——正如常识暗示的——心灵没有认识到身体中的过程。为何必定有与每个身体事件对应
229 的观念？

斯宾诺莎的确认同，对于身体有许多是我们不知道的。他认为，心灵除了它自己的身体能感知许多东西，在相对应的许多方式中，身体能接受印象。当我感知时，这种观念穿越我们的心灵，这种观念涉及我自身的身体与其他身体的本质。斯宾诺莎认为，这说明我们在外在身体中具有的观念暗示我们自己身体构成的本质，而不是暗示外在身体的本质（*Eth*,45）。并且，就心灵感知身体的修正的观念而言，心灵只认识自身。这些观念是清晰明确的，同时我们观念的集合没有给予我们充分认识其他的身体或我们自己的身体，或者我们自己的灵魂（*Eth*,51）。"当他在自然的日常秩序之后感知事物时，人的心灵不具有一种充分的而只是一种混乱的与片段的自我认识、自己的身体认识以及外在身体的认识"（*Eth*,51）。

斯宾诺莎将身体观念作为灵魂的阐释产生一个问题，这个问题已困扰了许多读者。我们可能想知道，什么东西应该将彼得的灵魂个体化，并使得它是彼得的灵魂而不是保罗的灵魂？观念自然地认为是在个体化，通过属于或存在于特定的思想家：我的太阳观念不同于你的太阳观念，只是因为它是我的而不是你的。但斯宾诺莎不会这样认为，因为所有的观念只属于上帝。因此它必定是观念的内容，不是观念的拥有者，这种观念将它个体化。但在许多心灵中只有彼得身体的观念而没有彼得的心灵：那么彼得身体的观念如何是彼得的灵魂？

斯宾诺莎回应道：

> 我们清晰地理解两种观念之间的差异是什么，一种观念认为，彼得的观念构成彼得心灵的本质，另一种观念认为，同样的彼得观念也在另一个人保罗中存在。前者直接说明彼得自己身体的本质，同时涉及存在，只要彼得存在；但后者暗示保罗的身体而不是彼得的本质，因此，只要这种特征持 230
> 续，沉思彼得在场，即使彼得可能不存在。(*Eth*, 46)

在这里，关键的段落持这种观点，即彼得的观念是彼得的灵魂，这"涉及存在，只要彼得存在"。难道这意味着当彼得存在时彼得的灵魂不在存在中出现？这似乎是从斯宾诺莎的诸观点中推论出来的，即一个人由身体与灵魂组成，身体与灵魂在两个不同方面之下是同样的东西。彼得、彼得的灵魂与彼得的身体在这种阐释下应该形成与建构在一起。但如果我们追问灵魂是否不朽，斯宾诺莎不会给出一个彻底明确的答案。一方面，他认为"我们心灵的延续只能说成是与我们身体的延续一样的长"——但这种评论只是在一个命题的脚注中出现，这个命题理解"人类心灵不能在身体中受到彻底的破坏，但它的某种东西仍保持那是永恒的"(*Eth*, 172)。但这种真正的结果意味着，既然我们的灵魂是一种观念，所有观念根本上是在上帝心灵之中，以及上帝是永恒的，那么过去从来不存在或者将来存在一个我们灵魂完全不存在的时刻。我们的生命只是上帝永恒生命的一段插曲，当我们死后，生命延续。这是某种非常不同于一种来生的个人生存，这种死后的生活是大众虔诚的愿望。

在宣称身体与灵魂是一个单一的东西时，斯宾诺莎或许可以被视为已创建了一个保留至今的学派：这个学派坚持认为心灵与身体之间的关系是同一性的关系。但他的教义与他更普遍的上帝与自然的同一性论题纠缠在一起，很难在他的论题与后来的同一性理论家的论题之间做出准确的比较。更容易在与他的心灵哲学的另一个根本论题联系中定位斯宾诺莎,即心理决定论。

像霍布斯一样,斯宾诺莎相信我们每一种思想与行为是由一种像逻辑必然性结果一样严格的必然性事先决定的。斯宾诺莎的确相信我们生命的必然性是逻辑结果的必然性,根据他的一般理论,即事物的法则与观念的法则是一个和同样的。“一切东西通过同样的必然性从上帝的永恒存在中推论出来,正如它从一个三角形的本质中推论出来一样,三个角之和等于两个直角之和”(*Eth*, 14)。但对于两类哲学家这个结果是一样的:意志自由将是无知产生的一种幻象:

> 人们在思考自身的自由中犯错误;他们的观念由他们自己行为的意识以及他们受到原因决定的无知构成。他们的自由观念只是他们不能认识他们行为的任何理由。(*Eth*, 53)

231 霍布斯以及后来他的许多追随者争论,虽然我们自由地做我们愿意的,我们并不自由地愿意我们所愿意的。再次,斯宾诺莎更进一步:没有任何像意志一样的东西:

> 当人们说人的行为取决于意志时,这些只是不与任何观念相一致的语言。没有人知道,意志是何物以及意志如何驱使身体;当他们继续为灵魂设想位置与永久之地时,他们激发出了嘲弄或恶心。(*Eth*, 53)

在这里,斯宾诺莎的目标是笛卡尔,笛卡尔将灵魂置于腺体,他将理智与意志的区分放在更重要的位置之上。对斯宾诺莎而言,没有任何意志力;的确有个人意志,但这些只是观念,是以前的观念产生的,这些观念又依次被其他观念决定,诸如此类的无限。笛卡尔将活动归因于意志——比如做出或悬置判断——是系列观念的部分,它们是认识或没有认识。一种特定的意志与一个特定的观念是一个和同样的东西,因此意志与知性是一个和同样的东西(*Eth*, 63)。

莱布尼茨的单子论

斯宾诺莎统一了理智与意志、他的灵魂与身体的同一性作为一个单一实体的诸方面,就在莱布尼茨分拆的他的哲学的诸因素之中。但莱布尼茨并没有回到笛卡尔的体系,在其中,心灵与物质是一个二元宇宙中的两个对立的因素。相反,他给予心灵一个前所未有的特权地位。在笛卡尔的心灵与物质的伙伴关系中,当然,心灵总是占据较高的位置;对莱布尼茨而言,物质只是一个正在沉睡的伙伴。

在《形而上学》中,莱布尼茨接受了笛卡尔的基本主张,即物质是广延:

> 物体的本质不只是存在广延,也就是说,在大小、形状与运动之中,但我们必定必然地在身体中认识类似灵魂的东西,认识我们通常称为实体形式
> 的东西,即使它在现象中没有任何变化,如果它们有很多的话,比动物的 232
> 灵魂多。(*D*, 12)

莱布尼茨继续讨论广延与运动的观念,不像笛卡尔所认为的那样明确:这些主要特征的观念包含一个主观因素不少于比如色彩与温度的第二特征。这是后来贝克莱形成的一个主题。①

① 参阅本卷,147 页。

莱布尼茨运用两个主要的论证反对物质与广延的同一性。首先，如果在物质中除大小与形状之外没有任何东西，他争论诸物体不会提供任何彼此对立的东西。一个滚动的圆石与一块静止的卵石相碰撞，会使得卵石处于运动而自身力量不会失去任何东西。其次，如果物质是纯粹的广延，我们从来不会证明单个的物体，因为广延是无限可分的。无论在哪一点上，我们停留在我们的区分上，我们只面对一个总计——一个总计（比如，由莫卧儿大帝与大公爵的钻石构成的一对）只是一个想象的对象，而不是一个真实的存在。只有某种类似一个灵魂的东西能给予一个身体个体的同一性同时给予它活动的能力（*D*, 21；G II. 97）。

基于这些理由，莱布尼茨被迫重新将实体的形式纳入到哲学之中，这些形式受到广受欢迎的哲学家如此地轻视，同时他为它们取一个名称，它们公认它们的亚里士多德的来源，即"entelechy"。但它在两个方面不同于同时代的亚里士多德学派。首先，他认为虽然实体形式必须解释身体的行为，它们不充分；对于特定现象的解释，一个人必须具有流行的粒子科学的数学与机械理论。如果被追问一个时钟如何告知时间，他认为，探讨它们具有一种能动力而不是解释砝码与轮子是如何工作的，这将是无用的（*D*, 10；G V. 61）。其次，他认为在一个人当中，除一种无限量之外并没有一种真正的实体形式：身体的每个器官有它自己的圆满实现，他告诉阿劳德，每个器官"充满由它们自己圆满实现，馈赠的无限数量的其他物质实体"（G II. 120）。

莱布尼茨在笛卡尔体系中所看到的巨大鸿沟是力量观念的缺乏。"力量或美德的观念，"他在1691年写道，"被德国人称为*Kraft*以及被法国人称为*la force*，以此解释我规划的一种特殊的力学，这阐明实体的真正含义"（G IV.
233 469）。正是因为这个理由，实体形式的观念不得不重新修正。一旦力量的作用得到理解，正是物质而非形式呈现出幻象。他告诉阿劳德，笛卡尔的广延是一种纯粹的现象，像一道彩虹。①

然而，莱布尼茨仍陷入到了笛卡尔错误的心灵与物质的二元论之中。因为力量在一个纯粹广延的世界找不到任何的位置，他将其定位在心灵领域。他将它视为类似人的意欲与意志的欲望的形式。这最明显地在《单子论》中的他的哲学的成熟形式中出现。单子或圆满实现是他体系的基础，具有只有心灵具有的特征。在我们周围我们看到与感受到的迟钝的物体只是现象，潜在的与无法确定的单子的总计。它们不是幻象的实在——在莱布尼茨的术语中，它们是确立的理由充足的现象。但唯一真正的实体是单子。

单子是独立的、潜在的与无法解释的。没有任何部分，它们不能生长或衰退；它们只能被创造或毁灭。它们可以变化，但只是在灵魂能改变的方式之中变化。因为它们没有改变的物理特征，它们的改变必定是精神状态的改变。莱布尼茨告诉我们，一个单子的生命是一系列的认识。一种感知是一种内在的状态，这是在宇宙中的其他项的表象。内在状态将随环境的改变而改变，不是因为环境的改变，而是因为内在的驱动或“欲望”已经由上帝规划到它们之中。

单子是非物质的机器；它们无处不在，它们的数量难以计算：

> 有一个创造的存在的世界——活的东西、动物、圆满实现和灵魂——在物质的最小部分。物质的每个部分可能被构想为一个长满植物的花园与鱼满的池塘。但每株植物的每一根枝条，每个动物的每个部分，以及它们流动部分的每一滴本身照样是类似的花园或池塘。（G VI. 66）

人的身体是细胞的集合体，每个细胞存在一个个体的生命，这种观念仍然是一种新观念，当然不只是莱布尼茨特有的观念。在莱布尼茨的体系中，与人的身 234

① Here I am indebted to Daniel Garber, ‘Leibniz on Body, Matter, and Extension’（《莱布尼茨论身体、物质与广延》）, *PASS*(2004):23–40.

体相一致的单子就像细胞一样具有一个个体的生命历史,但不像细胞是非物质的与永恒的。

我们从笛卡尔的出发点已经走过一条长长的道路。在笛卡尔那里,人的心灵是创造宇宙的唯一灵魂;所有其他的都是无生命的机器。在莱布尼茨这里,最小的细菌的最小部分藏在灵魂之中——它不是只有一个,而是有无数的灵魂。他的确比亚里士多德走得更远,对他来说,只有活的事物才有灵魂。如今在每种货物与石头后面存在许多灵魂。在单子的这种迅速繁殖的旋涡之中,什么使得人的心灵独一无二?

对于莱布尼茨,有生命的与无生命的身体之间的差异就是这一点。有机的身体不只是单子的总计:它们有一个单一主导的单子,这个单子给予它们一个单个实体的同一性。在人当中,这个主导单子是人的灵魂。所有单子有感知与欲望,但人中的主导单子有一个更为活跃的精神生命与一个更加专断的欲望。它不只是有一种感知还有“统觉”。这是自我意识。虽然我们只需通过哲学的推理就能认识其他单子的存在,我们通过这种自我意识认识我们自已的实体性。“我们有一个清晰但不明确的本体观念,”莱布尼茨在一封信中写道,“在我的观点中,这种观念来自这个事实,即我们本身具有对它的内在感觉。”(G III. 247)

灵魂的善不但是它自身的活动而且是灵魂控制所有其他单子的目标或终极因。然而,灵魂没有对任何其他的单子施加任何有效的因果作用,没有任何一个单子对任何其他的施加影响:根据在身体中与在其环境中以及在整个宇宙中由上帝预先确定的和谐中,获得善。再次,莱布尼茨对亚里士多德的重新修正比亚里士多德本身更进一步。目的因正是亚里士多德的四因之一;笛卡尔已从科学中排除它们,但它们如今重新得到承认并被看做是生物学中唯一有限的起作用的原因。

在这一切中,为自由意志留下空间了吗?在理论上,莱布尼茨维护一种完全自由的学说:

绝对说来，与必然性相对照的考察，我们的意志处在一种冷漠状态，它有能力做别的或悬置它的活动，一个或其他的选择存在与保留是可能的。（*D*, 30）

但人，像有限或无限的一切原动力，需要一种理由活动；这从充足理由的 235
原则中推导出来。就自由的原动力而言，莱布尼茨坚持认为为行动提供充足理由的动机"偏向但不必需"。但很难理解他如何能够真正地为人的自由的特定类型留下空间。真正地，在他的体系中，没有任何的原动力来自外部并起作用；一切完全由自我决定。但如果没有任何原动力，不管理性与否，能逐步走出前定和谐为它安排的生命历史。因而，似乎是，莱布尼茨不能持续地接受我们喜欢他在《形而上学》中描述的冷漠性自由。所留下的一切是"自发性自由"——对一个人的诸动机起作用的能力。但是，正如布拉姆霍尔在反对霍布斯时争论的那样，这是一种虚幻的自由，除非它伴随冷漠性自由。

贝克莱与休谟论精神与自我

在贝克莱的宇宙中，只存在两种东西：精神与观念。"前者，"他论道，"是积极的，不可见的实体；后者是迟钝的、飞逝的与依存的存在，这些不是通过自身存在，而是受到心灵或精神实体的支持，或就存在它们之中。"（*BPW*, 98）既然贝克莱的形而上学体系比任何其他的哲学更加看重精神的观念，人们可能期望他将彻底解释这个概念；但事实上，他的心灵哲学是非常空洞的。的确，他告知我们，对于什么是精神，没有任何认识。

这表明不可知不亚于看似的，因为贝克莱在这里，正如通常运用"观念"指涉形象。他认为，在我们理解术语意义的层面中，我们对精神没有任何观念。

一种精神是一种真正的事物，这既不是一种观念又不像一种观念，但“它认识有关它们的观念、意志与理由”（*BPW*, 120）。或许，对于一致性，贝克莱本应该认为一种精神是观念的一种集合，正像他认为一个身体是观念的集合；但就

236

作为克莱因主教的贝克莱肖像暗含他横渡大西洋的勃勃雄心。

精神而言，不像身体，他愿意接受不同于观念的一个根本性的实体观念，观念存在其中。在贝克莱哲学中，在“精神”与“心灵”之间没有任何区别；他只是更喜欢第一个术语，因为它强调心灵的非物质性。

我们如何认识存在像精神这样的东西？“我们通过内在感觉或反思理解我们自身的存在，以及通过理性理解其他精神的存在，”贝克莱告诉我们；但很难理解他如何一致地谈论两种事物的一个。我能感知与反思的唯一东西是观念；贝克莱告诉我们没有任何比认为“我是一种观念或想法”更荒唐的东西。通过他寻求确立其他心灵存在的推理思路是混乱的。

按照贝克莱的观点，我看我的妻子时，我根本没有看到她。我看到的一切 237
是我自己观念的一个集合，我们已在彼此的联系中观察到这些观念。我知道她存在以及其他人存在，他告诉我们，因为“我感知若干运动、变化与观念的联系，这些告诉我存在像我自己一样的某些特定的原动力，这些伴随它们并在它们产生中同时发生。”但我理解的观念是我的观念，不是我妻子的观念；她提供实体的观念是她的观念，对于这些观念我没有任何可能的途径。贝克莱不能宣称她在我的观念的“产生中同时发生”。除我自己与上帝之外没有任何人能使得我具有一种观念。

贝克莱对因果作用的解释是最低限度的。当我们探讨将一种东西作为原因，同时将另外一种东西作为结果时，我们正在谈论观念之间的关系。“观念的联系并不暗示原因与结果之间的关系，但只是指涉事物的一个标志或符号。我看到的火焰不是我接近它时遭受疼痛的原因，而是事先警示我它存在的标志。”但构成我感知我妻子的观念如何能告诉我她观念中的任意一个，我从来不可能感知这种观念，或者对于她甚至没有感知的精神？其他心灵的问题是贝克莱馈赠后来的现象学家的一份无利可图的遗产。

然而，休谟打算阐明的经验主义抛给我们一个问题，这个问题不但与其他人的心灵相关而且与我们自己的心灵相关。唯我论——只有一个人自身的自我真正存在——总是经验主义的逻辑结论,这暗含在这个论题中,心灵只认识它自身的感知。休谟比以往的经验论者更明确地阐明了这种涵义,但他更进一步得出甚至唯我论的自我也是一种幻象的结论。

从笛卡尔与洛克开始,哲学家已不将感觉设想为感知者与外在世界的一个对象之间的一种交换,而是设想为通过某种内在的感知、印象或观念的个体的感知过程。看见一匹马是真正地观察像一匹马一样的视觉的感性材料;感觉一只玩具熊是真的在观察像玩具一样的触觉的感性材料。一个思想家与他思想之间的关系是一个内在眼睛与一个内在艺术馆的关系。休谟全身心地追随这种传统并尽力给予纯粹内在地描述不同的精神活动、事件与状态之间的
238 差异。在他对激情的阐释中,这尤为明显。

一种激情与它属于心灵之间的关系被休谟设想为感知的与感知者的关系。"没有任何东西,"他写道,"曾与心灵一起存在,除了心灵的认识或印象与观念……去恨、去爱、去思、去感觉、去理解;一切只是感知。"(*T*, 67)一个人可能从这一节得出这种观念,即爱一个女人是感知一个女人的方式,正如看到一个女人是感知一个女人的方式;但这根本不是休谟的意思。感受到一种激情时,感知的是激情本身。心灵被表现为一种感知呈现给心灵的激情的观察者。

因而构想的自我本质上是这样一种内在观察的主体:它是内在视觉的眼睛,内在听觉的耳朵;或者确切地说,它应该是内在眼睛与内在耳朵拥有者,无论任何其他的内在感觉器官通过经验论的认识论是必要的。正是休谟有勇气表明作为构想的自我是一个幻想。经验主义教导除内在或外在感官能发现的东西之外,没有任何真正的东西。自我作为内在主体明显不能由外在感官感知。但它能由内在观察发现吗?休谟经过最勤勉的考察之后,依然没有确定自我:

> 每当我最详尽地讨论我命名我自己的东西,我总是无意发现某种特定的感知或其他的,热或冷、光或影、爱或恨、痛苦或愉悦。如果没有一种感知,我从来不会在任何时候认识我自己,从来不能观察到除感知之外的任何东西……如果任何人进行严肃与无偏见的反思,认为他具有他自己的不同观念,我必须承认我不能再用他进行推理。我能承认他的一切是他可能正像我一样的好,这个特定对象是根本不同的。他或许感知到某种单一的和连续的东西,他为他自己命名;虽然我肯定在我这里没有这样一条原则。(*T*, 252)

自我的不可感知性是作为一种内在传感器的自我概念的结果。我们不能品尝我们的舌头,或看到我们的眼睛;自我是一个不具有观察能力的观察者,正如眼睛不是不可见的器官一样。然而,正如休谟阐明的,屈服于经验论者的系统审查时,经验论者的自我不复存在。它不是由任何感觉发现的,无论是内在的还是外在的,因此它准备拒绝作为一个形而上学的怪物。贝克莱坚持观念在心灵之外无处栖身;休谟阐明,对于它们内在于心灵之中没有任何东西。
没有任何自我的印象,也没有任何自我的观念;只有系列的印象与观念。 239

休谟表明内在的主体是幻想的,但他没有阐明导致经验主义者信奉自我神话的根本错误。远离这个绝境的真正道路在于反驳心灵只认识自身观念的论题,以及在于接受一个思考者不是一个孤独的内在感知者,而是一个生活在公共世界的具体的人。休谟没有自我而有他自己,他是正确的;但他自身不是一系列的印象,而是18世纪中期社会中的一个人。

人们可能认为一系列印象如此不同于任何类型的积极原动力,因此,讨论它是否喜欢自由意志是无用的。然而,休谟继续阐明了自然与必然的主题,对于他正式的心灵哲学是不加关注的(探求一个有难度的哲学议题时,这是他的习惯——对于我们可能感谢认同的不一致性。)。他的一般论题认为人的决定与行为由因果原则以及无生命的自然原动力的作用决定，以及同样是可预见的：

> 假如一个男人，我知道他是一个诚实与富足的人，我与他存在一种亲密的友谊，进入我的房子，我被我的仆人围绕，我确信他不打算刺杀我，在他离开屋子之前旨在抢劫我的银墨水台……在十字路口的人行道上，立刻放下装满金子的袋子的男人也希望它将像一根羽毛飞走，一小时后他将发现它不可触及。(*E*, 91)

休谟坚持认为，无论我们做什么，必需动机、环境与行为之间的因果联系。在其他事物中，阶级是一种决定性的特征与行为："一个白天的劳动者的肌肤、毛孔、肌肉与神经不同于一个男人特征的那些东西：他的情感、行为与方法也是如此。"休谟坚持的决定论导致他得出某种模棱两可的结论：一群劳动者应该继续罢工，这对他是不可想象的，正如一个不受支撑的重物不会跌落一样。

虽然他相信人的行为是受到决定的，休谟愿意接受我们的确渴望某种自由。像他的某些继承者那样，他是一个"调和论者"，如果正确地理解，坚持自由决定论的某些人彼此协调。我们自然愿意接受我们行为是必需的，他相信，
240 这来自必然与限制之间的一种混淆：

> 很少人能区分学派中称谓的自发性自由与冷漠性自由；二者之间是相对的暴力，这意味着否定必然性与因果性。第一个甚至是这个术语的最常见的涵义；因为这只是自由的种类，它关系到我们去维护，我们的思想主要转向了它，并几乎普遍地混淆了它(*T*,408)。

经验呈现自发性自由：我们经常没有约束地做我们想做的事情。但经验

并不能为冷漠性自由提供真正的证据，也就是说，有能力做不同于我们实际做。我们可以想象，我们在自身之中感受到这种自由，“但一个观众通常从我们的动机与性格中推断我们的行为，即使他不能，一般说来，他断定，他可能完全熟悉我们的情况和脾气的每个方面，以及我们的面色和品性的最神秘的活力”（*T*,408）。

这样谈论行为的“神秘活力”是一种迹象，即在探讨这种观点时，休谟已遗忘他正式的心灵理论和因果性理论。事实上，他真正的人类意志的定义与它们不相容。“根据意志，我的意思只是我感觉到与我认识的内在印象，当我在认识上产生我身体的某种新运动或者我心灵的新认识时”（*T*, 399）。鉴于他的因果性的观点，我们必定想知道休谟有什么权利来谈论我们“产生”的运动与认识。但是，如果我们用“某种新的运动被认识来产生”代替“我们在认识上产生任何新的运动”，这个定义似乎根本不恰当。

康德的心灵剖析

正如康德所描述的，心灵的剖析包含许多传统的元素。他在理智与感觉、内在感觉与五种外在感觉之间做出了区分。这些区分尽管受到一些哲学家的反对，但从中世纪以来一直是老生常谈。康德迄今为止的唯一创新就是赋予了传统能力以新的认识功能。但他继续新的区分，在心灵哲学方面提出新的洞见。 241

在《判断力批判》中，康德区分了人的心灵能力：(1)认识能力；(2)感受痛苦与快乐的能力；(3)意欲的能力。在这个语境中，“认识能力”意思是理智的能力，在这里康德做出了三种区分，知性（*Verstand*）、理性（*Vernunft*）与判断力（*Urteil*）。知性是在经验概念化中理智的合法运用。这是我们从第一批判中理解到的东西,"理性"在那里是作为一个技术术语运用的,在超验思辨中服务于理智的不合法地运用。在第二批判中,一种积极作用给予理性作为伦理行为的仲裁者。但是,从早期的批判中尚不清楚判断的功能。以往的哲学家已使用这个术语(正如康德自己常常这样做),表示同意某一类的一个命题。在第三批判中,康德关注审美趣味判断。因此,我们的能力三位一体:一个是知性,它将真理作为它的对象;一个是实践理性,它将善作为它的对象;一个是判断力,它将美与崇高作为它的对象(M,31ff.)。

所有理智的行为伴随着自我意识。就知性而言,康德彻底地阐明了这一点。经验的概念化涉及在一个单一意识中认识的所有项的统一。在第一批判题为《统觉的原初的综合统一》的困难的但具有创造性的与深刻的章节中,康德分析谈论了自我意识的统一意味着什么(*B*,132－143)。

我不可能发现某些东西是我意识的项。认为我面对意识的项,然后继续想知道它归属谁,然后研究断定它只是属于我自己,这是荒谬的。通过反思我认识意识经验的许多特征(痛苦吗?清楚吗?等等),但我不能意识到这是我的。一个人能对他的感觉进行自我意识的发现,康德称之为"统觉"。一个人不依赖于经验认识作为自己的意识,康德指出了这一点:一个人自我意识中的
242 自己的所有权不是一种经验的统觉,而是一种"超验的统觉"。

在单一意识中统一我经验的东西不是经验本身;我的经验自身,正如康德所言,是"色彩丰富的与多样的"。统一是由知性的先天活动创造的,知性进行诸直观的一种综合,它们与康德所谓"统觉的先验统一"整合起来。但是,这并不意味着我有某种先验自我的知识。统觉的最初统一给予我只是自我的概念;对于任何实际的自我意识,经验是必要的。

康德与笛卡尔一样,认为"我思"的思想必须伴随所有其他可能的思。自我意识与思想是分不开的,因为自我意识必然要去思考,在经验之前,我们将事物归因于那些特征,那些特征是我们思考它们的必要条件。然而,康德极其

反对笛卡尔从我思得出的结论。在题为《纯粹理性的谬误》的先验辩证的章中，他不断地攻击笛卡尔心理学，的确基于先天与普遍的理性心理学。

虽然经验心理学将灵魂视为内在感官的对象，理性心理学将灵魂作为思维主体。康德认为，理性心理学“自称是建立在的单一命题我思基础上的一门科学”。它宣称研究一个未知的 X，思维的先验主体，“我或他或它（事物）思想”（A，343－345）。

超越纯粹经验心理学限制的我们的自然动机导致我们陷入种种谬误之中，康德称之为“谬误”或虚假的演绎。他列举了纯粹理性的四种谬误，可以粗略概括如下：（1）从“必然的思维主体是一个主体”，我们断定“思维主体是一个必然主体”；（2）由“划分自我毫无意义”，我们断定“自我是一个不可分割的实体”；（3）从“我认识到时，这是同样有意识的我”，我们断定“当我认识到，我认识到同样的我”；（4）从“没有身体我也能思考我自己”，我们断定“假如没有我的身体，我也能思考我自己”。

在每一个谬论中，通过逻辑花招，一个无害的分析命题被转换为一个有目的的先天综合命题。在这些谬误的基础上，理性心理学断定自我是非物质的、纯粹的、个人的、不朽的实体。

灵魂不朽的理性证明只不过是妄想。但是，这并不意味着我们可以不相信未来的生活。作为实践理性的假设，在现实生活中，幸福显然不与美德成正 243
比；因此，如果我们打算积极地表现善良，我们必须相信平衡将在别处的另外一种生活中得到弥补。康德宣称，对于信仰来生，理性心理学的反驳是一种助益，而不是一个障碍，“因为纯粹思辨的证明始终不能对人的日常理性产生任何影响。如此站在一根头发的一点上，甚至诸学派保护它免于跌落，只要它们不断地像一个转轮一样旋转”（B，424）。

康德心灵哲学的积极因素已产生了最深远的影响，这个因素是他对自由与决定论的探讨。他对这个论题的贡献不是出现在献给理性与经验心理学的

第一批判的章节中,但诸二律背反旨在解释尝试将宇宙作为一个整体来考察的不一致性。第三个二律背反将世界观念作为一种单一的决定论体系与没有理由的自由行为可能性中的信仰关联起来。这个二律背反的主题是后来由托尔斯泰在《战争与和平》最后雄辩地提出来:

> 来自最早时代的自由意志问题已占据人类最优秀的知识分子的心灵,在最早时代已显示出它巨大的意义。这个问题在于,如果我们把人作为主体,无论从哪种观点看——神学的、历史的、伦理的或哲学的——我们发现必然的普遍规律,他(像其他一切的存在)屈从这种规律。但是,从我们自身中审视人——人作为我自己内在意识的主体——我们感到自己是自由的。

托尔斯泰认为,必然法则通过理性教导我们,迫使我们放弃一种虚幻自由,我们的无意识依赖于普遍法则。

另一方面,康德认为决定论与自由可以调和。在第三个二律背反中,不像前两个二律背反,如果恰当地解释,正题与反题是真实的。正题认为自然的因果性不足以解释世界的现象;除决定性的原因之外,我们必须考虑到自由与自发性。反题假定先验自由听任自我盲目的无法则。正如托尔斯泰指出的那样,"如果在一千年中数以百万计的人中产生出一个具有自由行事能力的人,譬如,正如他选择的那样,显然,法则意志中的那个人单一自由的行为将足以
244 证明,控制全部人类行为的法则不可能存在。"

康德像托尔斯泰一样,是一个决定论者,虽然他不是一个严格的决定论者,而是一个软弱的决定论者。这就是说,他相信决定论、人的自由与自发性是调和的。他认为,人类意志是感性的但漂移不定的:也就是说它受激情影响但不受激情决定。"人有一种自决能力,独立于通过感觉冲动的任何强制。"但这种

自我决定能力的作用有两个方面:经验的(经验中感知的);以及可理解的(只通过理智把握的)。自由的原动力是感性结果的理智原因;这些感觉现象也是一种不变系列的部分,这个系列按照不变的法则呈现。为调和人类自由与决定性的自然,康德认为,自然在时间中运作,虽然人的意志属于超越时间的一个非现象的自我。

数个世纪以来,神学家们已寻求调和人类自由与上帝的全知,通过假定上帝的认识在时间之外。这是一种新颖的观念,哲学家旨在调和人类自由与自然万能,通过假定人类自由在时间之外。康德宣称人的意志是非时间的,他自己给予自由行为诸多事例,比如他从书桌旁的椅子起来,调和这两者的确困难。但直到现在,哲学家印象深刻的一种思路像康德一样寻求揭示自由与决定论彼此相容。这的确是正确的,因果性的解释("我打他,因为我被推")以及通过理由的解释("我打他给他一个教训")是两种极其不同的解释类型,一种解释不能被简化成另一种解释。康德正确地强调这种差异,这必定是任何调和对象的基础。

在黑格尔形而上学中,自由与决定论之间的调和呈现出一种巴洛克的形式。个体人的选择,比如凯撒决定跨过卢比孔河,实际上由世界精神决定,他运用"理性的精巧"将效果给予它的目的。但这种必然在个体层面上作用,它是自由最高形式的表现,因为自由是精神的本质特征,它日益增强的表现是历史的主导力量。 245

黑格尔谈及世界精神时,对于非个人的历史力量的运作,他对它所论及的不只是纯粹的比喻。在所有经验主体中,黑格尔的精神类似康德统觉的先验统一,这本身不能是经验的对象。康德试图假定在每个个体心灵生活中将有这样一个独立焦点。但黑格尔会问,对于这样一个假设,存在怎样的基础?在康德先验自我的背后伫立着笛卡尔的自我;笛卡尔"我思"的一个最初批评家指出这个永恒问题:你如何知道正是你在思,而不是世界灵魂在你当中思?黑格尔的精神意味着先于任何个体意识的意识中心。一种精神在笛卡尔和康德的思想中思考若干次,或许只是将我作为一个单个的人,能同时感觉到牙疼与在我自己身上不同部位的痛风。但难以在经验的或分析的心理学中容纳一种精神,它的行为表现是整个宇宙的。绝非一种心灵哲学,黑格尔提出一种"心灵哲学"。

至于人类心灵哲学,在这个时期作出最大贡献的思想家,毫无疑问是康德。整个 17 世纪和 18 世纪,心灵哲学从属于认识论,这是笛卡尔追求确定性的结果。在这种追求的过程中,笛卡尔与唯理论者贬低感觉的作用,而英国经验论者消除理智的作用。这使得康德绝顶的天才再次将它们整合在一起,即他前辈的偏执能量已毁灭的东西,阐释人类心灵可以公平运用它的各种能力。在他的著作中,认识论与哲学心理学再次携手,正如它们在中世纪最优秀的著作中所做的那样。

第八章

伦理学

伦理学史通常在 16 世纪飞快地略过。在中世纪全 246
盛时期,道德哲学出现在评论亚里士多德的《尼各马科伦理学》以及论自然的专著,或者揭示上帝的法则中。阿奎那的《神学大全》包含两种因素,但体系是围绕美德概念而不是围绕法则概念来建构的。正是阿奎那的后继者,从司各脱以降,在表现基督道德中赋予了神圣法则理论以中心的位置。[①] 在宗教改革运动与反宗教改革运动的影响之下,伦理学的中世纪传统遭受了一次打击,从此它再也没有恢复过来。

在只由基督教提供的神的恩典的缺席中,路德与加尔文强调人性的堕落。对他们而言,人的拯救与幸福的道路只有通过信仰,不能通过道德的努力,对伦理学的任何哲学体系而言,几乎没有地盘。亚里士多德是唯一可能的好的生活敌人,而不是这种生活的友人。对于其他

① 参阅第二卷,263 – 277 页。

古代的圣哲,他们的教义不能引向美德;正如奥古斯丁坚持的那样,它能做的最好的是给堕落增添一抹光辉。

天主教徒不同意人的善良的可能性已被堕落彻底地毁灭,特兰托公会宣称,谈论非基督的所有事迹是罪恶的,这是一种异端邪说。但公会的戒律规定给予天主教道德神学一个新的方向,这远离阿奎那对亚里士多德学派与奥古斯丁伦理学的综合。在 1551 年的一次裁定中,强化了 1215 年拉特兰公会的一条法则,规定所有天主教徒必须向神甫定期忏悔。在两类罪恶中做出了一种区分,不可饶恕的与轻微的:不可饶恕的罪恶是更严重的,如果不忏悔,罪人易遭受地狱的永久惩罚。在新法则之下,按照它们的种类、数量与情境,一次忏悔限制在忏悔所有不可饶恕的罪恶。因此,天主教的道德学家很少聚焦美德的考察,而是关注不同种类罪恶的分类与个体化,以及罗列罪恶的程度或缓和情境。

诡辩术

247 特兰托公会裁定养育了一个全新的伦理学学科:诡辩术的学科。通常的诡辩术在特定的决定中运用道德原则;特别对于"良知个案",这些原则可能看似彼此冲突。在宽泛的意义上,任何专业的建议解决一个特定的道德困境,这个建议可能作为诡辩术的一种运用:比如,一群神学家给予查理五世的指导处理他的新美洲的议题,或者劳德(Archbishop Laud)给予查理一世的忠告论及弹劾斯坦福伯爵的合法性,但同时代人与历史学家谈到诡辩术时,他们通常记得 16 世纪和 17 世纪大量出版的教科书与指南,这些不处理实际的决定,而是虚构的案例,忏悔者与精神指导者在它们处理忏悔与虔敬时作为一种指导。

虽然诡辩术的指南出自不同宗教原则的神学家之手，诡辩术仍然与耶稣会会士、耶稣会奠定的反宗教改革的原则有着特别的联系。然而耶稣会会士的系统训练准备更博学的学生研究阿奎那的道德体系，那些注定对于非学院著作而言通过研究良知案例学习他们的伦理学，研读诡辩术的指南，聆听诡辩家的演讲，通过案例指导实践牧师职责。耶稣会会士极其需要作为忏悔者，特别对于伟大的与善良的；1602 年，普遍的指示有责任发布一条特殊的指令《论国王的忏悔》。因此，诡辩术取得政治与伦理的地位。 248

这幅宗教手抄本的插图呈现一个印第安人正在一群光头修士中洗礼。

在 16 世纪，诡辩家不得不面对许多新的道德问题。最重要的问题之一是基督徒与新发现的美洲大陆的土著居民之间的关系，难道西班牙与葡萄牙殖民者有权利占有土著民族的土地并让他们成为奴隶吗？查理五世皇帝 1550

年在巴利亚多利德召开了一次神学家参加的会议探讨了这个问题。他帝国的历史学家塞普尔韦达(Sepulveda)将他的理论建立在亚里士多德的教义上,即有些男人更适合于服务而不是统治,因此是天生的奴隶,并不知道基督教,正好能被奴役与强制地皈依。这种观点当即遭到拉斯卡萨斯传教士的否定,并在那个时代的最有影响力的西班牙神学家中的两位的公开出版物中受到强有
249 力地攻击,一个是多明我会会士维多利亚,另一个是耶稣会会士苏亚雷斯。

在他死后出版的著作《印第安人》(1557 年)中,维多利亚(Vitoria)首先为圣托马斯的教义辩护,异教徒的强制皈依是不正当的,他继续否认要么教皇要么皇帝对印第安人具有任何的裁判权。他坚持认为,印第安人有所有权与财产权,就好像他们是基督徒一样:他们建立了一个真正的政治社会,他们的市民安排表明他们喜欢理性的全部运用:

> 在他们的事件中有某种方法,因为他们拥有秩序化安排的礼仪,他们有确定的婚姻与地方法官、领地、法律与工作,以及变换的系统,一切需要理性的运用。①

对于借口他们没有对于他们财产的真正所有权,他断定没收这些异教民族的土地与财产不存在任何正当的理由。耶稣会会士苏亚雷斯在探讨战争的正确与错误时运用了一条类似的思路。②

16 世纪的海外探险与国际贸易的拓展驱使诡辩家慎思方法的伦理学,借助这些方法,为航海的冒险提供资金,在某些圣经文本与亚里士多德的货币本质分析的基础之上,阿奎那严厉谴责借贷的嗜好。③ 然而,阿奎那认识到,在为

① *De Indis Recenter Inventis*(《印第安人》), 1.23; quoted by Bull et al., *Hugo Grotius and International Relations*(《格劳秀斯与国际关系》)(Oxford:Oxford University Press, 1990), p.46.

② 参阅 281 页。据说拉斯卡萨斯、维多利亚与苏亚雷斯的观点并没有对基督教殖民者产生更大的影响。

③ 参阅第二卷,27 页。

一个项目提供资金的两种方式之间存在重要的差异。一个是通过借贷成为企业主(还贷者是否风险延续);另一个是在商业中购买股份(投资者部分地遭受失败的风险)。第一个是高利贷,这是邪恶的。第二个是合伙企业,这是令人尊敬的(*ST* 2.2 78. 2 ad 5)。

禁止高利贷在整个中世纪得到贯彻:这得到圣安东尼鲁斯的复述,他是15世纪佛罗伦萨的大主教,这座城市是伟大银行家的领地,比如梅迪奇。安东尼鲁斯的确在一种特定的场合中允许放贷:如果耽搁偿还,借贷将导致借贷者不可预见的损失(鉴于技术术语损害浮现)。这被视为对遭受损失的补偿,而不是对放贷本身的嗜好,但这种最低限度禁止的放松导致在16世纪在诡辩家的手上彻底削弱。 250

第一步是引入机会成本的概念。放贷时,一个人放弃诸事物中的一个,从选择使用别的货币中可能获益。因此损害浮现是由增加的(获益)作为所有权来偿还。16世纪,资本主义扩张对于另外的投资增添了多重机会,因此诡辩家争论在几乎每个场合中存在一个或其他的为征税提供这些合法的证明。

诡辩家的逻辑当然存在他们自己的术语中,这是非常可疑的。对于我借给你的钱,我的确可以运用于其他的用途:我可以将钱借给其他的人,或者我在一个合伙企业中投资。但在最初的假定中,我在借钱给你时正在失去的唯一收益本身是无原则的即高利贷获得的收益。在第二种假定中,可以肯定的是我通过对你放贷,我正在失去任何东西。我另外的风险可能变得更糟,同时离获益非常遥远,我将损失我的资金。你可能表明借钱已对我有一个好的转机。

然而,许多诡辩家被大银行家族雇为顾问,以更为复杂的方案来规避禁止高利贷。巴瓦瑞公爵(Bavaria),在他统治的地方,这些方案非常流行,1580年,由耶稣会的一个委员会考察后提出了一个如下案例。值得用它自身的术

语援引过来,因为它是“良知个案”的一个典型形式的构成:

> 提颓斯,一个德国人,借给思普努斯一笔钱,思普努斯是一个财富者,钱借给他没有任何特殊的目的。情况是提颓斯每年收益每100获5,最后获得整个资金。本金没有任何损失,提颓斯必定获得他的5%,思普努斯最终是否获利。①

提出的问题是:这个契约是合法的吗?委员会成员给予一个更高层面的
251 答复,但在它的基础上,耶稣会律令宣称这种契约在道义上是允许的。因此禁止放贷在罗马天主教中是一个无效的文献。

神秘主义与斯多亚哲学

诡辩术最兴盛时期是从1550年到1650年的这段时期。在这一时期,出版的诡辩术的著作当然不是唯一的生活向导。一方面,也有包括实际道德劝诫的许多小册子;另一方面,一些作家极力推崇古代伦理文本的价值。作为这两种趋势的代表,我们可以考察圣约翰与笛卡尔。

克罗斯的圣约翰(St John of the Cross)(1542—1591),阿威纳的圣特瑞萨(St Teresa of Avila)的精神导师,他改革卡门利特法令,是一位诗人与神秘主义者。他的著作《灵魂的黑夜》描述了长久与痛苦的上升,最终与上帝融合。根据难以理解的极度狂喜,他描绘目标的狂热。但他阐明通向它的道路是彻底的痛苦与自律。首先,人必须进入感觉的黑夜,但这只是为灵魂黑夜准

① Quoted by Jonsen and Toulmin, *The Abuse of Casuistry*(《诡辩术的滥用》)(Berkeley: University of California Press,1988), p.189.

备的幼稚园,并只是神秘爬升的第一阶段。正因为如此他设定精神生活的最初步骤:

> 总是努力喜欢,并不是说这是最容易的,而这是最困难的;
> 并不是说这是最令人愉悦的,而是说这是最不令人愉悦的;
> 并不是说这是宁静的,而是说这是讨厌的…
> 为在每件事情中获得愉悦,
> 在无中渴望拥有愉悦。
> 为达到拥有一切事物,
> 渴望不拥有任何东西。
> 为达到是一切东西,
> 渴望一无所有。

圣约翰的著作是16世纪奉献的最严厉的指导,给予一群隐居的少数人清晰的引导。但同样的教义,以一种更富情感的形式,由法国主教塞勒斯(St Francis de Sales)呈现了出来,在他的《虔诚生活导引》(1608年)中,神性目的的首要工作是安排人们在世上过一种世俗的生活。 252

笛卡尔虽然是一个虔诚的天主教徒,阐明道德灵感来自不同的源泉。他开始全面怀疑的计划时,他通过设定一个临时的道德法则保护他自己,包含三条重要的原则:首先,遵守国家的法律与习俗;其次,一旦做出决定,坚决执行;最后,"总是尽力控制自己而不是控制命运;改变自己的意愿而不是改变世界秩序"。他认为,这是"古代哲学家的秘密,他们能从命运的控制中退隐,同时在痛苦与贫穷中,能质疑他们的神是否像他们一样的幸福"(AT VI. 26;*CSMK* I. 124)。

审视天主教的实践看似只是作为"遵守国家的法律与习俗"的一种细分:

正是向古代的斯多亚主义,年轻的笛卡尔寻求伦理的指导。后来同样的十年,他与伊丽莎白公主通信也是这样。他重复了他的三条原则,指导她追寻幸福的真正本质,他注释塞内加(Seneca)的《论幸福》(*De Vita Beata*)。在他的道德劝告的信中,他在激情的调适中不断强调理性的作用,这使得我们相信某些善良与它们相比更有魅力。“理性的真正功能”,他写道,“如果没有激情,在生活行为中检查与思考身体与灵魂的一切完满的价值,这些能由我们的行为获得,因此既然我们通常被迫剥夺我们自身某些善良,旨在获得其他的,我们将总是选择较好的”(AT IV. 286;*CSMK* III. 265)。

笛卡尔与伊丽莎白通信形成的某些观念变成了《论激情》。这像是在道德哲学中的思辨生理学的一次实践:理解我们激情的身体原因,笛卡尔相信,将它们置于理性控制之下是一种有益的帮助。他认为,激情的详细探讨,是在他自己的道德哲学优于古代人的道德哲学的领域之中(AT XI. 327 – 8;*CSMK* I. 328 – 329)。

激情的描述呈现了笛卡尔最全面的道德观念,这种激情是 générosité 的激情,这个术语无法准确地翻译成英语。他毫无疑问是丰富的,但他意味的比这更多:我们可能用不合时代的方式谈论,他是那个完美的绅士。笛卡尔告诉我们,这样的人:

> 自然地去做伟大的事情,同时不会承担任何他们无能为力的事情。因为
> 他们高度尊重其他人做好事,同时鄙视他们自己的利益,他们总是彬彬有
> 253 礼,亲切与感激任何人。而且,他们完全控制他们的激情。特别地,他们
> 掌控他们的欲望,控制嫉妒与羡慕,因为他们认为足以值得追求的一切东
> 西是其获得物仅仅依存于自身的东西。(AT XI. 448;*CSMK* I. 385)

帕斯卡尔反耶稣会会士

笛卡尔的绅士是平静的、淡漠的与自足的,生活在不同于诡辩术士忏悔生活的世界,诡辩术士沉溺在罪恶之海同时从他们的忏悔者恳请劝告与解脱。但借助那个时代的《灵魂的激情》,诡辩术者已背负了巨大的坏名声,在1655年帕斯卡尔出版他的《外省人的信》中达到顶点。诡辩术者赞同的三种实践被帕斯卡尔不只是视为流言飞语:歧义性、或然论与意图指引。我们将逐个讨论。

传统的基督教教义严格禁止撒谎:奥古斯丁与阿奎那赞同深思熟虑地说出一个谎言总是有罪的。这并不总是有必要说出全部事实,但甚至挽救一个无知者生活时,他必须不能说谎。这种教义似乎在16世纪对许多人来说是严厉的。在伊丽莎白女王的英国,一个神甫或耶稣会会士进入这个国家,是一种死罪,天主教传教士不得不秘密地转移,常常隐居在偏僻的乡村住宅中。如果政府官员搜查一座房子来搜捕神甫,主人否认房中有神甫难道是合法的吗?

1595年,英国的耶稣会领导者,神甫伽内特(Henry Garnet),在一部题为《论歧义或反对谎言与欺骗的掩饰》的匿名小册子中,以肯定的方式回答了这个问题。房子的男主人或女主人应该说"房子里没有神甫,"同时意味着"任何人必定会告诉你,房子里绝对没有神甫。"这不是一个谎言,他争论道,因为一个谎言是说一件事情的同时相信别的事情。在这种场合中,言说的主张与言说者心中的主张是一致的;这只是言说揭示出主张的一部分。但在神学家中这是普遍的基础,当这会危害一个无辜的第三者时,一个人不必说出全部的事实,因此,这种歧义是完全合法的。

254

伽内特行刑前站在断头台上，因为火药阴谋中的合谋而被处以绞刑。

255 伽内特对歧义的修正震惊了他团体中的许多诡辩家。在给予的答案的意义上，其他人曾准备为歧义辩护，答案包含的术语本身含混不清。它通过一种完全私自的词汇的增加或减少（“精神保留”正如它称谓的那样）从而彻底改变一个言说句子的自然意义，这是一个不同的问题。许多人觉察到这种歧义，比如欺骗的虚伪比撒谎更坏。在他因为1605年火药阴谋中的同谋而受到审判与处决之后，对英国新教徒而言，伽内特成为欺骗性的耶稣会会士的典型。在莎士比亚的《麦克白》中，邓肯的谋杀者，一个醉醺醺的搬运工想象它是地狱之门的看守。在那些敲打并得到承认的人中：

> 信仰，这是一个模棱两可者，这能在两种制度中诅咒反对每一种制度，谁为了上帝犯判国罪，然而不能对上天模棱两可：哦，进来吧，模棱两可者。（Ⅱ. iii）

伽内特为“精神保留”的辩护甚至在诡辩论者中也是一种少数人的观念。但有一个第二阶的道德法则，得到诡辩论者的广泛坚持，这给予少数人的观点一种特别的意义。假如道德学家彼此不同意一个特定的行为是否有罪：执行它是合法的吗？一个思想的流派回答说一个人必定采取最不危险的进路，并克制；这是所谓的“稳妥说”，拉丁语 *tutior* 意思是“安全者”。另一个思想流派谈到一个人能执行行动，只要大多数权威认为它是合法的。这是“或然论”，即坚持认为一个人必须遵循更加可能的观点。但第三种理论在许多诡辩论者中流行，即认为甚至更不可能的意见可以合法地接受，假如它的确是可能的。是“可能的”，这是充分的，这种意见由处于权威位置的某个人坚持，即使他可能面临大多数专家的反对。这是“或然论”的学说。这是第一次在1577年由一个研究圣托马斯的多明我会注释家提出来，萨拉马卡的麦地那，他写道，“如果一种意见是可能的，虽然相反的观点更具有可能性，但遵循它是正当的。”①

---

① Quoted in Jonsen and Toulmin, p. 164.

或然论的运用或许非常不同于今天律师围绕商业与政治交易的日常实践，直到一个人发现，他个人愿意暗示一个人已决定的行为过程是完全合法的。但是，对于像帕斯卡尔这样的思想家，这似乎吞噬了整个宗教道德的基
256 础。道德家关于重要问题的各种观点，虔诚的人可能会视为丑闻，表明对于或然论者的假设，将是一个喜讯。“我现在理解这种目的，”他对一个虚构的耶稣说，“在你的博士探讨每个主题之间的观念冲突中。其中一个人将总是服务，而其他的对你没有坏处。”(*LP* V. 51)有些诡辩论者竟然认为，意见可能被一个纯粹的道德家解释，假如他是一个重量级人物。正如帕斯卡尔理解的，这意味着，任何新来者已使得他坐上道德神学的椅子，可以推翻所有基督教教父的教义。

在他攻击的纰漏处，他声称在他们当事人中的受到鼓励的耶稣会忏悔者，帕斯卡尔挑选出来的攻击目标之一是“意图指向”的实践。在他的著作中，虚构的耶稣说：“我们的指导方法为自我的建议存在，作为一个人行为的目的，一个允许的对象。到目前为止，我们可以把人从禁止的东西中带走，但我们不能阻止行动时，至少我们可净化这种意图。”因此，例如，允许杀死一个人以偿还一次侮辱，尽管《圣经》告诉我们不要以怨报怨。“你所要做的就是从复仇的欲望中改变你的意图，希望捍卫自己的荣誉而犯罪，这是允许的。”决斗是禁止的，但如果一个人受到挑战，他可以指定地点，并没有决斗的任何企图，但避免被认为是一个懦夫；同时，如果受到一个对手的威胁，人们在自我防卫时当然可以杀死他。

这种意图指向明显只是想象的实施，这种想象与真正意图几乎无关，这表现在一个人选择达到目的的手段之中。帕斯卡尔攻击的正是这种学说，这羞辱了双重效果的学说，根据这种学说，意图的与一个人行为的无意图的效果之间存在一种重要的道德区分。如果双重效果理论与意图指向的实践结合，这只不过是为达到目的的手段而辩护的一层虚伪外衣。

然而，这只是诡辩争论双方的伪善。帕斯卡尔在《外省人的信》中提出作

为一个世人对于耶稣会会士忏悔者的过分轻慢感到震惊。事实上，作为一个
詹森主义者，他不但理解耶稣会会士，而且理解任何道德家愿意对作为撒旦工 257
具的人性弱点做出丝毫的让步。在罗亚尔港，他和他的朋友把自己看成为一
个小特权的选择，选择拯救的艰难道路，同时大部分人正在步入诅咒的道
路上。

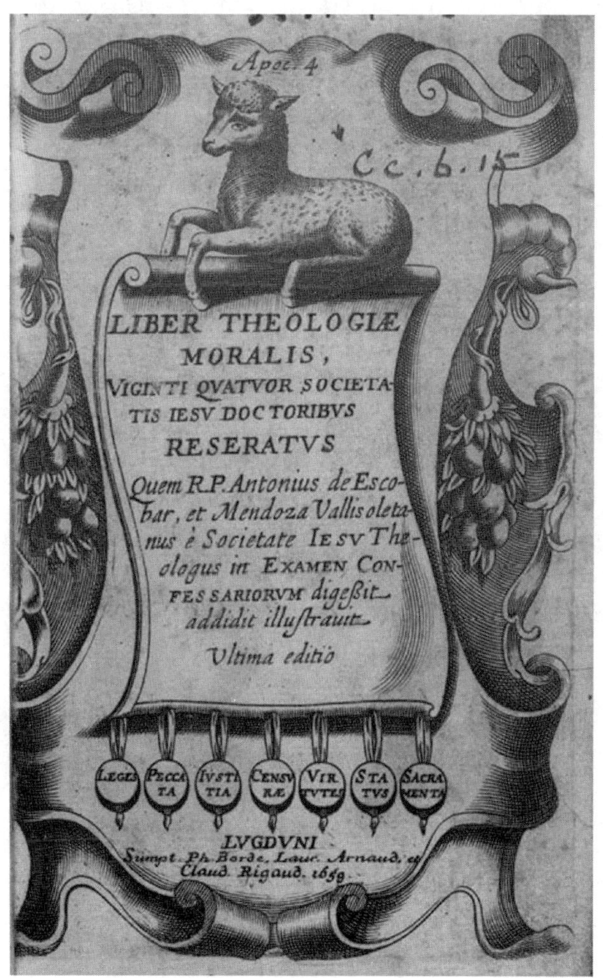
Apoc. 4

LIBER THEOLOGIÆ
MORALIS,
VIGINTI QVATVOR SOCIETA-
TIS IESV DOCTORIBVS
RESERATVS
Quem R.P. Antonius de Esco-
bar, et Mendoza Vallisoleta-
nus è Societate IESV The-
ologus in EXAMEN CON-
FESSARIORVM digeßit
addidit illuſtrauit
Vltima editio

LEGES | PECCATA | IVSTITIA | CENSVRÆ | VIRTVTES | STATVS | SACRAMENTA

LVGDVNI
Sumpt. Ph. Borde, Laur. Arnaud, et
Claud. Rigaud. 1659.

埃斯科巴《道德神学》的扉页，一部臭名昭著的诡辩术经典。

在17世纪的罗亚尔港与20世纪布卢姆斯伯里之间存在一种奇怪的相似性。在每一种情况下,一小群上层知识分子———一方是苦行主义者,另一方是
258 享乐主义者——认为自己是庸人世界中唯一开明的化身。每一组包括技巧伟大的文学家,每一组养育了天才艺术家。在每组边缘一个伟大的数学哲学家脱颖而出:就布鲁斯伯里而言,是伯特兰·罗素;就罗亚尔港而言,是帕斯卡尔。每组在众人中风光一阵子,然后逐渐消退模糊,给精致精美的精神留下发霉的气味。

斯宾诺莎的伦理体系

没有人可以指责斯宾诺莎是一个异教徒,一个孤独的思想家具有伟大理智的勇气,他设计出一套详尽的、精致的与必要的伦理体系。像笛卡尔一样,他在《伦理学》中对于种种激情的详尽阐释给予一个重要角色,这些激情占据《伦理学》的第三卷,但他对情感分析的哲学基础和实践结论与笛卡尔的截然不同,因此,最终的伦理体系不像近代的任何其他人。

斯宾诺莎伦理体系的形而上学基础是存在惯性的一个原则。一切东西,就其自己的力量而言,努力在它自身的存在中保留。这种自我维护的努力在每件事情中包含它真正的本质(*Eth*, 75)。运用在男人与女人身上,这种普遍原则意味着人的行为的根本动机是自我保护。欲望被斯宾诺莎定义为保护灵魂与身体存在的自我意识。我们不但为存在认识到这种欲望,而且在我们行为的能力中认识到任何的增加或减少:增长的意识中包含愉悦;减少的意识中包含痛苦(*Eth*,77)。欲望、愉悦与痛苦是人的三种基本的驱动力:一切其他情感,比如爱、恨、希望与恐惧都源自这些。

然而,存在消极与积极这两种不同的情感。存在消极的情感或激情,在其

中我们“像由逆风吹起的海浪来回颠簸”(*Eth*, 103)。在积极情感中,身体的修复在心中产生相应的观念——这些观念将是不充分的和混乱的。但借助构想清晰与明确的观念,也存在源于心灵自身努力增加其理解的积极情感。积极情感只来源于欲望与愉悦;痛苦是人的身体与心理能力减少的标志,它不能 259
产生一种积极的情感。源于积极情感的行为是个性力量的表现(*fortitudo*)。个性的力量,在自我保护的行为中得到表达时,它被称为“勇气”(*animositas*);在旨在其他人的善的行为中得到表述时,它被称为“慷慨”(*generositas*)。

在《伦理学》第三卷的最后引入高贵的观念,一看似乎就与激情的严格的自我分析冲突,而这种分析占据这卷的绝大部分篇幅。我们被告知,譬如,“一个想象他憎恨的某人处在痛苦之中将会感到愉悦”(*Eth*, 82),以及“如果我们设想任何人在一个对象中愉悦,只是因为一个人能拥有它,我们将尽力阻止所讨论的这个人获得它”(*Eth*,87)。显然,这种愤世嫉俗的评价通常得到解释:譬如,“如果一个男人开始憎恨他曾经爱国但不再爱国,他将用更多的憎恨对待它,好像他从来没有爱过它一样”(*Eth*, 90)。但只有极少的评论为高贵观念的方式准备:比如,“但恨在不断增加,当它回报时,但恨能被爱化解”(*Eth*, 93)。

自我中心与利他主义的妥协在斯宾诺莎的《伦理学》的第四和第五卷中得到解决:《论人的奴役》与《论人的自由》。这些部分的重要论题是:我们处在奴役之中,在某种程度上我们感受到消极情感,以及我是自由的,在某种程度上我们感受到积极情感。一种情感不再是一种激情,一旦我们对它有一种清晰与明确的认识,这意味着对它原因的一种理解。矛盾的是,解决的关键是一切东西的必然理解。我们不能避免被决定,但道德进步存在于由内在决定代替外在决定之中。我们需要做的是运用上帝对事物的整个必然的自然体系的把握,“根据永恒”理解它。

并非一切的激情能转换成情感,但那些不能被消除。比如,恨是一种消极情感,是一种痛苦形式。但一旦我们懂得其他行为得到决定,我们将不会对伤害我的那些感到憎恨。不同人的这些激情可能彼此冲突,但由理性控制与感受到情感而非激情的人将发现他们自身处在一种和谐之中(*Eth*, 132)。自我保护保留重要的驱动力,先于任何的美德(*Eth*, 127)。然而,我们为其自身需
260 要美德,对我们没有什么更有用的东西可以作为它的目标。利己主义和利他主义如何实现和解。对于高贵有一个领域,当自我保护受到一个自身地位现实化的启示时,这种地位作为伟大整体即自然的一个部分:

> 对于人,没有任何比人更有用的东西——没有任何东西,我再说一遍,更优秀的为维护它们的存在可以被人所期望,比起一切人应该在所有方面认同所有的心灵与身体应该构成,如其所是,一个单一的心灵与单一的身体,所有的应该以一种同意寻求什么对所有的他们有用。因此,由理性支配的人——也就是说,谁按照理性寻求什么对他们是有用的——没有为他们自己渴望任何东西,他们也没有为其他人渴望,最终在他们的行为中是公正的、诚实的与荣耀的。(*Eth*,125)

在《论人的奴役》中,斯宾诺莎探讨了情绪,告诉我们哪些东西是好的,哪些是坏的(对于他,“好”和“坏”,当然,只是意味着什么有利于或不利于自我保护)。比如,欢笑,是一件好事,我们不能有太多的;但是,忧郁的,总是坏事(*Eth*,138)。斯宾诺莎推荐音乐作为一种忧郁的治疗方式(*Eth*, 115)。非竞争的商品欲望应该只是希望获得商品,可以由一个人拥有。至善是所有追求美德的共同的东西,所有人在其中可以同样快乐。“心灵至善是上帝的知识,心灵最高的美德是认识上帝”(*Eth*,129)。当然,对于斯宾诺莎,上帝与自然是一样的,我们的自然知识增加得越多,我们越愉悦。这种愉悦,由作为原因的上帝思想相伴下,被斯宾诺莎称为“上帝的理智之爱”。

斯宾诺莎的理想人,一个自由人沐浴上帝的理智之爱,屈从任何的宿命,与某个人受到最卑鄙的激情奴役一样。不同的是,自由人由内在原因而不是外在原因决定,这得到清晰与明确的认识。人类条件的清晰明确认识的一个结果是,时间不是问题。过去,现在和将来是彼此平等的。我们自然会考虑过去作为什么不可以改变,以及未来作为多种选择而开放。但在斯宾诺莎的确定性宇宙中,未来与过去相比绝不是一成不变的。因此,在一个智者的反思中,过去与未来之间的差异应该没有任何作用:我们既不应该担心将来也不应该为过去感到悔恨。 261

一种激情必须完全消失在一个自由人之中,这是恐惧的情绪。恐惧永远不是一种理性的情感;它的对象是未来的邪恶,对于斯宾诺莎,未来与邪恶最终是不真实的。自由人只有积极的动机:他吃得好,健康地工作,因为他喜欢这样做,不是为推迟他的死亡。“一个自由人认为死亡是最不重要的事情;他的智慧是沉思生命而不是死亡”(*Eth*,151)。

不崇拜斯宾诺莎伦理著作的美,这是困难的;同样难以接受它作为一种真正生活的指南。斯宾诺莎是他自己成功的受害者:他编织的《伦理学》,如此牢固地联系他的形而上学,要是没有另一个很难理解这一个。罗素彻底拒绝斯宾诺莎的形而上学,但认为在哲学史中,斯宾诺莎是一个真正令人钦佩的人,他做出一种勇敢的尝试,在《伦理学》中规定了实践道德:

> 斯宾诺莎思考整体的原则,或者至少与你自己的悲伤相比,在更大问题上,是一个有用的原则。甚至有时候反思那种人的生活是安慰的,它包含邪恶和苦难,是宇宙生命的无限小的部分。这些反思可能不足以构成一种宗教,但在一个痛苦世界中,这是对于理智的一种帮助与最终绝望麻痹的一剂解药。(*HWP*, 562)

休谟论理性、激情与美德

对于斯宾诺莎,正如对于古代世界的苏格拉底一样,所有错误只是无知的结果:邪恶行为最终是理性的错误。休谟是与此相对立的一极:对于他,理性与正确和错误、美德与邪恶的区分没有任何关系。理性的唯一功能是一种技术功能:在达到由激情设定的目标中帮助我们。在评价我们的目标时,理性没有任何地位。“优先于整个世界的破坏而不是我们亲自把握,这不是与理性相对照。”“我选择我整个地毁灭,避免彻底不为我所知的一个印度人或人的最少的担心,这不是与理性相对照”(*T*, 416)理性既不能调整也不能控制激情;一种激情只能由另一种更强烈的激情征服。因此为何人们——不只是哲学家——如此多地谈论理性与激情之间的冲突?休谟的答案是他们误解了理
262 性,它实际上是一种温和的、不激烈的激情:

> 存在某种平静的欲望和倾向,虽然它们是真正的激情,它们在心灵中几乎不产生情感,更多的通过它们的结果而不是通过直接的情感或感觉为人所知。这些欲望有两种;要么源于根植于我们本性中的某些本能;比如仁慈和同情、热爱生命、善待儿童;或对善的普遍追求,对邪恶的憎恶,只是这些激情中的某些是平静的,在灵魂中不引发任何的不平,它们很容易被看做是理性的结果。(*T*, 417)

道德判断是这种宁静的激情:它们不是观念,而是情感。道德更适合感受而非判断。美德给予我们愉悦而不是痛苦:“一种行为或同情或性格是美好的或邪恶的;为何这样呢?因为它的观念产生一种愉悦或不愉悦的一种特定种类。”但是,当然不是每种行为或个人或事物给予我们愉悦的就是美好的:酒、

妇女与唱歌可能是快适的，但它们给予的愉悦不是由道德意义赋予的特殊愉悦。同样，涉及喜爱的道德判断的愉悦的特定类型的标志是什么呢？休谟提供了两种：一种应该是公正的，另一种应该涉及认可。这些似乎不足以从审美判断中区分出道德判断。的确我们需要从一个中区分另一个，如果道德不只是单纯的趣味问题。

休谟没有给我们提供任何充分的普遍标准区分道德判断，除了继续研究个体的美德。最重要的两种是仁慈与正义。仁慈普遍受到尊重：我们全都尊重那些减轻痛苦、安慰受害者以及善待陌生人的人。但在自然状态下，仁慈只延伸到在某种方式或另一种方式中与我们亲近的人。“在人的心灵中没有这样一种激情，如爱人，只是独立于个人特征，服务或我们自己的关系”（*T*，481）。仁慈因此不能单独作为正义的基础；我们有责任向陌生人或敌人偿还债务。我们必定断定这不是一种自然美德，而是一种人为美德。

人在社会之外是无力的；但社会是不稳定的，除非社会法则得到服从，特别是财产权。我们需要的是通过社会所有成员讨论的惯例，让每个人拥有通过他们的幸运与勤勉获得的外在财产。正义因此建立在实用与得到宽泛解释 263
的自利之上：

> 不是从我们自己的利益的利益出发，或从我们最亲近朋友的利益出发，通过放弃其他人的财产，我们不能更好地协商这两种利益，与通过这样一种惯例相比；因为正是通过那种手段，我们维持社会，这对他们的福祉与生存是如此必要，同样对我们自己也是如此。（*T*，489）

正是因为它建立在一种惯例之上，为了实用讨论正义是一种“人为美德”。

自然美德，比如温顺、仁慈、宽容或慷慨，不是基于实用，但源于人性中更根本的特征：同情。每个人的激情在其他人中投射出来，犹如和谐的管弦乐队。自然的与人为的美德之间的一个差异是这样的:仁慈的个体行为是行善,虽然这只是正义的整个体系促进幸福。“裁定杀贫济富;他们在节制中给予勤劳的劳动;伤害他们自己与其他人的手段操控在邪恶的手中。法律与正义的整个计划无论如何是对社会不利的。”正是因为对社会的这种不利,我们尊重正义;但正义只是达到目的的一种手段:

> 如今因为目的的手段只能是一致的,在目的一致的地方;作为社会的善,在与我们自己利益不相关的地方,或者与我们朋友的利益不相关的地方,只有通过同情愉悦;可以推论的是,同情是尊重的源泉,我们尊重所有的人为美德。(*T*, 577)

在第二《研究》的附录中,休谟竭力论证反对那些人,他们断言仁慈只是自私的一种伪装形式。甚至动物表现出无利害的仁慈;因此我们应该怀疑人的尊重与友谊和成人之爱的真实性? 在这种反对幸福论的久远哲学传统中——一个人所有行为的最终目的是他自己的幸福——休谟,或许不是巧妙地,追随同胞司各脱的思想足迹。[①] 虽然司各脱认为独立于自私的内在动机是正义之爱,休谟将仁慈的动机看做是更深地根植于人性之中。

康德论道德、责任与法律

264 虽然康德提供了一种非常不同的伦理学体系,但他在拒绝幸福论方面赞同休谟。他在《道德形而上学基础》中论证道,幸福不是道德的根本目的:

① 参阅第二卷,22 页。

> 假如对于一个有理性与意志的存在者，自然的真正目的是他的自我保存、他的福利或者简言之他的幸福。在这种情况下，自然将遇到一个非常坏的安排，通过在本性中选择理性实现这种目的。因为他不得不在这种目的视野中实施一切行为，这些行为与他的行为的整个准则将更准确地通过本能进行区分，所讨论的目的更多的是通过本能得到维护而不是它通过理性得到维护。（*G*, 395）

康德的道德的关键概念不是幸福，而是责任。伦理学中理性的功能不是告知意志选择最好的手段达到某种进一步的目的；正是产生一种意志是善本身，只要它由责任激发，那么一种意志就是善的。对于康德而言，善的意志是唯一的无条件的善。财富、权力、理智、勇气以及一切传统的美德只能用于坏的目的；甚至幸福本身可能是堕落的。不是它所获得的东西构成一种好的意志的善；善的意志本身就是善的：

> 即便借助某种特别不喜欢的命运，或借助第二自然吝啬的馈赠，这种意志全部失去实现其意图的力量，如果通过它最大的努力，它依然一无所获，只有善的意志留存……甚至它依然为其自身的目的像一块玉石那样闪光，如同在其自身中拥有它全部价值的东西。（*G*, 394）

善的意志是最高的善，是所有其他善的条件，包括幸福。

如果一种意志是善的，只有当由责任激发时，我们必定追问责任之外它起何种作用。一个答案认为它作为道德法则来规定。但这不是充分的，康德区分与责任一致的行为与来自责任动机的行为。一个店主选择诚实作为他最好的方式，或者一个慈善家愉悦他人感到愉悦，他们可能这样做与责任一致。这些行为符合道德法则，但他们不是与其相关被激发的。这种行为无论正确与友好，按照康德的说法，没有道德的价值。个性的价值只表现在当某个人不是从爱好而是从责任行善的时候。一个穷困潦倒而希望死去的人，在责任感之
265 外只有维持他自己的生命——这是康德善良意志的范式（*G*, 398）。

幸福与责任因此对康德而言不只是不同的而是冲突的动机。亚里士多德已教导人们不是真正善良的，因为善良的行为违背结果。他的善人典范是某个人全身心地热爱从事他的善的事业。但对康德而言，善举的痛苦才是美德的真正标志。如果美德带来幸福，幸福必定只是作为一种副产品。“一种有教养的理性自身越关注享受生活与幸福，那么人离真正的生活就越远”（*G*, 395）。我们应该严肃地审视《圣经》，当它告诉我们要爱邻人：这是冷冰冰的、没有感情的，真正需要仁慈的帮助（*G*, 399）。

检验一个人是否在责任感之外行事的方式就是探讨准则或原则，一个人以此行事；也就是说，主导人行为的律令。一个律令可能采取一种假言形式：“如果你希望获得如此这般的东西，就以如此这般的方式行事。”这样一个律令将一种行为作为达到一种特定目的的手段。因而，诚实店主的准则可能是假言律令：“如果你希望留住你的顾客，别给他们要高价。”

一个在责任之外行事的人无论如何并不是在遵循一种假言律令，而是一个直言律令，它要求：“不管你希望获得什么，以如此这般的一种方式行事。”责任的直言律令是一种重要的律令，这区分美德的与邪恶的假言律令。这由康德建构起来：“只有按照一种你同时愿意的准则行事，行为才成为一种普遍法则。”

康德给予了若干实例来解释直言律令的运作。假定我试图通过我没有打算遵守的许诺摆脱困境，那么我想知道这样一个撒谎的许诺是否能与责任调和起来。

我不得不追问我自己“我应该真的认为我的准则（通过一种错误的许诺

> 摆脱困境的准则)应该作为一种普遍法则(一个对我自己与他人都合理的法则)吗？我真的对自己说道每个人可能做出一个错误的许诺，如果他发现自己处在一种困境之中，并没有任何其他的方式将他从困境中拯救出来？”那么我马上认识到我的确愿意撒谎，但我绝不愿意认同一个撒谎的普遍原则；对于这样一条原则，根本没有任何恰当的允诺。(*G*, 403) 266

这是第二个实例。一个完美的人被要求去帮助其他正在遭受苦难的人。他尝试回应：“这与我有什么关系？让每个人与上帝意愿一样的快乐或者正如他能使得他自己如此一样。我不会伤害他，但我也不会帮助他。”但当他考虑到直言律令时，他认识到他不能将“从不伤害但从不帮助”作为一个普遍法则，因为在许多情况下他自己需要来自其他人的帮助与同情(*G*, 423)。

这两个实例在直言律令的执行中阐明了两种不同的方式。在第一个实例中，邪恶原则不能普遍化，因为它的普遍化导致冲突：如果没有人信守承诺，将不会存在诺言这样的东西。在第二个实例中，在没有人曾帮助其他人的观念中，没有任何自我冲突的东西；但没有人在理性上愿意得出这样的结论。康德谈到这两种不同的实例对应着两种不同的责任：严厉的责任(像不撒谎)与同情的责任(比如帮助需要的人)(*G*, 424)。

康德论证直言律令阻止自杀。但它是如何实现的，在他给予的构想中，这并不清楚。在一般的自杀愿望中，没有任何自相冲突的东西；鄙视人类的某些人或许乐意赞同这样的期望。然而康德却对直言律令有一种不同的构想，这种构想不诉诸普遍化的特性：“行为在这样一种总是人性化的处理方式中，无论在你自己的人或在任何其他人中，从来不只是一种手段，而且与此同时总是一种目的。”在制止自杀中，这种解释更有说服力，因为能谈论的是，选择一个人自己的生活是运用他自己的人作为一种手段，这种手段将一个人的不幸与痛苦达到一定目的。这也明显地排除了奴隶制，在《论永久和平》中，康德讨论它制止残酷战争。然而,很难真正理解它排除的其他东西,因为我们所有人每天为我们自身的目的将从清洁工到律师的其他人作为手段。对于这是如何"同时作为一种目的"对待人们,我们需要更多的启蒙。

康德告诉我们的是我们作为人不只是我们自身的目的,而是目的王国的一员。在理智上选择我的准则,我正在设定普遍的法则;但每个其他的理智存
267 在者也是如此。普遍法则是有像我那样理性意志构成的法则,康德告诉我们。"这源于在日常客观法则之下的理性存在的系统统一——这是一个王国。"一个理性的存在者只服从法则,这些法则是由自身设定的并且也是普遍的:道德意志是自主的,给予自身它所遵循的法则。在目的王国中,我们都是立法者与臣民。道德意志的自律观念非常有吸引力;但一个人想知道康德如何能如此相信准则不同的理性选择的结果将产生单一普遍法则的体系。正如他愉快地告诉我们去做的那样,难道我们能"从理性存在之间的个体差异以及从他们个人目的的所有内容中提炼出来吗"(*G*, 433)?

"在目的王国中,"康德告知我们,"每件东西要么有一个价格要么有价值"。如果它有价格,其他东西能作为一个公平的交易;如果它超出价格是不可交换的,那么它有价值。有两种价格:市场价格与需要的满足有关,想象的价格则与趣味的满足有关。道德超越这两种价格:

> 道德与人性,就其能作为道德而言,是唯一具有价值的东西。工作的技艺与勤勉有一个市场价格;巧智、想象力与幽默有一个想象的价格;但基于原则(不是基于本能)的忠诚诺言与仁慈具有一种内在的价值。(*G*, 435)

康德在目的王国中为一个立法者的统治者或头目(像成员一样),但(不像成员)不服从法则与在责任之内行事留有位置。这个统治者毫无疑问是上

帝,但在道德原则的决定中,他并没有被赋予任何特殊的作用。随后几世纪的康德追随者,已被自律意志作为道德立法所吸引的人,已平静地削弱了这个统治者,并将目的王国转变为目的的共和国,在其中没有任何一个立法者对其他人有任何特权。

黑格尔的伦理综合

我们较早地认识到康德伦理学处在与亚里士多德伦理学相对立的一极。对亚里士多德而言,核心的伦理概念是幸福,这是每个有健全理智的人的行为

268

在这幅肖像中,黑格尔投射的自信适合一位哲学家,他的思想再现了人的自我意识的最高点。

的最终目的。康德剥夺了幸福并正确地给予责任以任何道德价值行为的动机。对于亚里士多德,美德体现在娱乐中,一个好人在他的善良行为中表现出来;对于康德,美德的尺度是它实践中痛苦努力的代价。

黑格尔将亚里士多德的伦理学与康德伦理学理解为正题与反题,对此他提出一个合题。像亚里士多德一样,他将伦理学的基础视为人幸福的一个观念,但他根据自由的自我实现来定义这一点,这与康德强调道德生活的自律一致。不像康德,无论如何他在道德理论中不是给予责任观念而是给予权利观念一个荣耀的地位:对于黑格尔,正如对于亚里士多德,自由表达是人性中的最好的东西,而服从法则位居第二位。

黑格尔在道德哲学中的伟大变革是他在“人性”观念中植入社会与历史的因素。一个人能追求与形成的这些目标与能力取决于他生活于其中的社会制度,这些制度在不同的地方与时代不断变化。权利是黑格尔伦理学最基本
269 的因素,是断言在一个“外在氛围”中实现一个人的选择——这种氛围在更大程度上由这个人所属的社会形式决定。黑格尔在《精神现象学》的一个著名段落中论证了这一点,这部著作设定个体的自我意识如何形成与他人相关的角色意识。他选择论证这一点的社会关系的实例是主人与奴隶的关系。

最初,一个主人完全有自我意识,但将他的奴隶理解为一个纯粹的物。这个奴隶了解他的主人,但在他与主人目的的关系中理解他自己的自我。主人只有在自我中认识到个性,奴隶只有在他的主人中认识到个性。然而,正如奴隶开始工作为他的主人产生效益,这些关系转变了。正如他的劳动把物转变为有用的产品,奴隶认识到他自己的力量,但他的目标依然受到他主人命令的限制。另一方面,主人理解自己的自我意识,通过他不能在奴隶发现一个回应的自我意识而受到限制,这种关系否认他们任何一个具有自我意识的完全尺度(*PG*, 178 – 196)。

黑格尔追溯历史,尝试消除由主人—奴隶关系设定的自我意识。斯多亚

主义鼓励人们接受社会的情境作为宇宙必然的事情,在平静中接受:奴隶爱皮太图斯与皇帝奥勒留都包容斯多亚主义。但在一个人的社会背景中审视与转向并没有真正解决潜藏在主人—奴隶关系中的冲突。这继续产生了第二种错误的意识形式,这种怀疑的态度向外符合社会的需要,然而向内否定社会宣扬的现实规则,内在与外在态度的对比难以相容,那么意识进入到了第三种错误的阶段,黑格尔称为“痛苦意识”,他将之视为中世纪基督教的典型。

在痛苦意识中,主人—奴隶关系的冲突重新在单一个体的自我中被创造出来。一个人认识到一种理想自我与他自己不完美自我之间的鸿沟,后者是一个错误的自我,前者是一个真实的但也是不能实现的自我。理想的自我因此投射在另一个世界并与一个上帝相一致,在上帝之中实际的自我没有任何部分。因而一个人的意识是分裂的,同时与它相“异化”。异化概念——处理外在的东西与一个人借助权利相一致——在黑格尔的学说中具有光明的未来。

所有这些错误的意识再现了试图内在化的一个问题,这个问题只能通过 270
社会制度的改变来解决。一个人具有远离奴役的内在生命和自由权利,以及个人财产的最小值;只有保护这些权利的社会才能提供个体的人丰富发展的土壤(*PR*, 46)。

权利是必要的,因为一个个体的人只有作为自由的精神表达他自己,通过赋予他自己一种外在的自由氛围。一种权利在一种宽泛意义上被解释为财产的命名;对于黑格尔,一个人的身体、生命和自由是他的财产,而不是物质的东西。某些权利,像劳动生产权可以放弃;但没有人通过接受奴隶制来消灭他全部的自由。

除财产权之外,黑格尔认识到两种其他的权利:契约权与惩罚权。前者体现在民法中,后者体现在刑法中。黑格尔的惩罚观点是严厉的:这是一种做坏事的惩罚,明显是由犯人自己愿意做的,因为他的犯罪本身违背普遍意志

(*PR*, 99 - 100)。

正义理论,虽然对黑格尔而言是重要的,只是他的伦理学三部分的一部分。其他两部分是道德理论(*Moralitat*)与正义理论(*Sittlichkeit*)。道德将康德因素与黑格尔体系联系起来,而正义则联系亚里士多德的因素。道德更大程度上以形式术语确定;正义则以更为具体的实例描述出来。道德与责任相关,而正义与德性相关。

对于黑格尔,道德主要关注道德行为人的动机。黑格尔区分目的(*Absicht*)与意图(*Vorsatz*)。目的是最关键的动机,并使得一个行为与我们的福利相关;意图则是我选择一种手段的直接目的。(因而,在采取一种特定的治疗方式时,我的意图可能低于我的健康水平;我的目的则是保持一种健康状态。)对黑格尔而言,意图根据认识来确定:行为的不可预见的结果不是有意的。一
271 种善良的目的是根本的,如果一个行为在道德上是善的。

黑格尔强调基于目的或根本动机的重要性,这一点类似康德。但他不同意康德认为责任是唯一有价值的道德目的,他没有诉诸普遍化的原则作为道德接受性的标准。他抱怨,康德普遍法则的程式在更高程度上怀疑公理(*PR*, 148)。

一个人的目的是善的,这种单纯信念不足以使得一种行为在道德上正确。对于美德的行为,追随一个人的良知的确是必要的,但不是充分的。黑格尔远离他之前与他之后的那些主观论者,他们宣称个体的良知是诉求的最终法庭。在这里,正如在别的地方,黑格尔也认识到个人判断的社会语境。

当我们转向黑格尔伦理体系的第三个部分时,即正义,社会因素明显占据重要位置。因为正义包含在一个人社会生活的自我和谐之中;它关系到道德行为具体的、外在的方面,这必定在一个制度的环境中发生。《法哲学》的这个部分考察了三种社会结构的本质,个体在其中发现他们自己:家庭、公民社会和国家。因此,这种解释更大程度上属于后面论政治哲学的专章而不是目前

论伦理学的专章。

这卷书跨越的时期是一个富有教益的时期，对于任何人希望研究形而上 272
学在何种程度上是伦理学的向导。对于17世纪伟大的形而上学家，笛卡尔创立了一个伦理体系，尽管最近引起学者敬意的关注，但它通常被认为过于空洞而不是生活的钥匙，斯宾诺莎设计了一种伦理学，它与他的形而上学如此地密切，这种形而上学只能给予那些分享他的宇宙观念的人以指导。另一方面，18世纪两位伟大的哲学家仍然对道德哲学产生了重要的影响，确切地说是因为他们的伦理学远离了形而上学。休谟坚持认为道德命令应该区别于任何事实判断，无论自然的(如果这是可能的)或形而上学的：一种“应该”从来不从一种“是”中推论出来。另一方面，康德，虽然是他们中的最伟大的形而上学家，无论在他的哲学的其他领域，创立了一种不需要任何承诺的道德体系。尽管，或许可能因为这一点，他对于道德哲学的贡献远远超过我们探讨过的任何其他的哲学家。他的责任伦理学直到今天依然是柏拉图与亚里士多德的享乐主义的美德伦理学的主要竞争者，也依然是19世纪与20世纪最有影响的诸多道德体系中的结果论实用伦理学的主要对手。

第九章

政治哲学

马基雅维利的君主论

1511年至1520年十年间的两部著作标志着近代政 273
治哲学的开端：马基雅维利的《君主论》与莫尔的《乌托邦》。两部著作非常不同于典型的学院著作，这些著作寻求源于第一原理、理性国家的本质与一个好的统治者的品质。一部是简要的、流行的、如何操作的指南；另一部是浪漫幻想的著作。这两部著作处在政治系谱的相对立的目的之上。一个马基雅维利式的君主是一个绝对的独裁统治者，然而乌托邦呈现出一个民主共产主义的蓝图。基于这个原因，这两部著作设定了政治哲学随后开始争论的范围。

应该说，无论如何，《君主论》不是马基雅维利唯一的政治著作。他也撰写了论李维的专著，在其中他阐释共和政府的方法类似他君主制的方法。在那些论文的路线中，他阐明如下原则：

> 当决定一个国家的整体安全时，无须对正义或非正义、友善与严酷、赞美与谴责进行全面的关注。所有其他的考量应该被放在一边，所采用的方法将挽救生命与维护一个国家的自由。①

Salus populi suprema lex——“民族的福利是最高原则”——并不是一种全
274 新的学说。西塞罗已在理论中宣扬了这一点并在实践中实行它。在《君主论》中，这不但是国家的福利，而且是统治者的福利，这胜过所有其他的考量。专制的统治者能够在适当条件中忽略法律、道德和公众观点。

依照他作为一个官员与外交家的经验以及他对古代史的阅读，马基雅维利描述了如何赢得与失去诸省以及它们如何能更好地得到控制。如果一个君主掌管一个已经是自由与自治的国家，他必须完全毁灭它；否则自由的记忆将永远引导民众走向反叛。一旦一个君主在权力中必须竭力张扬，而不是变得温文尔雅。他应该期望被描绘为仁慈而不是残暴，但在现实中，感到恐惧比感到爱戴更加安全。

但旨在恐惧并非必然遭人憎恨。君主可以在没有受到憎恨中让人恐惧。

> 只要他不沉湎于财产或他的公民与臣民的妇女。如果宣判某人死刑，只有当有合情合理的证据与确切原因时，他才应该这样做。但首先，他必须禁止占有其他人的财产。因为与他们财产失去相比，人们将更快忘却他们的父亲之死。(P, ch. 17)

---

① Quoted in Janet Coleman, *A History of Political Thought from the Middle Ages to the Renaissance*(《从中世纪到文艺复兴时期的政治思想史》)(2000), p. 248.

对一个君主而言，展现具有同情的美德、美好的信仰、人性、一致性与神性，没有什么比这些更重要的，他从来不应该守口如瓶，这完全没有那些难以估价的特征。但事实上，为维护这个国家，他将不断地被限制在冒犯信仰与反对仁慈、人性与宗教的罪恶之中。更多的人将看到与听到他令人尊敬的事业而不是感受到他严苛实践的苦痛，因此他将维持他的统治并赢得他的臣民的赞扬。(*P*, ch. 18)

特别地，君主无须信守诺言，当信守诺言伤害到他时，同时诺言的理由已消除。他应该效仿一只狐狸，而不是一只狮子，他将不会缺乏任何貌似有理的理由以掩盖一种信仰的氛围。但任何人如何相信不断失信的君主？历史表明这只是欺骗的一个技巧问题。任何有心欺骗的人将不难发现人们不愿意受到欺骗。

马基雅维利教义的严酷的犬儒主义令人印象深刻。他不但要求君主要绝对的残酷无情；他的建议也建立在这样的假定之上，即他们的所有臣民是顺从的同时只由自私控制。一些人为著作中的不道德说法感到震惊；其他人已发 275
现它缺乏新鲜的谎言。然而，很少人曾被马基雅维利树立的典型说服，比如教皇亚历山大六世与他的儿子波基亚。以亚历山大为首的受到称赞："没有人在做出承诺时更有效，或将自己限制在更为严厉的誓言中，或很少理解它们。"波基亚通过贿赂与毁谤在意大利中部为波基亚家族服务，但没有成功，只是因为一次难以预见的坏运气，他被塑造为玩弄政治技巧的一个典范："回顾这位公爵的所有行为，我发现没有任何可指责的；相反，这似乎适合将他作为一个模仿的典范"(*P*, ch. 18)。

在波基亚教皇或在他的敌人与继承者战争狂人教皇尤利乌斯二世统治下的皇权国家历史，很难与《君主论》中献给基督教的君主国的简要一章中一致。马基雅维利谈到，君主是僧侣，他们有他们并不去保护的国家与他们并不管理的臣民；然而他们不维护的国家不是来自他们，他们不管理的臣民不是并且不能被看做是抛弃他们的忠诚。“相应地，只有这样的君主国是安全与幸福的”(*P*, ch. 11)。

莫尔的乌托邦

很难理解这种评论是否意味着反讽，或者是一个无耻的说教来保护已继承尤利乌斯的新的罗马教皇利奥统治下的政府。在莫尔的《乌托邦》中也有类似的段落，据考察，论著总是在欧洲得到认真的研究，部分出于崇敬教宗的统治：

> 正像他们自己没有做出任何承诺一样，但他们的确非常虔诚地实践同样的东西，因此，他们使得所有的君主运用他们的聪明才智来遵守他们的诺言；他们拒绝或否认这样去做，通过他们独裁的权力与他们掌控的威权。(*U*, 116)

在这里，这种意图必定是反讽的。更多人愿意以死来维护教皇的统治；但
276 对于他的 16 世纪的支持者的真诚，他不愿欺骗他自己。

《乌托邦》一致的特征是对邪恶的实践与制度的直接的、明白的与反讽的批判。这部著作——正好从出使完佛兰德斯归来的莫尔、安特卫普的一个小镇办事员彼得 · 贾尔斯，与一个名叫拉斐尔 · 希斯拉德的一个邪恶水手之间的对话——分成两部。在第一部，社会批判是直接和扼要的；在第二部，一面扭曲的镜子映射当时社会的扭曲现实。

希斯拉德，在第一部被告知，曾是航海家亚美利哥 · 韦斯普奇的葡萄牙同伴，新发现的美洲大陆来自他的名字。在巴西被韦斯普奇留下后，他经由印度

已回到家乡,曾到访过许多不同国家,其中最有名的是乌托邦。更多的人和贾尔斯迫切希望听到他描述乌托邦,但在描述之前,希斯拉德在英国考察诸多实践。他抱怨,盗窃死罪是过于严苛的惩罚但不足以威慑那些只是由于饥饿而抢劫的人。这同样是不正义的,因为一个人使得其他人失去金钱,他就应该失去生命。偷盗应该受到抨击通过消除它的根源,即贫困。这是因为贵族、特权者生活在其他人劳动的基础之上:他们驱使贫穷的农夫为牧羊而圈地,这提高羊毛与食物的价格。

希斯拉德为反对盗窃死刑提供两种论证。第一,这触犯了神圣的命令"你不应该杀生"。第二:

> 每个人都知道对于国家这是多么荒唐甚至危险,一个窃贼和一个谋杀者应该接受同样的惩罚。既然窃贼明白如果只是因为盗窃而获罪,他是处在如此巨大的危险之中,好像他也是一个谋杀者而受到惩罚,这个理由只是促使他谋杀一个人,否则他只是盗窃……这是更大的保险,将这个人从这条路上拉回来,同时有更大的希望制止犯罪,如果他留下,没有人告诉这个事实。(*U*, 30)

宗教改革者不断重复这种论证,直到 19 世纪盗窃的死刑由议会废除。①但正是《乌托邦》的第二部而不是第一部使得莫尔名声大噪:因为正是在这里我们理解了对富裕国家的描述。 277

"乌托邦"是一个希腊语的拉丁音译词。拉丁语"U"可能代表一个希腊语 ov,在这种意义上,这个名字意思是"新大陆"。或者它代表一个希腊语 εu,在这种意义上,这个名字意思是"幸福之地"。这种歧义或许是有意的。

---

① See, for instance, *Macaulay's Notes on the Indian Penal Code*(《印度刑法典评论》), in his *Collected Works* (London, 1898), XI. 23,

乌托邦是一个海岛，像月牙形，500 英里长，最宽的部分 200 英里。它有 54 座城市，每座城市有 6000 家庭，每座城市有自己的农业土地。农场由城市居住者打理，根据一个值班表，他们成批地被派往那里，每批 20 人，在乡村工作两年。每年每个城市派三位长者到首都亚马乌罗提的议会开会。正如所描述的，亚马乌罗提类似莫尔居住的伦敦，有一个突出的差异：没有任何个人隐私或私有财产。所有的房门都是开着的，没有门锁起来。

每个公民，男与女，除耕作之外，还要习一门手艺比如制衣或做鞋。只有学者、牧师与当选的官员被免除体力劳动，没有任何的特权，每个人必须工作，但一天工作时间只有 6 小时。乌托邦是如何满足他们的需要而只是工作如此短的时间？如果你考虑到在欧洲许多人都生活在懒惰之中，就容易明白这一点。

> 首先，所有的妇女几乎是整个数量的一半：或者说，如果妇女在某个地方忙碌，最普遍的是男人的懒惰。除此之外，牧师与宗教事务的人是如此庞大与懒惰的一帮，正如他们称呼他们那样；因此照料所有富有的男人，特别是有土地的男人，他们通常被称为绅士与贵族——考虑到他们的仆人也是这个数量：我的意思是一帮肥胖的恃强凌弱者自吹自擂。健全的与勇敢的乞丐也加入了，在某些疾病或不适的基调中掩盖他们的懒散生活（*U*, 71 -2）。

乌托邦的工作不但通过许多帮手，而通过他们服务需要的单纯性体现出来。公用的建筑物得到了很好的维护，同时在新的主人变换后不需要不断的改变。制衣不需要繁重劳动，因为乌托邦人更喜欢粗布与简单制作的衣服。

《乌托邦》与柏拉图《理想国》之间的巨大差别是家庭是社会的基本单元。女孩长大成人后，迁到她们丈夫的家里，但是儿子与孙子继续待在原来的家

278

莫尔《乌托邦》第一版的卷首插图。

279 庭,在一个最年长的父亲控制之下,只要他适合掌管这个家。每个家庭以拥有不少于 10 个或不多于 16 个的成人;超过的人数被转移到其他的已低于平均数的家庭。如果城市的家庭数量超过 6000,诸多家庭将迁往更小的城市。如果岛上的每个城市人满为患,那么将通过殖民方式移居海外。如果那里的国家反对移居,乌托邦人将通过武力实现它,“因为他们将这视为正义之战,任何人拥有一小块土地。如果没有任何好的与利益的使用,并不让其他人使用与拥有它,然而,借助自然法,应该得到保护与取消”(*U*, 76)。

正如已谈到的那样,每个家庭要奉献出一个手艺人。家庭生产被安排在城市中心的商店,任何家庭成员能从那里免费拿东西,无论他需要什么。乌托邦人不使用货币;他们使用金银只是制造容器与罪犯的标牌。内部旅行通过护照来管理;但任何有权的旅行者在其他城市得到热情的接待。但没有人,无论他在那里,可以获得食物,除非他已从事过规定时间的日常工作。

家庭妇女轮流准备食物,在一个普通大厅用餐,男人靠墙而坐,妇女靠外坐。在一个婴儿室,哺乳的母亲与孩子不超过五人;五个以上的孩子在桌旁等候。在午餐与晚餐前,将读一本启蒙书中的一段;在晚餐后,有音乐与香料焚香大厅。“因为他们倾向于这个观点:不考虑任何受到压迫的愉悦,不会有任何伤害”(*U*, 81)。

乌托邦人的确不是禁欲主义者,他们将身体的苦行视为他们自身的某种执著的东西。然而,他们尊敬那些为无私生活实现目标的人,其他人拒绝这些任务是令人讨厌的工作,比如建路或护理病人。一些人独身同时吃素;其他人吃肉与过着普通人的家庭生活。他们认为,前者是圣人,但后者是智者。

男性 22 岁、女性 18 岁才结婚。但在结婚之前,禁止婚前同居,“无论她是处女还是寡妇,由一位德高望重已婚老妇人带到求婚男子前,赤裸地展现给求婚者;同样,男方也一丝不挂,由一位小心谨慎的男子倍伴来到女方面前”。一个男人不可能没有考察就买一匹马驹。乌托邦人争论,因此,没有经过更多的

观察而只是一面之交，从而愚蠢地选择一个伴侣（U, 110）。原则上，婚姻是长 280
久的，但通奸可能中止一桩婚姻，同时如果是无辜者，但不是通奸者，那么配偶允许再婚，通奸受到严厉惩罚同时如果屡犯则处以死刑。对于极少的实例，同意离婚是允许的。

除了家庭法，乌托邦人几乎没有法律同时没有任何律师。他们的法律只是说明，无须任何充分的解释，他们认为这更好，一个人应该为他自己的案件辩护，同时分辨同样的经历的判决，但将自己作为自己的律师分辨判决。

乌托邦人不是和平主义者，他们认为战争是一种必然的而非荣耀的事情：这旨在为反抗入侵者或解放受到独裁压迫的人们辩护。如果一个乌托邦人被杀害或在任何地方受到侮辱，他们派一个大使去确定事实并要求逮捕干坏事的人；如果这被拒绝，他们将宣战。但他们倾向通过贿赂或暗杀而非通过战斗与流血来赢得战争；如果一场可怕的战争在国外不可避免，他们将使用国外的雇佣兵为他们战斗。在保卫家园的战争中，丈夫与妻子并肩战斗。“这是巨大的谴责与不忠，因为丈夫没有与他的妻子一起回家，或者妻子没有与她的丈夫一起回家”（U, 125）。

希斯拉德叙述的最后一章关注乌托邦的宗教。绝大多数的乌托邦人尊崇一种“神圣的力量，未知的、永久的、难以理解的、难以解释的，远远超越人的巧智能力与达到的高度”，他们称之为“一切之父”。乌托邦人并不把他们的宗教信仰强加给其他人，宽容是准则。一个基督徒在严酷训诫中改变信仰，从而遭到逮捕、审判与流放，“不是作为宗教歧视者，而是作为一个煽动的人以及在人们当中挑起争端”（U, 133）。但宽容是有限度的：宣称他的灵魂与身体消亡的人受到无声的谴责并禁止从事公职。个人动机的自杀是不准许的，但垂危的与痛苦的病人，经过商议，可以结束他们自己的生命。愿意死是作为一种惩罚良知的标志，但快乐死去的人伴随欢乐的歌而火化。当一个好人死时，“他生命中没有任何部分是如此频繁地或愉快地谈论到，正如他愉快的死”。

乌托邦中有牧师——非凡神性的人并“因此是极少数人”。事实上,每个城市就十三人,在一次秘密会议中普选出来,女人与男人一样都有可能成为牧
281 师,但只是除了某个年龄段的寡妇。这些男性牧师娶最优秀的妻子。男性牧师与女性牧师掌管孩子的教育,有权因不道德行为革出教门并作为牧师为军队服务,在宏大节日中,他们身着由鸟儿羽毛制作的衣服,像那些美洲印第安人的酋长。这在一个肃穆的祈祷仪式中达到高潮,信仰者感谢上帝,他们属于最幸福的国家并宣扬所有宗教的真理(*U*, 145)。

像柏拉图的《理想国》一样,乌托邦令人厌恶的特征代替有吸引力的特征,愚昧的策略与实践的制度调和在一起。像柏拉图一样,莫尔通常让读者去猜测他提出严肃的政治改革程度有多深,他多大程度上只是使用幻想讽刺愚昧与现实社会的腐败。

正义与非正义的战争

谈论乌托邦人对战争态度时,莫尔强调:“他们的一个与唯一的战争对象是保护,假如已从前得到的,阻止宣战”(*U*, 120)。这样一个法则排除无条件的入侵者的所有需要以及使命的其他形式。但莫尔自己不止一次作为政治家卷入亨利八世的诸多战争中,他并没有系统地提出伦理原则,这些在正义与非正义战争之间作出区分。这一工作是这一世纪晚期由耶稣会神学家苏亚雷斯完成的。

苏亚雷斯发展了阿奎那确立的观念,如下总结正义战争的经典理论:

因为名义上发生战争的若干条件必须得到考察,可能等同于三个方面。首先,它必定由一个合法的权威宣告;其次,必定存在正义的理由和称谓;

第三，必须在它的开端、进行与胜利中考察合适的手段与规模。(*De Caritate*, 13. 1.4)

对于苏亚雷斯，合法权威的条件意味着战争可能由主权政府宣告。一个国家中的个体与群体没有权利通过武力解决他们的分歧。然而，教皇作为一个超国家的权威，有权介入解决基督教政府之间的争议。

苏亚雷斯认同两种正义的理由。如果一个人的国家受到攻击，他有权利 282
用武力保卫它。但扩大一场攻击的战争也可能是不合法的：一个国家可以下令攻击另一个国家，如果这是唯一的方式修正对它自己或自己同盟的野蛮的非正义。但可能产生敌意，除非存在胜利的良好愿望；否则出兵将不会纠正那种不正义，这提供战争的最初基础。

第三个条件有三个因素。在战争开始之前，政府必定提供给潜在敌人改正受到抱怨的邪恶机会。一旦他无法这样做，他将受到攻击。在战争过程中，只有这样的暴力必定运用，并必然获得胜利。在战争之后，执行赔偿与正义的惩罚，处决战争罪犯。

苏亚雷斯论道，这些因素中的第二个，禁止蓄意攻击无辜的人们。但谁是无辜的？苏亚雷斯给予一个定义，这比其他一些追随者的更为狭义。儿童、妇女以及那些不能运用武器的人通过自然法被宣布为无辜的，积极的法律制止攻击使节和僧侣。但苏亚雷斯坚称，所有的其他人是合法的对象。"所有的其他人被视为有罪的，因为人的判断基于那些能拿起武器并实际上已这样做"(13.7.10)。苏亚雷斯接受在战争中可能的是一些无辜者将被杀害，作为攻击过程的无辜受害者的一部分。禁止的正是将无辜者当做蓄意的目标。

苏亚雷斯将他的限制主要建立在统治者之上：正是他们有责任满足他们自己，在可能性的平衡上，他们正在思索的战争是正义的。一名普通士兵被下令去战斗,可以设想战争是正义的,除非它明显是不正义的;甚至一个同情的志愿者将研究的重担加于他的队伍的上司之上。

苏亚雷斯论战争道德的学说没有获得承认而被代替,同时格劳秀斯给予这种学说更广泛的流传,格劳秀斯是一位荷兰的法学家与外交学家,在1625年发表了一篇著名的论文《论战争与和平的正确与错误》(*De Iure Belli et Pacis*)。这在道德理论语境中确定正义战争的学说,从神圣的法律观点详尽设计
283 考察的对象。这根本不意味着格劳秀斯是一个不信仰上帝的人,但他的宗教战争经验以及他致力于宗教统一的失败,导致他断定特定的宗教信仰是一种合理的国际秩序的不可靠的基础。

霍布斯论无政府与主权

苏亚雷斯与格劳秀斯将战争视为有时来自自然法则的一种必然结果,国家在一种共识的道德结构中和谐共存。17世纪最著名的政治哲学家,霍布斯对政治的本质持有一种完全相反的看法:自由人的自然国家是永远的战争国家,为个体承认和平生活在一个政府而辩护,这是道德哲学家的主要任务。对此,他贡献了杰作《利维坦》。

霍布斯勾勒了人类的自然条件的一幅昏暗阴沉的图景,人在他们自然的身体与心灵中是平等的。"我们目的获得中的希望的平等源于能力的这种等同,因此,如果任何两个人渴望同样的东西,一旦他们不能同时拥有,他们就成为敌人。"如果他们正在寻求快乐,或者只是旨在自我保护,人们发现自己彼此竞争。每个人不相信他的竞争者并害怕攻击,因此他寻求通过参与超越他们。每个人从他的同伴中寻求赞扬,愤恨任何谴责的暗示。"因此在人性中,我们发现争论的三种主要原因。首先,竞争;其次,分歧;第三,荣

誉”(*L*, 82－83)。

除非及直至存在一种日常力量使得人处在敬畏之中，将为食物、力量与荣誉存在不断的争论与不断的竞争。这可以描述为战争状态：每个人反对每个人的战争。在这种条件下，霍布斯认为，不可能有工业、农业或商业：

> 不认识地球的表面；不描述时间；没有任何艺术；没有知识分子；没有社会；最糟糕的是，面临不断的恐惧与惨烈的死亡危险；人的生命，孤独、贫穷、肮脏、残忍与短暂。(*L*, 84)

某些读者会以为这幅图景过于阴暗，的确从来没有这样一个战争普遍的时代。或许没有波及整个世界，霍布斯承认，但我们可以在同时代的美洲看到 284
这样的实例；同时甚至在文明国家，人们总是审慎地警惕反对他们的同胞。让读者考虑“他开始旅行时，他武装自己，寻找更好的同伴；睡觉时，他锁上门；甚至在他的房子里，他锁上抽屉；他知道存在法律和政府官员”(*L*, 84)。

科西莫表现生命恶毒、野蛮与短暂时的人类状态。

霍布斯坚持，在描述战争中的主要国家时，他不是在任何邪恶的自然状态中控诉人类。在法律缺席时,可能没有任何罪,在主权缺席时,可能没有任何法律。在自然状态下,正确与错误、正义与非正义的观念没有任何地位。"在没有普遍力量的地方,没有任何法律:在没有任何法律的地方,没有非正义。
285 强力和欺骗是战争中两种根本的美德。"同样,没有财产权与所有权,"但只有是每个人的,他能获得;对于如此之久,他能保留它"(*L*, 85)。

哲学家习惯谈论自然法(*lex naturalis*)与自然权利(*ius naturale*)。霍布斯坚持认为,区分法律与权利,这是重要的。一种权利是一种自由做或者禁止做某些事情。一种法律是命令做或禁止做某些事情。在自然状态下,严格说来,没有法律和权利。但有"自然法":理性的自私原则;接受生存机会的最大化。存在自然的必然性,每个人渴望他自己的善,存在自然的权利,每个人可能保护他自己的生命并用他具有的所有力量来保护。既然他有权利达到这个目的,他有权利动用一切必要手段达到这个目的,包括有权利支配其他人的身体(*L*, 87)。

286 只要人保持这种权利,没有人保证度过他的自然生命。理性的自私因此促使一个人放弃这种权利赋予的自由以补偿其他人同样的特权。因此存在自然法:

> 一个人愿意,当其他人也如此时,正如对于和平,保护他自己,他将认为这是必要的,放弃这种权利给所有事物;在反对其他人中满足于如此多的自由,正如他允许其他人反对他自己一样。(*L*, 87)

这样与其他的自然法导致人们移交他们所有的权利,除基本的自我保护之外,一种核心的力量通过惩罚性制裁能够加强自然法。

在其他的自然法中(霍布斯总共列举了十九条),最重要的是第三条"人信守他们制定的条约"。一个条约对霍布斯而言是契约的一种特殊形式。一个契约是在考虑相互利益的一种权利转换成另一种权利。一个条约是一个契约——不像直接的买与卖——没有信任的因素。至少有一个条约的政党在一个晚近时代实践中留给另一个政党执行谈判的部分。假如没有自然法的第三条，霍布斯论道，“条约是徒劳的，只是空洞的术语；所有人对于所有东西的权利保留，我们仍然处在战争状态”。正是这条法则成为正义与非正义观念的基石；因为非正义确切地说就是不能履行一个条约；无论如何不是非正义的就是正义的（*L*,95 –96）。

但条约没有约束，在这里任何一方不存在不能履行的担心，正如在自然状态中存在的一样。“因此在正义名称之前，非正义也有位置，必定存在某种潜在力量迫使人们同样履行他们的条约，通过某种惩罚的后果远远大于通过违反他们的条约而期望获得的利益。”在建立一个共和国之前，没有任何这样的力量：“假如没有武力，条约只是术语，根本没有任何力量来保证一个人去履行”（*L*, 95 –96, 111）。

人确立一种日常力量的唯一方式是“承认他们的所有力量并加强在一个人身上，或人的团体，可以将他们的一切意志通过多样的声音等同于一种意志”。每个人必定对每个其他的人说“我放弃我支配我自己的权利，或对于人的这种团体，在这种条件下，你向他放弃他们的权利并在同样状态下同化他的一切行为。”核心的权利意识个人化为整个的全体，统一在一个人的全体称之为共和国。“这是伟大利维坦的诞生，或者更虔诚地谈论这种暂时的神，这是 287
将我们的和平与安全归因于不朽的神”。共和国成员制定的条约确立一个君主，并使得签署契约的成员成为他的臣民。

在霍布斯解释中，这似乎是恶性循环。他认为，不可能有约束力的条约，除非有一个君主来执行它们；不可能有一个君主，除非它在官方上由具有约束力的条约来确定。为解决这一难题，我们必须明白条约和君主同时存在。君主本身不是条约的一个政党，因此不能受控于它。这是他执行的功能，不仅加强构建国家的最初条约,而且加强他的臣民彼此签署的个人条约。

虽然霍布斯没有秘密,他自己是保皇党人,他故意在他的政治理论悬而不论,统治者是否应该是个人的或联合的。如果他没有这样做,他很难在1652年坚持回到由议会统治的英国。但君主统治是不是君主政体、贵族政体或民主政体,《利维坦》坚持其法则必须是绝对的。一个君主不能丧失自己的权力,任何臣民不可以指责他的君主不正义。由于君主是众人的化身,每一个臣民都是君主每种行为的主人。所以他不能抱怨这样的行为。“具有君权的任何人不能公平地宣判死刑,否则在任何方式上受到他的臣民的惩罚。因为鉴于每个臣民是他的君主的行为的主人;因为他自己犯下的行为,他惩罚其他人。”(*L*, 118)

统治者是法律和财产权的来源。他有权决定采取什么手段来保卫共和国,对其他国家宣战和缔结和平是他的特权。他是所有有争议的诉讼的仲裁者,他决定什么意见和学说可以在共和国中得到维护。只有他有权任命、奖励和惩罚所有部长和法官。如果统治者是一个君主,他有权决定王位的继承人(*L*,118－120)。

最后,统治者在宗教事务方面是至高无上的。正是君主,而不是任何长老
288 会或主教,确定哪些书籍作为被接受的《圣经》以及用哪种方式来解释它们。狂热教派的无礼解释一直是英国内战的原因,但在罗马可以找到以宗教名义的最大的主权篡夺。“如果一个人考虑伟大的宗教统治的起源,他会很容易察觉,即教皇只是衰落的罗马帝国的幽灵,坐在坟墓上加冕”(*L*,463)。

在一个霍布斯式的君主统治下,怎样的自由留给臣民,自由只是法律的沉默:臣民有自由做君主并没有由法律规定的任何事情。因此,臣民有买卖、选择居留权、饮食与商业的自由;父母有教育他们孩子的自由,只要他们认为合适。但一个臣民有自由来违背君主的命令吗?可以预见霍布斯的答案“从来不要!”这样做是违背自己。但事实上,对于公民的不服从,他允许充分的

范围：

> 如果君主下令一个男人(虽然受到公正地谴责)杀死、伤害或残害自己;或者不反抗那些攻击他的;或禁止使用食品、医疗或任何其他东西,没有这些他不能生存;然而这个男人有权利不服从。(*L*,144)

一个臣民自己不能被迫负罪,也不是他在君主需要下作为一个战士为正义而战。霍布斯认为,必须奖赏,对于自然的胆怯,不仅在妇女中存在,而且在"有女人气"的男人中也存在。逃避战斗可能是懦弱,但它并不是不正义的。在某个场合中,服兵役是义务的。保卫共和国需要所有能够携带武器的人入伍。最后,"臣民对君主的义务被理解为延续,不再比权力更持久,通过它他能够保护他们"。因此,如果君主不履行保护他臣民的主要职责,那么他们对他的义务将弱化。

《利维坦》提出的共和国理论是一种创造性与强有力的理智系统,其结构已从霍布斯时代到现在的政治哲学家的著作中反映出来。这个体系不是独裁,尽管它强调绝对的主权,因为在其中国家为公民存在,而不是相反。尽管他忠诚于斯图亚特王朝,霍布斯不相信由王朝创建者詹姆士一世国王提出的
君权神授理论。对他而言,君主的权利不是来自上帝,而是来自那些个体的权 289
利,他们放弃它们成为他的臣民。在这一学说中,霍布斯最密切的前身是帕多瓦的马斯留斯,他已在14世纪坚持认为统治者颁布的法律来自他们的合法性,而不是直接来自上帝,但只有通过对公民认同的调和。[①] 但霍布斯是第一个哲学家,认为一个统治者的合法性直接来自公民的一项条约,没有任何凌驾于他的作用之上的上帝的任何权威作为人性的根本原因。

---

① 参阅第二卷,93页。

斯宾诺莎的政治决定论

1670 年,斯宾诺莎在《神学政治论》中提出的政治理论类似 20 年前由霍布斯在《利维坦》提出的政治理论。这两位哲学家都是决定论者,都从人性是根本的利己主义观点出发。“这是政府的法律和自然的权利,”斯宾诺莎告诉我们,“每个人应该努力维护如其所是的它本身,并只考虑它本身。”当斯宾诺莎谈到自然法时,他并不意味着人类有义务服从的一系列命令或原则:他的意思当然是重要的自然规律决定一切事物的行为,生命的或惰性的。鱼类并不比人少任何的自然权利,并在自然永恒法则的语境中,人类只是沧海一粟(E I.200–213)。

一个个体的自然权利不由理性决定,而是由权力和欲望决定;不管聪明或愚昧,每个人都有权利得到他想要与能得到的任何东西;自然只是禁止没有人想得到与没有人可以获得的东西。不过,人最好根据法律和理性的控制来生活,因为每个人在敌意、仇恨、愤怒与欺骗中生活是糟糕的,即便在自然状态中所有这些是合法的。因此,人必须通过理性的主导达成一致,抑制有害的欲望,同时做他们将要面对的。

但是,斯宾诺莎认为,一个人与另一个人之间的协议,只要是有用的,它就是有效的;一旦它不利于我信守它,我可以放弃任何诺言。因此,这是必要的,
290 准备与某些更大罪恶的威胁签署协议,从而避免邪恶诱惑人们违背它。这是可以实现的,“如果每个人将整个权利转移给政治体,这将拥有统治的自然权利”。就像霍布斯的政府,这种力量将不会受到任何法律的约束。同时每个人在任何事情中都会被迫服从它。

但公民社会中的君主权利,如自然状态的个人权利,只是扩大他的权力。

如果他缺乏权力强化他的意志,他也缺乏这种权利。基于这个原因,从个人到国家的权力转换永远不能完成:一个君主不能内在地影响臣民(E I. 214)。斯宾诺莎在这里与霍布斯明确地区分开来:没有任何人的心灵完全存在另一个人心灵的位置之上,因为没有人愿意改变他自由的理性和判断的自然权利或被迫这样做。在一个民主国家中,斯宾诺莎认为这是统治的最自然的形式,“没有人绝对会转让其自然权利以至于他在事务中没有进一步的选择权,他只是将其移交给社会中的多数,因为他是一个单元。因此,正如他们处在自然状态下,所有人仍然平等”(E II. 368)。此外,对于一个人服从国家的主权,斯宾诺莎提供了一个比霍布斯更积极的理由。这不仅仅是出于安全避免受到其他人的攻击;它也提供充分的自我实现的生命语境。

从他的抽象国家理论看,联系到他对历史的反思,尤其是希伯来人的历史反思,斯宾诺莎得出大量非常具体的政治结论。一个是,如果神职人员得到政治权力,那么这总是产生麻烦。另一个是,好政府将允许宗教信仰自由和哲学思辨。每个人都应该为自己自由地选择基本信条,因为法律直接反对纯粹的观念,只会激怒正义而不会防止犯罪。最后,斯宾诺莎警告,一旦建立君主制,就很难摆脱它。他援引英国近代历史来证明他的观点,凡合法的国王被废黜后,随之而来的是一个更大的暴君的统治。

洛克论公民政府

斯宾诺莎在国王查理二世复辟后写到,在他统治下,君权神授理论成为英
国哲学家的一个重大问题。1680 年,在霍布斯去世一年后,《君权或国王的自 291
然权力》出版。这由一个保皇党地主,爵士菲尔默(Robert Filmer)更早地撰写
出来,他在共和国时期去世。它比较了君主在国家中的权力与父亲在家庭中

的权力。它声称，国王的权威从亚当的王权父系血统获得，应该不受选举产生的政体比如议会的任何限制。菲尔默的著作提出了一个容易的目标，对于那个时代在政治上最具影响力的一位哲学家，洛克。

与霍布斯一样，洛克在《政府论》中从自然状态的考察开始。他坚持认为，菲尔默的一大错误在于否定人在本质上是自由的和平等的。在自然状态中，人们没有任何属地优越而生活在一起。“所有人，”他认为，“自然地处在那种状态并保持这样，直到他们通过他们自己的认同使得自己成为某个政治团体的成员”（*TG*,2,15）。

洛克的自然状态观点比霍布斯的更加乐观。这不是战争状态，因为每个人认识到一种自然法，它教导所有人都是平等的和独立的，没有人应该在他的生命、自由或财产中伤害到另一个人。这条法则具有约束力，优于任何世俗政府和公民社会。它授予自然权利，特别是生命、自卫和自由的权利。任何人都不能被剥夺生命权，无论是他自己的或他人的；没有人通过奴役他自己或其他人而剥夺自由权。

在自然状态中何为财产权？整个地球是人类共同拥有的，正如更早时期的政治理论家探讨的那样，是上帝给予不同的民族与家庭不同的部分，或者难道没有任何像私有财产一样的东西，私人财产优先于所有系统的社会？

洛克的回答是巧妙的。甚至在自然状态中劳动给予私人财产权一个命名。毫无疑问，我的劳动是我自己的；通过自然商品加上我的劳动，通过提水、砍伐森林、耕作土地、收获果实，我有权处置我劳作的以及我用来制作的东西。但我的权利不是无限的：我只有对我的劳动的这些成果有处置权，比如，我能消费，而且只对我可以耕作和使用的土地的数量（*TG*,5,49）。然而，我这样获得的东西，我可以传给我的孩子；继承权是自然的，并优先于任何公民的法律条例。

与霍布斯的观点不同，对于洛克来说，财产权先于并依赖于任何契约。但在自然状态中,人们岌岌可危地拥有他们的财产。虽然认识到自然的教诲,其他人可能会违背它们,也没有中央政府来劝诫它们。个人有理论上的惩罚权;但他们可能没有权力这样做,每个人在他自己案件中作为法官,这都不能令人满意。通过这种唯一可能的手段,正是这一点产生国家制度,人们同意共同放弃他们的某些自然权利而"加入并统一到一个社会之中,以便使他们更加舒适与安全,彼此自由地生活在一起,他们的财产权处于安全状态,同时在一种极大的保证反对任何不属于它的东西之中"(*TG*,8,95)。

社会中的个体成员因此转移他们拥有的任何权力来强化一个中央政府的自然法则。一个政府具有更多权力,可以预期更公正,在执行个人财产权比任何单独的个体更有希望达到。中央政府通过契约成立,具有权威性的两种制度,其合法性在纯粹自然状态下令人怀疑:圈地和货币制度。这些制度使得生产与享受合法,而不是对于一个人的生存立即变得必要,这反过来有利于整个社会。

公民移交给立法机关的权利,使得为共同利益立法,执行这种权利并加强这些法律。(洛克认识到区分政府的这两个分支有好的理由。)立法和行政可以采取若干不同的形式:它是为大多数公民(或至少财产所有者)决定采取何种形式。但是如果出现问题——比如洛克认为——执行法律的权力包括具体死刑的权利。最初的契约者能移交他们具有的某些权利;但通过自然法,没有人有权自杀。一个人怎样才能赋予任何其他人权利——甚至一种有条件的权利——杀死他?当然只有上帝才能赋予这样一种权利;这是菲尔默认为君主权力直接来自上帝的诸多观点之一。

然而,这只是一种反对意见,洛克同时代的人与后来者可能修正他的社会契约理论。最常见是,没有任何这样的契约的记载。洛克提出一些不合情理的历史事例,但更重要的是他在直接同意与间接同意之间的区分。他坚持认 293
为,任何政府的维护取决于每一代公民认同的不断承认。他承认,这种认同很少是明确的，但由任何喜欢社会利益的人默许，无论是否接受一种遗产或只是在公路行驶。通过移居到另一个国家，或进入荒野，生活在自然状态之中，他总是宣布放弃他的认同。

洛克的社会协议与霍布斯的惯例的主要差别在于，与霍布斯的主权者不同，统治者本身就是签订最初契约的各方。他们作为社会的受托人而拥有他们的权力，如果政府违反置于其中的信任，人民能够消除或改变它。法律必须满足三个条件：必须人人平等；他们必须是为人民从利益而设计；未经同意不得强加任何税收。“这种最高权力必须经过他的同意，从任何人那里拿走他财产的任何部分。”一个统治者违反这些法则，只是管辖自己的利益，而不是为共同利益，然后在与他臣民处于战争状态之中，反抗作为正当的防卫形式是合法的。出版《政府论》时，洛克显然已考虑到斯图亚特国王的专制统治与1688年光荣革命。

正如许多后来批评者所指出的那样，洛克体系不是原创的，也不是一致的。它不恰当地结合中世纪的自然法理论和后文艺复兴的自愿的邦联理论。然而，这是非常有影响力的，它不断影响不相信自然状态理论和加强它们的自然法的人们。美国的开国元勋在很大程度上是依据《政府论》下篇来争辩，英国国王乔治三世，和斯图亚特君主一样，通过独裁政府与没有显现的税收丧失了他宣称的统治权并使得自己成为他的美国臣民的敌人。

孟德斯鸠论法

《美国宪法》也更多地归功于法国哲学家孟德斯鸠，他比洛克年轻六十多岁，孟德斯鸠搜集了可靠性不同的地理、历史和社会的材料，在这基础上建构
294 了国家本质的理论。“人，”他告诉我们，“是由许多因素控制的：气候、宗教、

法律、政府的戒律、过去的事例、习俗、性格;并在这些影响的结合中产生一种总体精神。”特定社会的总体精神在适合它的法律中找到它的表现方式;它创造“法的精神”,这是孟德斯鸠政治论著的书名。

孟德斯鸠相信存在由上帝确立的基本的正义法则,这先于人类立法,正如以同样的方式三角形的特征先于几何学家确立的法则。但是,这些普遍原则本身并不足以确定特定社会的恰当结构。这是不可能的,挑选一系列特定的社会制度适合所有时代与地方:政府应适合气候、财富和国家的民族性格。

亚里士多德研究广泛的制度,并将它们分为三类:君主制、贵族制与民主制。① 孟德斯鸠,同样地,在他的社会学研究之后,形成三种分类,但他的类型是共和制、君主制和专制。[接受亚里士多德的说法,他将共和制分为民主共和制与贵族共和制(EL II. 1)]。每种类型的国家有一个显著的特征:分别为美德、荣誉和恐惧。

这些是三种政府的原则;这并不意味着在某个共和国中人们是善良的,而是意味着他们应该是善良的。这并不证明在某种君主制中人们有一种荣誉感,而在专制国家中人们具有一种恐惧感,而是证明他们应该有那种感觉。如果没有这些特征,一个政府将是不完美的(EL III. 2)。

在一个专制国家中,法则是通过统治者的法令,不是通过法律而是由宗教或习俗确立。在君主政体中,政府由不同等级和地位的各级官员运作。在一种共和制中,所有的公民需要在公民价值中得到教育与训练来执行公共事务。

我们被告知,共和制适应寒冷的气候和小国;专制适合大国和热带气候。适合西西里人的一部宪法不适合苏格兰人,因为除其他之外,海洋中的岛屿不同于山区。不过,孟德斯鸠自己的喜好倾向于君主制,尤其是他在英国观察到的“混合君主制”。 295

① 参阅第一卷。

孟德斯鸠崇拜《英国宪法》中的特点，这进入到《美国宪法》的方式，正是权力分立的原则。在1688年革命之后，议会取得单独的立法权力，在实践中相当大的行政决定权给予国王的大臣，法官在很大程度上免于政府的干预。这不是——不是到今天——在英国宪法中发现任何明确的声明，即政府的立法、行政和司法部门不应该联合在一个人或一个机构之中，或者统一在监察与平衡的任何结构的理论之中。然而，孟德斯鸠对汉诺威制度的良性解释，在其中一个政府部长的权力本质上取决于议会的同意，在世界的许多地区，对宪法制定者产生了深远的影响。

权力分立是重要的，孟德斯鸠认为，因为它提供最好的堡垒以反对暴政并成为臣民自由的最佳保障。那么，什么是自由？“自由，”孟德斯鸠回应，“是做法律允许的任何事情的权利”(EL XI. 3)。难道这就是一切，我们可能会问；难道一个专制政府的公民喜欢那么多的自由？我们必须首先记住对于孟德斯鸠来说，一个暴君不是通过法律而是通过法令统治：只有由一个独立立法机构创建的一种工具才能作为一种法律。其次，在许多国家中，包括孟德斯鸠自己所处的法国，公民往往因为完全合法的行为而遭受逮捕的风险，这些行为被视为冒犯当权者。

孟德斯鸠提供了另一个更实质性的自由定义。它不存在于免除所有限制的自由，而是存在于“做我们应该愿意去做的权力之中，而不存在于受到限制去做我们不应该愿意去做的”(EL XI. 3)。自由的社会制度与个体意志的理想化形式之间的这种联系是卢梭在《社会契约论》中形成的一种重要的政治理论。

卢梭与公意

当卢梭开始谈论“人生而自由，但他无处不在枷锁之中”，那些已读过他较早时期论文明腐化影响的著作的人可能会认为,这些锁链是社会制度中的那些人,我们受到鼓励准备反对这种社会秩序。相反,我们被告知这是一种神圣 296 的权利,它是一切其他权利的基础。卢梭现在认为,社会制度解放而不是奴役。

像霍布斯和洛克一样,卢梭开始在自然状态中思考人。他对这样一种状态的解释,按照他早期对高贵的野蛮人的思考,比霍布斯的更加乐观。在自然状态中,人不一定彼此敌对。他们受到自私激发,可以肯定地说,但自私和利己主义并不相同:它可以在人类和动物中联系起来,对于一个人同伴的移情与同情。在自然状态下,一个男人只有单纯的动物欲望:"他在世界上获得的唯一东西是食品、一个女人与睡眠;他害怕的唯一弊病是痛苦和饥饿"。这些欲望不像在一个更加复杂的社会中追求权力,本质上是竞争的。

卢梭赞同霍布斯,而反对洛克,在一种自然状态下,没有财产权,因此不存在公正或不公正。但随着社会从原始状态发展,这些权利的缺乏开始显现出来。经济合作和技术进步使得有必要形成保护个体的个人和财产的社会。这是如何实现的,同时允许社会的每个成员继续像他以前一样的自由?《社会契约论》通过提出公意的概念而提供了一个解决方案。

公意将形成,当"我们每个人将他的人与他的所有权力共同置于普遍一致的至上的主导之下,同时,在我们合作的能力中,我们接受每个成员作为整体的一个不可分的部分"(*SC* 1.6)。这个条约创造一个公众人物,一个道德和集体的机构,国家或政府的人民。每个个体既是一个公民又是一个臣民:作为一个公民,他分享统治权,作为一个臣民,他遵守国家法律。

卢梭的君主,不像霍布斯的君主,独立于签署契约的公民的君主不存在的。因此,不能有任何独立于他们的任何利害:它表达公意,它在追求公众利益中不能误入歧途。人失去自然的自由去掌握任何诱惑他们的东西,但他们获得公民自由,允许固有的财产所有权。

297

在这幅蚀刻的卢梭像中，与扔在地上的《社会契约论》相比，他似乎更为他的歌剧《乡村占卜师》引以为豪。

298 但什么是公意，以及如何确定它？它与公民的一致意愿不同：卢梭区分

“公意”与“所有人的意志”。一个人的意志可能不同于公意。在所有人的意志与公意之间通常存在巨大的差异。后者只涉及共同利益,前者只涉及局部利益,本身只是众愿的总和(*SC* 3.3)。我们应该认为公意应该同大多数公民的意愿一致。不,公民会议审议工作绝非万无一失:选民可能遭遇无知,或者受到个人的自私左右。

这似乎推断出,即使是公意不是由全民投票确定的,这似乎使它成为没有实际价值的抽象。但卢梭认为可以通过公民投票,如果在两个条件上确定的话:第一,每个选民充分知情;第二,没有任何两个选民做出任何沟通。第二个条件规定防止小群体的形成而不是整个社会。“这必不可少,”卢梭认为,“公意可以表达自身,在国家之中不应该有任何局部的社会,每个公民都应该思考他自己的想法”(*SC* 2.3)。因此,如果公意在全民投票中得到表达,不仅政党而且宗教团体也必须被禁止。正是在整个社会范围内,个体的自身利益之间的分歧将抵消并产生作为一个整体的人民主权的利益。

卢梭不是三权分立原则的信徒。他认为,人民主权是不可分割的:如果你分开立法权和行政权。你将使得政府七零八落。然而,一种实际的责任区分来自他的要求,即人民主权应该在普遍问题上立法,将事关特定事务的行政权力交给政府,这个政府是臣民与主权之间的一个中介。但政府必须始终作为人民的代表,最好是应定期举行一次普遍的大会,确立和延长或终止公共事务管理者的指令。 299

卢梭在这里提出的这类安排似乎切实可行,只是在瑞士的州或像日内瓦这样的城市。但他坚持认为,像孟德斯鸠一样,一个人不能将政府具体化的单一形式适合所有情况。然而,公意的理论运用于更加广泛的观点。卢梭式国家的公民赞同所有法律,包括那些尽管他反对通过的那些法律(*SC* 4.2)。在这样政体中,持不同政见的少数人的权利是什么呢?

卢梭论道,社会契约不言而喻地包含一项承诺,无论谁拒绝承认它可能受到遵守它的他的同胞的限制。“这只是意味着他将被迫是自由的。”如果我投票反对一项措施,这将在一次投票中取得胜利,这证明我错误地以为,我真正的善良与真正的自由都可以实现。但是一个被监禁的罪人渴望自由只是享有相当稀罕的自由,这是公意的一种不情愿的表达。

尽管他对公意的关注,卢梭不是民主实践的全心全意支持者。“如果有一个神的民族,他们将民主地管理他们自己。但是这样完美的政府不适合人类”(*SC* 3.4)。在一种直接民主中,由人民议会统治,政府可能是随意的和效率低下的。最好有一个选举的贵族制,其中聪明的人管理大众:“绝不会认为得到二万人做得比挑选的一百人做得会更好。”(*SC* 3.4)与民主制的相比贵族制需要公民较少的美德——所需要的是富人的谦和精神和穷人安于现状的精神。当然,富人将从事绝大多数的管理工作:他们有更多的时间来准备。

对开篇就呼吁人类扔掉它锁链的一部著作,这似乎是温和的与资产阶级的结论。然而,公意的概念将具有一个爆炸性的革命潜力。仔细研究,这一概念在理论上是不连贯的,在实践上是空洞的。这在逻辑上不是真正的逻辑问题,因为如果 A 愿意 A 的善良与 B 愿意 B 的善良,那么 A 和 B 共同愿意 A 和 B 的善良。这依然是真实的,无论 A 和 B 可能会多么熟悉,因为可能在每种善良之间存在一种真正的,不可避免的不相容。

的确难以决定公意将规定什么,使得公意的观念在蛊惑人心的政客手
300 中成为一个强有力的工具。在法国革命恐怖的高潮中,罗伯斯庇尔可以声称他正在表达公意,强迫公民逃离。谁有能力反驳他呢?卢梭为表达公意提出的条件是每个公民都应该完全知情同时没有两个公民互相联系。第一个条件永远无法在神的社会之外得到满足,第二个条件需要彻底的暴政来执行。

无论好坏,《社会契约论》不仅在法国成为革命者的圣经;卢梭的影响是巨大的。拿破仑,从来不会低估自己的重要性,对于这些巨大的改变,即 18 世纪

的欧洲脱胎换骨为19世纪的欧洲归因于卢梭和他自己一样的同等责任。“谁能确切地判断,”当他生命垂危时,他追问,“如果卢梭与我从来没有来到这个世界,世界是否会是一个更好的地方?”

黑格尔论民族国家

康德与黑格尔以不同方式运用了卢梭的公意概念。康德试图给予它一种非神秘的形式作为道德原动力的一种普遍共识,每个人为他们自己和所有其他人确立普遍法则。黑格尔将其改造为在人类历史中表达自身的世界精神的自由。

黑格尔认识到,在精神不断演进到更大的自由和自我意识的命题与真实历史呈现的令人沮丧的景象之间,似乎有巨大的差别。他承认,在世界上似乎没有发生什么,除了个体的自我利益的行为结果;他愿意将历史描述为屠宰场,其中牺牲人们的幸福、国家的智慧和个人。但他坚持认为,糟糕的不是合理的;因为个体的自私行为的个人行动是唯一手段,通过它世界的理想命运才能实现。“这种理想提供经纱与编制人类情感的历史之网。”

人类活动在社会环境中实现,自私不需要是利己主义。人们可以在社会角色的实现中找到自我满足:我爱我的家庭,我为我幸福的贡献而骄傲,同时没有任何自私的形式。相反,社会制度不是对我自由的限制:它们通过为我行 301
为的可能性提供更大的范围而扩展我的自由。这是真正的家庭,这也是黑格尔所谓的真正的“市民社会”——自愿组织如俱乐部和企业。的确,最重要的是国家,它为行动自由提供最大的范围,同时深化世界精神(*Weltgeist*)的目的。

在理想情况下,一个国家应该如此组织以至于公民的个人利益和国家的共同利益联系起来。至于历史,国家和民族本身在个体中考量,这些个体无意识地是世界精神达到其目标的工具。也有一些独一无二的人物，譬如凯撒或拿破仑，他们在表达世界精神的意志方面具有一种特殊作用，他们看清历史诸多方面，这些在他们的时代发展成熟。

然而，这样的民族却是例外，世界精神的正常发展是通过特定民族或国家精神，即民族精神。这种精神体现在一个民族的文化、宗教和哲学之中，也体现在其社会制度之中。民族未必与国家一致——的确，当黑格尔写道，德意志民族尚未将自身变成德意志国家，而只有一个民族是在一个国家之中才有自身的自我意识。

对于世界精神运用个体与民族作为它的工具，国家的建立是崇高的目标。黑格尔的国家不仅是维护和平与保护财产的强制性工具：它是一个新的与更高目的的平台，这些目的通过赋予他们生命的一种新维度而拓展个体的自由。国家作为自由的化身，为国家的目的存在。一切价值，个体公民拥有的所有的精神现实，他只有通过国家拥有。因为只有参加社会和政治事务他才完全认识到他自己的理性，并把自己看做是通过民族精神的世界精神的一种显现。黑格尔认为，国家是神圣的理念，就像它在大地之上存在。

然而，神圣的理念尚未完全实现。黑格尔相信，德国精神是一个新世界的精神，其中绝对真理将在无限自由中实现。但甚至普鲁士王国并不是世界精神的最后术语。鉴于黑格尔不断偏好整体优于它们的部分，人们可能期望在
302 他的构想中，民族—国家将最终让位给世界国家。但黑格尔不喜欢世界国家的观念，因为它会消除战争机会，这是历史辩证法中的一个必要阶段。战争，对他来说，不仅是一种必然之恶；而且有一种积极价值，作为有限东西的虚荣存在中的可能本质的一种残余物。“在这种条件下，我们必须认真对待暂时的商品和东西的虚荣”（PR，324）。因此，黑格尔攻击康德永久和平的追求。黑格尔预言，人类未来，既不在德国，也不在一个统一的世界之中，而是在美国，“那里，摆在我们面前的这些时代，世界历史的重担将得到彰显”，可能出现在

北方与南方之间一场伟大的大陆战争之中。

在黑格尔死后的一个世纪以及更长时间的德国历史带给他的政治哲学是连珠炮似的谩骂。他将国家的荣耀化作为本身目的，他相信德意志民族的宇宙作用，以及他对战争的积极评价，这些一起不可避免地对毁灭20世纪的两次世界大战承担责任。的确，他称赞的普鲁士模式是一种君主立宪制，而他鼓吹的民族主义在某些方面消除了纳粹专制的种族主义。然而，他的哲学生涯，像卢梭的一样，是灾难性结局的一种警示，这从有缺陷的形而上学流溢出来。可以相信，国家有自身的内在价值，只有当我们认为它在某种程度上是个人的，而且比一个普通人的个体具有更高的个人形式。人们可以合理地相信只要人们接受黑格尔形而上学学说的某种版本，即有一种世界精神，其生命是通过激发民族—国家的种种民族精神之间的一种相互作用活生生地显现出来。

对于那些对哲学史感兴趣的人旨在寻求那盏明灯，它能阐明当代的种种关切，从马基雅维利到黑格尔的这段时期是政治哲学的全盛时期。古代和中世纪世界的政治制度离我们的时代过于遥远，反思古代和中世纪哲学家的政治理论为当代政治哲学提供更多的参照。另一方面，正如我们在下一卷书中将看到的，19世纪最伟大的哲学家的政治评价过多地归功于经济学和社会学的新兴学科，因为他们做的仍然是将概念的关注作为纯粹政治哲学始终不渝的核心。

第十章

上帝

莫利纳论全知与自由

调和人类自由与上帝对人类行为的先知问题已困扰 303
了中世纪所有伟大的经院哲学家。阿奎那坚持上帝预知我们将做之事,因为我们所有的行为在永恒的单一瞬间出现在他面前。司各脱抱怨,如果时间本质上是不真实的,那么这种解决方式会起作用。相反,他假定上帝认识到生物的行为,通过认识他自己在一切永恒性中裁定的东西。奥卡姆反驳这种认识会提供人类行为的先知,如果我们的行为是前定的,因此是不自由的。他自己没有对这个问题提出任何的解决方式:神的先知正是被盲目信任的一种教义。彼得·瑞奥已尝试保留自由,借助否认未来有条件的命题具有甚至被上帝认识的任何真理价值,从而接受神的全知;但这是一种逃避的方式并受到教会的谴责。对于调和自然与全知而言,瓦拉、伊拉斯谟以及路德并不比他们的前辈做得更好。所有人都一样援引保罗书，以此每位神学家迟早承认这一主题的难度："哦，丰富的深度，上帝的智慧与认识！他的判
304 断是多么的难以寻找，以及他的方式！"（Rom 11:35）。[①]

这个问题的一种新颖与高度巧妙的解决方式在16世纪末期由耶稣会会士莫利纳提出来。莫利纳反对阿奎那与司各脱的解释，赞同奥卡姆。他接受基督教教义，即未来有条件的命题具有真理价值。他的革新在于暗示上帝的未来认识取决于上帝对反事实命题的真理价值的认识。上帝知道任何可能的生物在任何可能的环境中会自由地做什么。借助认识到这一点，借助认识他将创造的生物以及他自己将塑造的环境，他认识实际的生物将事实上做什么。

莫利纳在三种神的认识之间做了区分。首先，存在上帝的自然认识，他以此认识他自己的自然与一切事物，这些事物可能要么因为他自己的行为要么因为可能自由的生物行为与他相关。这种认识先于有关创造的任何神的决定。因而存在上帝的自由认识：在自由的神的决定创造某些自由的生物并在某种特定环境中安排它们之后，他认识到实际上将要发生什么。在这两种认识之间，存在上帝的"中间认识"：也就是说，他知道任何可能的生物将在任何可能的环境中做什么。因为中间认识基于生物自己假定的决定，人的自律得以维护；因为中间认识先于创造的决定，现实世界的上帝全知得到了维护。

莫利纳称为"环境"或"事件秩序"的东西，后来的哲学家称之为"可能世界"。因此，莫利纳的理论在本质上是上帝认识在现实世界将发生什么，上帝的认识基于他认识一切可能世界外加上他认识他已决定现实化的可能世界。在创造亚当与夏娃之前，上帝知道夏娃将受到巨蛇的支配而亚当将受到夏娃的支配。他知道这一点，因为他理解亚当与夏娃反事实的所有本质：他认识在每个可能世界中将做什么。他知道，比如，亚当，如果直接受到蛇而不是受到

---

① 参阅第二卷，298－301页。

夏娃的引诱,将仍会吃到禁果。在莫利纳的解决方式中,不具说服力的观点是
他假定一切反事实的命题——形式命题“如果 A 发生,B 将发生”——具有真
理价值。毫无疑问,某些命题,比如,“如果地球与太阳相撞,那么人的生命将
不复存在”是真实的;其他命题,比如,“如果大金字塔是六边形的,它将有十七
条边”是错误的;但当我们将真理价值归因于这些命题时,我们这样做基于逻
辑的或自然的法则。当我们建构自由动因的反事实时,问题是不同的。不存 305
在一种有条件的排中的普遍原则,这游移在要么(如果 A 发生,那么 B 将发
生)要么(如果 A 发生,B 将不会发生)。

回答伊丽莎白公主追问的问题时,笛卡尔在神的先知与人的自由之间做出一种妥协,这种妥协类似莫利纳的。他写道:

> 假定一个国王禁止决斗,肯定知道居住在王国不同城市中的两个绅士发生争吵,彼此充满敌意,以至于如果他们不相遇就会阻止他们决斗。如果这个国王命令其中一个人在某一天到另一个人居住的城市,同时命令第二个人在同一天到第一个人去的地方,他肯定知道他们将相遇并决斗,因此不服从他的禁令;但他依然不强迫他们,他的认识甚至他的愿望使得他们如此行为,不会阻止他们决斗,当他们自动或自由地相遇,好像他们在某个其他场合相遇一样而他对此一无所知。他们因为不服从限制而受到更多惩罚。如此一来,国王在这样一个场合中可以做的,至于他的臣民的自由行为,上帝,在他无限洞见中,是万无一失的,对于所有人的一切自由的行为。(AT IV. 393;*CSMK* III. 282)

然而,笛卡尔没有像莫利纳那样认为上帝认识我们的行为将是什么,因为他认识到我们将在一切可能世界中做什么;他继续认为上帝知道我们将做之事,因为他已决定他将给予我们何种愿望以及决定他将把我们安置在何种环

境中。但这带走了他的寓言故事中的国王的类似观点。这仅仅是因为决斗者的一切其他行为已形成他们的个性,这些行为独立于国王的愿望与控制,他声明不为他们的最终决斗负责,以及因为不服从他的命令,有权惩罚他们。如果每个人的每个行为是由上帝一步步安排的,正如在决斗者戏剧的最终行为一样,难以理解上帝自身如何能避免对原罪负责。

笛卡尔的理性神学

笛卡尔在哲学中的自然神学的重要贡献主要在两个不同的领域。首先,他使创造的传统概念重新流行。其次,他复活了上帝存在的本体论证的一种
306 版本。

神学家通常区分创造与保护。在开端,上帝创造天空与大地,一天又一天,他让天空与大地在存在之中。但他对宇宙的保护并不涉及创造的新行为:存在一旦被创造,独自具有一种保持存在的倾向,除非受到阻挠。它们具有一种存在的惯性。

当在第三《沉思集》中探讨他自己的来源时,笛卡尔拒绝这种观点:

> 我生命中的一切过程可细分为数量无限的部分,每个部分依存于其他的部分;从我是不久前的存在事实出发,不能推断我必定现在存在,除非在这一刻某种原因,也就是说,重新创造我。(AT VII. 50;*CSMK* II. 334)

一个人的生命不是一种连续不断的绵延,而是在瞬间之外确立起来的,在这种方式中,胶片中的运动建立在一系列静止之外。笛卡尔在这一段想到的原因当然是上帝。因此,对他而言,创造与保护之间没有区别:在我由上帝重

新创造的每个瞬间。在物理学中,笛卡尔反对原子论;既然物质与广延同一,广延是无限可分的,不存在不可分的物质部分。但连续创造的学说似乎涉及某种形而上学的原子论:历史建立在数量无限的时间片段之外,每个片段独立于它的前者与后者。

当笛卡尔从源于他自己心中的上帝理念来论证上帝存在时,我们讨论的这个段落出现在第三《沉思集》。① 但在第五《沉思集》中,他提出了一种不同的上帝存在的论证,这从康德时代起已是有名的方式,题为“本体论的论证”。在《方法论》中已阐释这种论证:

> 我非常理解,假定一个三角形,它的三个角必定等于两个直角之和;但我理解使我确信真实世界中存在三角形。另一方面,回到考察一个完美存在的观念,我发现这包含这样一个存在的存在;在同样方式中,一个三角形的观念包括三个角之和等于两个直角之和……结果,他至少确定上帝, 307
> 讨论中的完美存在是或者存在,正如在几何学中的任何证明能存在一样。(AT VI. 36; *CSMK* I. 129)

在第五《沉思集》中展开了这一点,笛卡尔谈到反思这种观念时他有一个上帝,一个至上的完美存在。他清晰与明确地认识到永恒存在属于上帝本质。存在不能来自神的本质,如同诸角的和不能来自一个欧几里得的三角形。“思考上帝(也就是说,一个至上的完美存在)不存在(也就是说,缺乏某种完善)比思考一个没有河谷的山更显得荒谬”(比如,有一个山上的斜坡而没有一个山下的斜坡)。

理解这种论证不只是上帝存在问题的诉求。我们不得不想到笛卡尔相信

① 参阅37页。

一个独立于真实世界和心灵世界的一个柏拉图式的本质世界。① “我设想一个三角形,它可能没有任何这种形状在我们思想之外到处存在,或者从来不存在;但必然存在其确定的本质,它的本质与形式,这是不变的与永恒的。这不是我的虚构之物,以及不依赖于我的心灵。”对于三角形,数学定理能得到证明,是否世界中的任何事物都是三角形的;同样,因此,对于抽象的上帝,定理能得到说明,是否存在任何这样的存在,一切这样的定理是上帝是一个彻底完美的存在,也就是说,它包含一切完美。但存在本身是一个完美;因而,包含一切完美的上帝必定存在。

这种论证中的薄弱之处是断言存在是一种完美。伽桑狄把握到了这一点,他是一系列反对《沉思集》中的第五个作者:“既非在上帝也非在任何区别的东西中存在一种完美,但的确如果没有任何完美……不能认为存在在像一种完美的一个物中存在;如果一个物不存在,那么它不是不完美或缺乏完美,它根本就是无。”对于这种反对的观点,笛卡尔没有任何最终令人信服的答案,它后来被康德与弗雷格坚持不懈地解决了。②

帕斯卡尔与斯宾诺莎论上帝

308 笛卡尔时代的大陆哲学家从他处理上帝存在的方式向两个不同的方向前行。帕斯卡尔放弃寻求一种证明:自然的理性受到如此限制以及如此堕落以至于任何这样的尝试必定是无效的。相反,他极力主张非正式的考察,这些考察应该促使我们相信不能证明。另一方面,斯宾诺莎提供他自己的本体论证的版本,赋予它最彻底形式化的呈现,它已接受的呈现。

① 参阅 185 页(即边码)。
② 参阅 325 页(即边码)。

帕斯卡尔承认,借助理性的自然之光,我们不但不能认识何为上帝而且即使存在一个上帝也不会认识。但由于没有资源没有考虑信仰者。他这样解释非信仰者:

> 上帝要么存在要么不存在。我们将接受哪种观点呢?理性在这里无能为力。一个无限的深渊分离我们,穿越着无限的距离,一场游戏正在上演,它呈现头或尾。你们将赌哪一个呢?(*P*, 680)

你,一个非信仰者或许根本不喜欢打赌。但你不能逃避:游戏已经开始同时一切都休戚相关。就理性能显现的而论,任何一方的机会都是均等的。但是可能打赌的结果却非常不同。假定你打赌认为你生命中上帝存在。如果你赢,上帝存在,你将获得无限幸福;如果你输,那么上帝不存在,你什么也没有失去。因此,关于上帝的赌注是一个好的赌注。但我们应该赌多少呢?如果你将获得幸福的三次生命回报你当下生活的赌注,接受提供的东西是明智的。但事实上提供给你的不是三次生命而是整个永恒的幸福,这赌注必定具有无限的吸引力。我们已假定关于上帝赌注的输赢机会是一半对一半。但无限幸福的比例与在当下生活中提供的相比,是如此巨大以至于赌上帝的存在是一个可靠的命题,即使不赢的可能性是巨大的,只要它们只是有限的。

正如帕斯卡尔假定的,一个人不能悬置上帝存在的判断,这不是真的吗?在有神论或者无神论缺乏令人信服的论证中,不可知论者拒绝任何方式的赌注,难道不是合理的观念吗?帕斯卡尔宣称这等同于反对上帝的赌注。那会是这样的结果,如果事实上存在一个上帝,他已命令我们在地狱的痛苦中相信他;但那应该是结论,而不是这种讨论的起点。 309

在帕斯卡尔的时代,赌博非常盛行。然而,与同伴打赌是轻率的,拉图的这种风格绘画再现这一场景。

事实上,对于上帝存在打赌一个人的生活,这是为何呢? 对于帕斯卡尔,这意味着倡导一种素朴的詹森主义者生活。但如果理性不能告诉我们有关上帝的任何东西,我们如何能够相信那是一种将获得永恒幸福奖赏的生活呢? 或许我们正在被邀请参加存在的赌注,不是上帝的赌注,而是詹森教派的上帝存在。但这个游戏不再是一个其中只存在两种可能赌注的游戏:有人可能要求我们去赌耶稣会的上帝,或者加尔文教的上帝,或伊斯兰教的真主。帕斯卡尔真诚的忏悔并没有在它的任务中延续;但的确注意到这样的事实,即这是可能的有相信一个命题的更好理由,这些理由截然区别于为它的真理提供证据的理由。这种讨论通过后来的宗教哲学家以更为详尽的方式得到展开,比如,克尔凯郭尔与纽曼。

另一方面,斯宾诺莎根本不是一个赌徒:他希望他的理由尽可能地减少和枯竭。他认为,上帝存在可能被证明是显而易见的,理解为欧几里得任何命题的真理。为证明这一点,在几何学形式中,在《伦理学》的开篇,他提出他自己的本体论论证的形式。 310

可读到这本著作的命题11:"上帝,包含无限属性的一个实体,其中每一个属性表达一个永恒和无限的本质,上帝必然存在。"在这里给予的上帝描述是来自本书开篇中设定的一系列定义中的第六个。

命题11的论证是通过归谬法:

> 如果你否认这一点,设想,如果可以的话,上帝不存在。因此,(由公理7),他的本质并不涉及存在。但是,这(由命题7)是荒谬的。因此,上帝必然存在。谨此作答。(*Eth*,7)

如果我们考察公理7时,我们发现它设定,如果一个东西可以设想为非存在,它的本质不涉及存在。命题7更加引起争议:存在是实体本质的一部分。为证明这一点,斯宾诺莎告诉我们,一个实体不能由任何其他东西产生。因此,它必定有自己的原因;也就是说,它的本质必定涉及存在。但是,为什么一个实体不能由另外一种实体产生呢?我们论及命题5(不能有两个或两个以上的实体具有相同的属性)和命题3(如果A是B的原因,A必须与B有共同的东西)。这些随即取决于第三个定义,最初的实体定义为"在其自身并通过自身而设想,以至于它的概念可以独立于任何其他东西的概念而形成"(*Eth*,1)。

斯宾诺莎论证的两个因素是反直觉的。我们不是通过实体产生其他实体的情形中生活,最明显的有生命的东西产生其他有生命的东西?我们为何要接受这种断言,即如果B是A的原因,那么,B概念必定是A概念的一部分?如果不知道一叶肺是什么,就不可能知道何为肺癌,但如果不知道肺癌的原因是什么,难道不可能知道何为肺癌吗?斯宾诺莎正在确定因果关系和逻辑关系的一致性,这在一种方式中肯定没有保证。但这当然不是无意的:逻辑和因果的两种结果等价,是他形而上学体系的一个关键因素。但它没有得到论证:
311 它通过实体的创造性定义成为潜在的。

斯宾诺莎一系列初步的定义还包括上帝作为包含无数属性的一种新颖的定义。既然我们被告知,我们只知道其中的两个属性,即思想和广延,这些无限属性在体系中几乎没有进一步的作用。一旦斯宾诺莎证明,他满意上帝存在,他继续推论上帝的许多属性,这些属于传统的有神论:上帝是无限的、不可分的、独一无二的、永恒的、全知的;他是一切东西的首要的动力因,一切东西在他理解中存在,他是唯一的实体,本质与存在是相同的(*Eth*,9 – 18)。但他还以极度不正统的方式描述上帝。虽然在《神学政治论》中,他反对上帝拟人化的概念,但是他认为上帝是广延的,因此是某种肉身(*Eth*,33)。上帝不是一个在犹太—基督教传统中设想的一个创世者:他不选择给予宇宙存在,而是选择必然来自神性的一切事物。只有在这个意义上,他是自由的,他不是由外在于他自己本质的任何东西决定的。他不创造或创造一个世界,这不同于我们拥有的世界,这不是公开的(*Eth*,21 – 22)。他是一个内在的而不是事物的超越原因,也没有这样的东西作为创造的目的。

斯宾诺莎对自然神学的革新在上帝与自然的对等中总结出来。虽然这个词直到下一个世纪才被创造出来,他的有神论可以称为“泛神论”,即上帝是一切,一切都是神。但是,像他体系的每个其他元素一样,“自然”是一个微妙的概念。像布鲁诺一样,斯宾诺莎区分自然的自然化(字面意思是“自然的自然变化”,我们可以称之为“积极自然”)和自然化的自然(“自然变化后的自然”,我们可称之为“消极自然”)。单一神圣实体的无限特征属于积极自然;构成有限存在的系列模式属于消极自然。假如没有上帝,构成宇宙织锦的有限存在不能存在或不能被设想,因此 ,如果没有存在的这些线索,上帝也不可能存在或被设想。最重要的是,我们被告知,理智与意志不属于积极自然而属于消极自然。因此,上帝不是像虔诚的犹太人和基督徒信奉的一个位格的上帝。

难道这意味着上帝不爱我们吗?正如我们已理解到的,斯宾诺莎相信对上帝理智之爱是人的活动的最高形式。但他接着谈论爱上帝的人不应该努力得到上帝应该爱他的回报。事实上,如果你想上帝爱你,你希望他不再是上帝(*Eth*, 169 - 170)。但是,上帝可以说成是爱自己,我们的上帝之爱能被理解为这种自爱的一种表现。在这个意义上,上帝爱人的确是像人对上帝理智之爱的一样的东西。

莱布尼茨的乐观主义

1676年莱布尼茨访问斯宾诺莎时,他们讨论的议题之一是笛卡尔对上帝 312
存在的本体论论证。笛卡尔已论证,上帝被定义为一个存在者,这个存在者一切是完美的;但存在是一种完美,因此上帝存在。莱布尼茨认为这种论证有一个可疑的前提:我们如何知道一种拥有一切完美的观念是一种连贯的观念呢?他为斯宾诺莎写了一篇论文,其中他试图弥补这一缺陷。他定义一种完美作为一种"肯定的与绝对的单一特征"。他论证,不相容性只能在复杂特征之间出现,当分析时,可能表明包含冲突的因素。但是,一个单一特征是不可分析的。因此,在一个包含所有单一特征的存在者观念中,没有任何不可能的东西,也就是说,一个存在者是完美的(G VII. 261 - 262)。

莱布尼茨已增添这个骑手,接受本体论的论证。他没有质疑存在是一种完美的观念——对于伽桑狄,对于从康德到现代的许多哲学家,这个前提似乎已是笛卡尔推理的真正软肋,这是令人惊奇的,因为正如我们在他自己的体系中看到的那样,存在是某种相当不同于所有谓语的东西,这些谓语附加到一个主语并构成它的定义。①

莱布尼茨给予宇宙论证一个新的转变,这种证明论证上帝是宇宙的第一因。他并没假定一系列有限的原因本身必须是一个有限的系列:他认为,例如,一种无限的形状与运动,现在的与过去的,构成《单子论》的动力因部分。但是,这个系列中的每个元素是一个偶然实体,其本身并不具有存在的充足理由。最终原因必须在这些系列之外找到,在一个必然的存在中,我们称之为上帝(G VI. 613)。显然,这种论证在充足理由原则中要么立足要么站不住脚。

313 莱布尼茨提供上帝存在的其他两种证明,一种是传统的,一种是新颖的。一个是永恒真理的推论,那就是回到奥古斯丁。② 其推论如下:心灵是真理栖居的领域;但逻辑和数学的真理先于人类心灵,因此,它们必定在一种永恒的神的心灵中具有一种印迹。其次,新的论证取决于前定的和谐理论:"彼此没有任何联系的如此多的实体的完美和谐只是来自一个共同的原因"(G IV. 486)。当然,这种论证只能说服已接受无缝隙的单子的莱布尼茨体系的那些人。

不像斯宾诺莎,莱布尼茨认为上帝与自然完全不同,而且他已自由地创造一个自由生命的世界。在决定创造之前,上帝调查无限多的可能的生物。在这些可能的生命中,将有许多可能的尤里乌斯 · 凯撒;其中将有一个凯撒大帝越过卢比孔河,将有一个不越过该河。每个可能的凯撒是一种理由的形式,他们中没有两个会采取必要行动。因此,上帝决定跨越卢比孔河的凯撒存在时,他正在实际自由地选择凯撒。因此,我们的凯撒自由地跨越过卢比孔河。

给予我们生活的实在世界的存在,而不是他本应该创造的其他无数可能的世界,什么是上帝的自己选择? 莱布尼茨的答案是,上帝,作为一个有理性

① 参阅 197 页。
② 参阅 278 – 280 页。

的代理人,选择创造所有可能世界中的最好的一个。在《神义论》第一部分的第八章中,他认为,上帝的最高智慧,联系无限的善良,不可能不选择最好的。一个不太好的是一种邪恶,正如一个不太差的恶是一种善;因此上帝必定已在作恶的痛苦下选择最好的世界。如果没有最好的世界,他就根本不会选择创造。这似乎是,一个没有罪恶和痛苦的世界将会比我们的更好,但这是一种幻想。如果存在最轻微的邪恶在目前的世界中几乎没有,这将是一个不同的世界。永恒真理要求物质的与道德上的邪恶是可能的,所以许多无限可能世界将包含它们。因此,就我们可以相反呈现的一切而言,所有世界中的最好的是在那些包含两种邪恶的世界之中(G VI. 107ff)。

莱布尼茨不是最先宣称我们的世界可能是最好的,在 12 世纪,亚伯拉德 314
坚持认为,与他已创造的世界相比,上帝没有权力创造一个更美好的世界。①但莱布尼茨区分了他与亚伯拉德的立场,认为除一个实际世界之外其他的世界也是可能的——在形而上学上是可能的。上帝必须选择最好世界的必然性是道德的,而不是形而上学的必然性:他决不由权力的缺乏决定,而是由他的无限善良决定。因此,莱布尼茨可以在《形而上学》(*D*, 3)中宣称上帝自由地创造世界:根据管理的理由,这是完美行为的最高自由。上帝自出地行动,因为虽然他不能创造任何东西,除了他根本不必创造最好的。

莱布尼茨相信,他的理论解决了传统的邪恶问题:为什么全能和慈爱的上帝允许罪恶和痛苦?他指出,并不是事先所有可能的东西能够实际地在一起:正如他指出的那样,A 和 B 或许是可能的,但 A 和 B 或许是不可得兼。任何创造出的世界是一个兼容的体系,最好的可能世界是那种善战胜恶的最大盈余的系统。一个有时受到罪恶误导的自由意志的世界好于一个既没有自由又没有罪恶的世界。因此,世界的邪恶存在对于上帝善良没有提供任何的论证。

---

① 参阅第二卷,296 页。

一个是倾向反对莱布尼茨的“乐观主义”的类型,他已反对笛卡尔的本体论论证。我们如何知道“一切可能的世界中的最好的”表达一致的观念?莱布尼茨自己提供一种证明,没有所有可能运动中速度最快的这种事情。如果有这样的速度,想象一个轮子以这样的速度旋转,如果你在轮子上钉一颗钉子,从圆周施力时,钉子旋转速度会更快,这表明这种观念的荒谬(G IV. 424)。如果宣称的可能最好的世界有邪恶的 E,难道我们不能想象没有 E 的所有其他方面类似的一个世界?如果上帝全能,他将这样一个世界变成现实怎么不可能呢?

315

贝克莱的上帝

我们已看到,莱布尼茨在贝克莱早期著作找到许多来证明。然而,崇拜似乎并没有得到回应。贝克莱轻视莱布尼茨对上帝存在的本体论论证。另一方面,他提出自己的新论证——一种“直接的和立即的上帝存在的证明”——这可以被看做是一种永恒真理论证的巨大拓展,这通过莱布尼茨从奥古斯丁借用过来。在对话中,他已满意地确立,感知的事物不能存在,否则要么在心灵要么在精神中存在,他继续指出:

> 我的结论从何而来,不是因为它们没有真正的存在,但是,假如它们不取决于我的思想,就有一种不同于我正在感知到的一种存在,这必定是某种其他的心灵,它们在那里存在。正如肯定的,因此,感知的世界真的存在,那么肯定的是有一种无限的无处不在的精神,这种精神包含和支持它。(*BPW*,175)

因此，不仅逻辑和数学令人敬畏的真理像观念一样停留在上帝心灵之中，最平常的经验真实亦如此，比如此刻一只瓢虫在我书桌上爬过的事实。贝克莱不仅认为上帝认识这种谦逊的真理——这已是大多数神学家的观点。他认为，恰恰是这种东西使得这样一个命题成为真的，这就是上帝心灵中的一系列观念——上帝的瓢虫观念与上帝的我的书桌观念。这确实是一种创新。“人们普遍认为上帝熟悉或感知一切事物，因为他们相信一个上帝的存在，然而我在另一边立即与必然地断定一个上帝的存在，因为所有可感知的东西必须由他感知”（*BPW*，175）。

为论证起见，如果我们赞同贝克莱，感知世界只包含观念，他的上帝存在的论证似乎仍然有缺陷。一个人不能没有谬误，通过从前提“没有任何有限的心灵，其中一切存在”，得出结论“因此有一个无限的心灵，在其中一切存在”。这可能是无论何种的存在在某种有限的心灵或其他之中存在，即使没有任何有限的心灵宽阔得足以容纳所有的存在。很少有人会相信下面的平行论证。“所有人都是公民，没有每个人是一个公民的民族国家；因此，有一个全球的国家，其中每个人是一个公民。”

或许贝克莱真的打算论证，如果事物只在有限心灵中存在，那么它们的存 316
在是不完整的与间歇性的。在他马厩中的马将会存在，当他看它时，当它的马夫注视它时，但在两个间歇中将不会存在。只有存在一个无限的、无所不在的、无时不在的心灵，这样持续的存在将得到保证。这是一对著名的五行打油诗的主题，其中诺克斯（Ronald Knox）试图总结贝克莱的意图：

有一个年轻人说过，“上帝
必定认为它极其古怪
如果他发现，这棵树
仍然在

没有人在方院。”

回复：

亲爱的先生，你感到吃惊的古怪
我一直在方院。
这也是为什么那棵树
将继续在
因为被观察
此致，
上帝。

由贝克莱思路证明的上帝存在似乎与传统有神论的一个重要方面有所不同。如果由没有有限精神感知的对象由上帝感知它们而保持存在的话，必须在所有可感知事物的上帝的思想观念之中存在——不但像书桌和瓢虫这样的对象，而且颜色、形状、气味、欢乐、痛苦和各种感觉的材料。但基督教思想家通常否认上帝享受感觉的经验。赞美诗问道：“耳朵的发明者难道不能听到？眼睛的创造者难道不能看见？”这些修辞的“问题希望答案是不”，而阿奎那与其他许多神学家给出“是”的回答。注释文本“上帝的目光是正义，”阿奎那写道，“身体的部位归因于经文中的上帝，并通过来自它们功能的隐喻。眼睛，例
317 如，看见，所以当谈论‘上帝之眼’时，这意味着他看见的权力，尽管他的看见是一种理智的而不是一种感觉的行为”（Ia 3.1 ad 3）。

对于亚里士多德学派，显然，上帝没有感觉或感觉的经验，因为看到、听到、感受到、尝到，或以其他感觉，它本质上有一个肉体，而上帝没有肉身。然而，这种观念通过笛卡尔普及开来，即人类感觉的关键因素事实上是一种纯粹

的精神事件,这个问题不再是这么明确。但贝克莱急于避免的结论是上帝具有感觉经验。

在第三次对话中,海拉斯,反对派发言人说道,它将从贝克莱的理论中推论,即上帝、完美的精神,遭受痛苦,这是一种不完美。贝克莱的喉舌,费劳斯,答复如下:

> 上帝知道或理解所有的事情,他知道在其他东西中痛苦是什么,甚至每种痛苦的感觉,知道生命遭受什么痛苦,我不提出任何问题。但上帝,虽然他知道并有时在我们之中造成痛苦的感觉,可他自己遭受痛苦,我正面否定……没有任何身体的运动与他心灵中的痛苦或快乐的感觉相混合。知道一切是可知的,这无疑是一种完美;但忍受或遭受或感受到任何感觉的东西是一种不完美。我认为前者赞同上帝,而不是后者。上帝认识或具有诸观念;但他的想法不是通过感觉传达给他,正如我们自己的那样。(*BPW*, 202 - 3)

很难理解这与贝克莱的认识论是一致的。那些冷热酸甜的观念就在我们面对的这些观念之中。如果所有的观念都是上帝心灵中的观念,那么这些观念就在上帝心灵之中。如果上帝并没有感受到种种感觉,那么这种观念的拥有对于感觉是不充分的。但是,如果是这样的话,那么贝克莱对普通人的感觉的解释是非常不够的。

休谟论宗教

不像贝克莱,休谟对自然神学作出了一种持久的贡献,如果是消极的话。

他批判性地考察了上帝存在的论证,他确立了一种启示权威的奇迹作用,这些讨论仍然是宗教中的有神论哲学家和无神论哲学家的出发点。我们可以首先考察论奇迹的论文。这是插入《人类理解研究》的第十部分,在早期的《人性
318 论》中没有对应部分。

对休谟而言,奇迹是对自然法则的一种违反:他列举诸多奇迹的事例,比如起死回生,或房子或船升上空中。令人惊讶的是,他不否认奇迹是可能的,他没有像他的一些追随者,认为如果一个明显的奇迹事件证实已发生,这将不会表明一种法则已被违反,但我们已经简化我们对法则的观点。他其实真正感兴趣的不是契机能否实现,而是它们能被看到而实现。他的目标是利用奇迹,通过辩护者宣扬一种特定的宗教信息的超自然的授权。

这篇论文第一部分以如下观点结尾:

> 没有证据足以证明一个奇迹,除非这种证据是这样一种东西,它的谬误比事实更加神奇,它努力确立…… 当有人告诉我,他看见一个死人活过来时,我立刻考虑自己是否会更有可能,这个人要么欺骗要么受到欺骗,或者,他有关的事实应该真的发生过……如果他证据的谬误将会比与他相关的事件更加神奇;不会直到那时,他假装指使我的想法或意见。(W,212)

休谟并没有排除一个奇迹可以得到证明,超过他排除一个奇迹可能发生。的确,他告诉我们,假如证据恰当的一致,他自己就准备相信他认为的是一个奇迹,即有八天整个地球是完全黑暗的,我们可能会觉得这是令人惊奇的。在他自己的定义中,奇迹是一个自然规律的违反,而有些人被欺骗或欺骗从来不是自然规律的违反;因此反对一种奇迹的证据必须始终强于赞同它的证据。但我们必须记住,根据休谟对人类意志的解释,一个人的行为就像任何自然事

件一样可能是自然规律的一种违反。

休谟无疑是正确的,如果有人宣称一个事件 E 发生,它是自然规律的一种违反,那么 E 发生的可能性必定与证据成反比,这个证据认为如果 E 发生,这将是法则的一种违反。因为如果 E 发生,这将是法则的一种违反,据此证据,E 没有发生。但休谟必定已夸大了他的个案。否则,科学家可能纠正一个关于自然法则的错误观念,这绝对是不可能的。面对一个同事的断言,即他的实验已揭示出这个法则的反例,它们应该按照休谟呈现的,对于这些基础上的证据大打折扣,与法则受到违反相比,对于实验者撒谎或犯错而言,这将是更少的
奇迹。 319

在论文的第二部分,休谟提供了三种事实论证说明奇迹永远不会在满足他标准的完全充分的证据中确立。首先,他在范畴方面认为,没有任何奇迹已由足够好的证人充分地证明,他如果欺诈,他将损失许多并很容易被发现。其次,他唤起人类的轻信,正如在最终查处的许多欺骗的奇迹中显现的那样。最后,他坚持认为,超自然的与神奇的故事主要在无知和野蛮的国家中到处存在。这些意图的每一个可能是已经争辩直接的历史的基础。

更有趣的是第四个论证,这是基于无可置疑的事实,奇迹被称为旨在为互相冲突的宗教服务。如果一个奇迹证明上帝解释的一种学说,并最终证明是真的,那么一个奇迹绝对不能为一种对立的学说服务。因此,每一个奇迹发生的故事在支持某种特定的宗教,必定是一段证据反对有利于一种不同宗教的任何奇迹发生的故事。

休谟用三个事例阐明他的观点:一个盲人和跛脚男子在皇帝维斯帕西旁边治疗,据塔西报告;红衣主教雷茨描述一名男子,通过用圣油涂抹截除的残根,他长出第二条腿;奇迹在一个虔诚的詹森主义者巴瑞思的墓中发生。这三个个案是不均衡的兴趣:前两个奇迹的证据不超过几百字,但对于第三个奇迹,有种种书和许许多多真实证据的书。休谟这样描述这些事件:

对病人的治疗，使得聋者恢复听觉，使得盲人恢复视觉，每每谈论圣墓日常影响。但什么是更不寻常的：许多奇迹当场被证实，在无可置疑的正直

320 判断之前，通过信任与明确的目击证明，在一个博学的时代，出现在如今是世上最杰出的戏剧中。(W, 220)

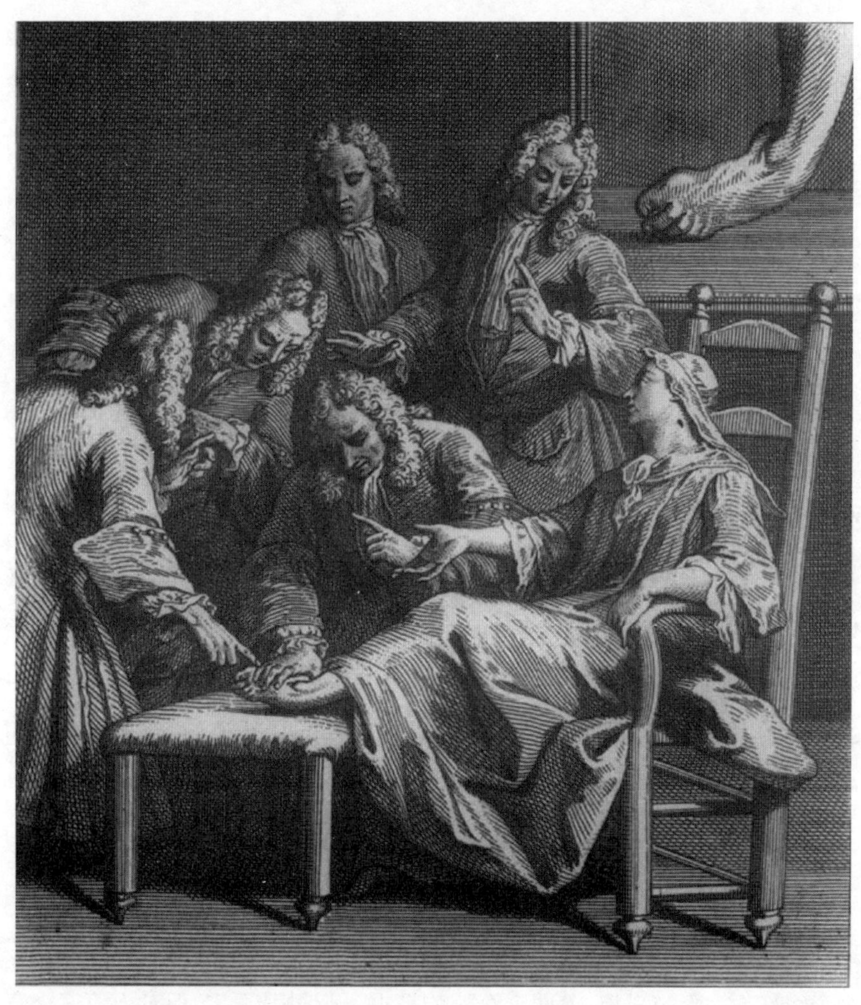

休谟在论奇迹的著作中援引詹森主义者治疗的一个事例。

休谟的描述有点夸大其词，这与他早期的观念非常不一致，即奇迹只在野蛮的
情况下报告。但不可怀疑的天主教神性的历史学家确证他描述这些奇迹发生
的主要思路，以对抗支持已不断受到主教们谴责的异教。似乎这种最终论证 321
并没肯定休谟的事例，一个奇迹不能证明，这样旨在建立一种宗教。当然不
是，有神论者已认为这可能就是这样，在证明上帝存在的意义上；他们只是宣
称，如果我们从其他地方知道上帝存在，我们知道他是无所不能的，而且在他
的力量中创造奇迹，或许是为验证这一节而不是别的。

难道我们从其他资源认识上帝——譬如，从传统的论证看？休谟认为没有任何存在，其非存在暗含一个矛盾：相应地，他几乎不同情上帝存在的本体论证。但是他没有直接地攻击它；他最相关的评论出现在《人性论》的这一节，他试图确立信仰的本质。在探讨信仰不是一种观念时，他宣称，设想某种东西之后，我们设想它是存在的，我们并没有给我们最初的观念增添任何东西：

> 因而当我们确信上帝存在时，我们只是形成这样一个存在的观念，正如他呈现给我们一样；我们将这种存在归因于他，由一种特定观念设想，我们将其加入他的其他特征的观念，以及可以再次从它们中分离与区分……当我思考上帝时，当我将他视为存在，以及当我相信他是存在的时，关于他的我的观念既没有增加也没有减少。（*T*, 94）

这是正确的，相信与设想在内容上无需不同：如果我相信神的存在而你不相信，以休谟的术语看，我们对于同样的观念是不一致的。但我们有一种关于上帝的思想，以及相信上帝存在，这是两件非常不同的事情——一个无神论者认为“如果有一个上帝，那么他是一个野蛮人或自夸的人”，在他的如果从句中，这表达上帝存在的想法并没有同意它。休谟错误地认为没有任何存在的概念区别于存在东西的概念——如果事实如此，我们如何判断某种东西不存

在？但这是真实的和重要的，存在的概念是非常不同于来自上帝概念或独角兽概念的概念种类。认为独角兽存在，这是做出一个完全不同的逻辑形式的声明，声明独角兽难以驯服。后来的哲学家比如康德和弗雷格给予休谟的洞见更加精确与准确的形式。

322 休谟更全面与恭敬地对待设计的论证。他的《关于自然宗教的对话》有三个人物，克利安西(Cleanthes)、菲洛(Philo)和德梅亚(Demea)。这是对休谟结构技巧的一种赞扬，不容易使得这三人为自己的观点代言而达成一致。在三人中，德梅亚至少呈现神经质的性格；但学者们愿意在内在与外在的基础上确定菲洛与克利安西作为他们主人的代言人。这是显著的，他们两人严谨地进行设计的论证。

在第二部分，克利安西比较了宇宙与一部巨大机器，这部机器包含无限的更小的机器：

> 所有这些不同的机器，甚至最微小的部分，在一个精度上彼此进行调整，这让所有人惊叹，他们已观照它们。这些惊奇的适应目的的手段，通过所有的自然，虽然超越许多，真正地类似人类精妙的作品；人的设计、思想、智慧和才能的作品。由于这些结果彼此类似，我们被引向推断，借助所有的类比原则，原因也相似；而自然的作者有点类似人的心灵；虽然拥有更大的能力，与他完成的伟大工作相匹配。(W, 116)

菲洛批判这种观点，但在对话的最后一节，在一个邪恶问题的详细解释作为抗衡来自设计的论证之后，他也愿意认为，一个神的存在“在没有莫名其妙的理由与自然的诡计中发现自己”(W, 189)。但他赞同自然神学是非常坚定的。他愿意赞同原因或宇宙秩序的原因可能与人类智慧存在某种细微的类似；但这种赞同在诸条件中闪烁其词。然而，假如：(1)“这个命题是，他没有能力扩展,变化或更具体的解释”;(2)“推断它没有任何相关影响人类生活或可能是任何行为或宽容的根源”;(3)“这种类推,正如它是不完美的,他不能超越人类的能力”,那么他愿意接受设计论证的结论。“最好奇的、沉思的与宗教的人能做更多,与一个普通的、哲学的认同经常出现的命题相比,相信确立的这些论点超过对它存在的反对观点”(W, 203)。

这可能是休谟自己的立场。显然,休谟喜欢困扰神职人员,他憎恨基督教本身,尽管对它讽刺的致意散见在他的著作之中。但对于上帝存在,他是一个 323
不可知论者,而不是一个无神论者。直到下一个世纪达尔文主义胜利,一个无神论者能自信地认为他有一个有效的药方对付设计的论证。

康德的神学辩证法

康德先验辩证的第三章题为《纯粹理性的理念》:主旨是批判理性神学,尝试通过纯粹理性确立一个先验上帝的存在。康德首先宣称一切可能的上帝存在的论证必定陷入这三类中的一种。存在本体论的论证,这从一个至上存在的先天概念出发;存在宇宙论的论证,这从经验世界的普遍本质来论证;以及存在基于特定自然现象的论证,我们可以称之为“自然神学的论证”。在每种论证中,康德认为,理性“徒劳地张开它的翅膀,借助思辨思想的纯粹力量飞翔在感觉世界之外”(M, 346)。

正如康德设定它的,本体论的论证是从上帝定义为一个绝对必然的存在开始的。这样一个存在是某种东西,其不存在是不可能的。他问道,难道我们理解这样一种定义吗?必然性的确属于命题,而不属于事物;我们不能转换一个命题的逻辑必然性比如“一个三角形有三条边”以及使它具有一个真实存在的特征。逻辑必然性是有条件的必然性;没有任何东西是绝对必然的:

> 假定一个三角形存在与其三条边不存在是自相矛盾的；但假定三角形和诸边不存在是完全可接受的。同样，可以坚信一个绝对必然存在的概念。如果你想理解它的存在，你理解事物本身和它的一切谓项，毫无疑问没有任何矛盾。（M, 348）

如果本体论论证是合理的，那么“上帝存在”就是一个分析命题：“存在”是一个谓语，这不言而喻地包含在主语“上帝”之中。但康德坚持认为真实存在的所有陈述是综合的：我们不能从纯粹概念中推论实际存在。我们可能反对我们至少能从概念推论非存在：这是因为我们理解正方形与圆的概念，我们知道不存在正方形的圆。如果“正方形的圆不存在”是分析性的，“有一个必
324 然的存在”又为何不是呢？

康德反对本体论论证的真正意图不是“上帝存在”是一个综合命题，而是它根本不是一个主—谓命题。“上帝是全能的”包含由系动词“是”联系的两个概念。但：

> 如果我认为主语，上帝，具有包括全能的一切谓项，并说“上帝是”或“存在一个上帝”，我没有给上帝概念增添新的谓项，我只是确定或确信具有他的一切谓项的主语的存在：我安排主语适合我的概念。（M, 350）

存在命题事实上并不总是“安排”，因为它们可能在一个更大的句子中作为从句出现（正如“如果存在一个上帝，罪人将受到惩罚”）。但既不是断言又不是假定上帝存在给构成上帝概念的谓项增加任何东西，这是真实的。这是正确的，上帝的任何特定概念是否前后一致（正如康德认为必然的存在不是）。即使我们承认上帝是可能的，仍然存在这种观点，即康德通过说真正的一百美元只包含可能的一百美元。

回应休谟时,康德认为:“我们可能思考一个事物不管有多少谓项——即使我们完全确定它——我们不会附加任何东西,当我进一步宣称这种事物如此时。否则它将不是存在的同样的物而是某种不只是在概念中思考的东西;因此,我们不能认为概念的确切的对象存在”(M, 350)。这必定总是不合法地尝试创建存在——甚至可能的存在——纳入到一个物的概念之中。存在不是一个谓项,这个谓项能包含这样一个概念。

12 世纪的阿伯拉德与 19 世纪的弗雷格,劝告我们重新改变存在的陈述,以至于“存在”甚至看上去不像是一个谓项。“天使存在”应该确切地被描述为“某些人是天使”。这种优点,不会使它显得,当我们说“天使不存在”时,我们首先假定天使然后反驳他们。但这没有解决围绕本体论论证的那些问题,因为从可能性到实在性的推论问题回归到作为何物作为“某物”的问题:我们 325
包括在我们可能的探讨与实在的对象之中吗?因而某些晚近的哲学家已尝试以一种新颖的方式重新进行本体论的论证,借助将可能的对象包含在讨论的范围之中。他们主张,一个必然存在,是在一切可能世界中存在的存在。如此定义之下,一个必然存在必定存在我们的世界,实在的世界。我们的世界不会存在,除非它不是可能的;因此,如果在每个可能世界中上帝存在,他必定在我们的世界中存在。

当然,康德坚持认为,在现实中是否存在某种东西对应我的一个物的概念,这本身不能是概念的部分。一个概念必须确定,并先于与它相对的现实,否则我们不会认识哪一个概念用来比较以及用来发现与现实相一致,或可能发现与现实不一致。有一个上帝不能是我们就“上帝”而言的意味的东西中的部分;因此,“有一个上帝”不能是一个分析命题,同时本体论论证必然失败。

然而,康德低估了他批判的力量。他坚持认为反驳本体论论证附带击败来自世界偶然性的上帝存在的更为流行的论证。那种论证由康德轻松地提出来：

> 如果任何东西存在，一种绝对必然的存在必定也存在。现在，我至少存在。因此，一个绝对必然的存在存在。小前提包含一个经验，大前提包含从它们是任何经验到必然存在的推论。因此，这种论证开始于经验并不全是先天本体论的。基于这种理由，因为一切可能经验的对象被称为世界，它被命名为宇宙论的论证。（A，605）

康德主张，经验的诉求是虚幻的；宇宙论的力量只来自本体论的论证。"必然的存在"意味着什么？的确，存在涉及其本质的存在，也就是说，一个能由其本体论论证确立的存在，但康德在这里不顾"必然的存在"的不同定义的可能性作为原意是一个存在，这个存在既不能进入存在又不能出于存在，它不能经历任何种类的改变。事实上，这是中世纪哲学家给予的必然存在的规范解释，他们像康德一样反驳本体论的论证，这样一个存在可能更好地被看做是完全不同于经验世界中引发的、多样的以及偶然的项，这些项为脆弱与飞逝的
326 宇宙提供必然稳固的基础。

然而，康德进一步批判宇宙论的论证，这种论证与他宣称它是一个伪装的本体论论证无关。宇宙论论证的一切形式寻求表明一系列有条件的原因，无论延伸到何种程度，只能由一个必然的原因彻底完善。但如果我们追问必然原因是不是原因链条中的部分，我们面临一个两难境地。如果它是链条的部分，那么我们可以追问，在这个场合像在其他的场合，它为何存在。但我们不能想象一个至上的存在对它单独说"我从永恒到永恒，在我之外，没有任何东西通过我的意志来拯救，但我从何处来呢？"（A，613）。另一方面，如果必然的存在不是因果链条的部分，这如何解释链条中的联系，这些联系在我自身的存在中结束么？

康德最温和地处理上帝存在的论证是心理—神学的论证，他所谈论的论证必定总是带着敬意地提到它以及他自己伟大雄辩论述：

> 这个世界呈现给我们这样一个多样、秩序、目的与美的不可估量的奇观，在它无限的程度与部分无限可分中一样显示，甚至具有这种认识，像我们软弱的知性能获得的，我们面对如此众多的难以估量的伟大奇迹以至于一切语言都黯然失色，一切数字失去测量的力量，我们的思想失去一切准确性，我们整个的判断区分一种惊异，它的静默以雄辩述说。我们处处看到因果的链条，目的与手段的链条，看到进入与走出存在的规则。没有任何东西自身形成的条件，我们在其中发现它，但总是在其后面指出某种别的东西作为它的原因；这随即迫使我们做出同样的研究。整个宇宙因而陷入虚无的深渊，除非除偶然的无限链条之外，有人假定某种东西支持它——某种东西是原初的与独立的自我持存，这种东西不但导致宇宙的起源而且保证它的延续。(A, 622)

这种如此呈现的论证似乎包含若干上帝存在的传统论证——譬如，第一因的论证，同样来自设计的论证。毫无疑问，在世界上，我们处处发现秩序的符号，与一种确定的目的一致，显然是以伟大的智慧实现的。既然这种秩序不同于单个事物，这些事物构成世界，我们必定断定它必定已由一个或更多崇高 327
的智慧驱使，不像自然做的那种盲目的行为，而像人类那种自由的行为。康德对于这些类似提出各种难题，这种论证在自然运作与人类技巧的人工性之间进行类比；但他对这种论证的真正批判并不是否认它的权威而是限制它的范围。这种论证能证明的最多的是一个建筑师的这种存在，“世界上的一个建筑师总是受到他工作材料的适应性的巨大限制，他不是一个世界的创造者，对于他的观念而言，一切是主观的”。许多宗教信仰者超过合理的怀疑倾向于确立这样一个伟大建筑师的存在。

然而,康德并没有在《纯粹理性批判》中说出断语。在第二批判中,他提出了大量的实践理性假定;如果道德法则的服从变成一种理性活动,那么必须做出假定。这些假定也同样呈现自然形而上学的传统主题:上帝、自由与不朽。我们有责任追求完美的善,这包含美德与幸福。我们只能有一种追求某种东西的责任,如果完成是可能的话,“应该”,康德值得铭记的论道,“暗含能够。”但只有一个全能的、全知的上帝能确信美德与幸福能同时发生——甚至这样一个上帝能如此,只有存在一个当下生命之后的一个生命。因此,假定上帝存在在道德上是必然的。

康德坚持认为,在他第一批判中的这种论断与他的否定之间并不存在任何的不一致性,思辨理性能证明上帝的存在与特征。道德生活需要的上帝存在的假定是一种信仰行为。在第一批判前言中,康德已厘清神学的两种方法之间的差异,他宣称他对形而上学的批判方法实际上是在道德上有价值地信仰上帝存在的一个必然条件:

> 我甚至不能假设上帝、自由与不朽为我理性的必然实践的运用,除非我同时剥夺思辨理性的自命不凡的过分洞见……因而我不得不否认认识,旨在为信仰留下地盘。形而上学的教条主义——在主体中没有批判纯粹理性而可能取得进步的观念——是那种教条的无信仰的真正来源,这种无信仰与道德相矛盾。(B)

康德假定上帝作为道德行为的一个条件,帕斯卡尔提出的策略首先详细阐释了这个假设,即我们应该相信上帝存在,不是因为我们有理性思考“上帝存在”是真实的,而是因为它是一个有利于我们去信仰的命题。

328

布莱克的《古代岁月》描绘的宇宙建筑师。

黑格尔的绝对存在

329 黑格尔喜欢运用基督教的语言。譬如,他区分德意志史为三个时期:到查理大帝时期,他称之为圣父王国;从查理大帝到宗教改革的时期,他称之为圣子王国;最后从宗教改革到普鲁士君主统治时期,他称之为圣灵或精神的王国。他不时认为绝对精神是上帝以及认为绝对的存在是那种思想,它思考自身的这种思想让人想到亚里士多德的一句名言,这一名言经常被基督教思想家用来定义上帝。但在考察中,显示出绝对的是极其不同于基督教上帝的某种东西。

基督教传统构想的上帝是一个永恒的、不变的存在,其存在完全与世界和人类的存在无关。在亚当和亚伯拉罕存在之前,上帝已在成熟的自我意识中存在。另一方面,黑格尔的绝对是只有通过人类生活生存的精神,绝对的自我意识在日常世界中由哲学家反思提出。然而,精神不只是等同于人类思想的整体;绝对者有诸多目的,这些目的不是任何人类思想家的目的以及人类活动无意识地为这些目的服务。但宇宙的精神蓝图不是来自外在的由一个先验创造者强加的某种东西;它是一个相当于 DNA 的宇宙类似物计划的内在演进。

黑格尔把他的体系看做是一种理性的、科学的由宗教象征传达的真理显现。哲学与宗教彼此涵盖同样的地盘:

> 哲学对象像宗教对象一样关注整体。在两者中,对象是真理,在至上意义上,上帝以及只有上帝是真理。两者以同样方式继续探讨自然和人类心
> 330 灵的无限世界,它们彼此相关,并与上帝的真理相关。

在宗教与哲学中，人类旨在使它自身成为宇宙普遍的理由：宗教借助信仰达到这个目的；哲学则是借助理性反思达到这个目的。

最初，宗教呈现给我们的是神话和形象。因而在古代古典时期，荷马与赫西俄德创造了希腊神的万神殿，哲学与神话和形象的最初互动是探索字面真实的涵义：因而柏拉图谴责诗人和雕塑家的神学。这种模式在其他文化中反复出现。譬如，犹太教与基督教的叙述受到启蒙运动时期哲学家的嘲讽。但真正的、黑格尔式的哲学代替了宗教与反宗教哲学之间的这种对抗，这种哲学既接受信仰又接受理性作为呈现一种纯粹永恒真理的不同方法。

哲学在思想中呈现的，宗教在形象中呈现。出现在黑格尔体系中作为反对自然的概念的东西，由一个超验的上帝呈现在伟大的一神教中作为一个世界的自由创造。黑格尔洞察到有限精神是无限精神生命的一个契机，这种洞见在基督教中由教义表述出来，这种教义认为，在基督中，上帝是一个人的化身。但哲学并不产生多余的宗教："宗教形式是心灵必需的，就像它在自身与为了自身；它是真理的形式，好像它是为所有人，以及为意识的每种模式。"黑格尔自豪地宣称他是一个路德教教徒并打算一直是路德教教徒(*LHP*, I. 73)。

黑格尔对基督教学说的态度是一种同情的温和态度。这也是他对上帝存在的传统论证的态度。但如果上帝是绝对者，以及绝对者是一切存在，那么上帝存在几乎不需要论证。这是黑格尔本体论论证的方式。"这可能是奇怪的，"他写道，"如果我将上帝称为具体的整体不够丰富地包括像存在一样贫乏的范畴，那么上帝将正是一切中最贫乏的与最抽象的"(*Logic* 1975, 85)。对于他，上帝存在的真正论证在它的整体中是黑格尔体系本身。 331

近代早期是检验自然神学的时期。它不但遭到哲学家的批判，这些哲学家日益怀疑宗教传统中的因素；它而且遭到神学家的批判，这些神学家希望降低自然神学的要求旨在为信仰留下空间。启蒙运动时期哲学家寻求降低以及或许消除置入认识论、心理学、生物学、伦理学以及政治学领域中的神学学说。法国革命及其后果导致欧洲思想家重估传统宗教与启蒙运动的纲领。在 19 世纪,正如我们将在后一卷书中所探讨的,这引发来自科学崇拜者的激烈挑战,以及来自宗教界的积极回应。

大事记年表

1513	马基雅维利《君主论》(*Prince*)
1516	莫尔《乌托邦》(*Utopia*)
1520	教皇谴责路德
1540	创立耶稣会
1543	哥白尼发表日心说
1545—1563	特兰托公会
1561	拉莫斯遭谋杀
1569	蒙田的散文发表
1588	莫利纳《肯考迪娅》(*Concordia*)
1600	焚死布鲁诺
1605	培根《知识的进展》(*Advancement of Learning*)
1625	格劳秀斯《论战争与和平》(*On War and Peace*)
1638	伽利略《两种新科学》(*Two New Sciences*)
1641	笛卡尔《沉思集》(*Meditations*)
1650	笛卡尔去世
1651	霍布斯《利维坦》(*Leviathan*)
1662	帕斯卡尔去世

1677	斯宾诺莎《伦理学》(*Ethics*)出版
1686	莱布尼茨《形而上学》(*Discourse on Metaphysics*)
1687	牛顿《数学原理》(*Principia Mathematica*)
1690	洛克《文选》(*Essay*)与《政府论》(*Treatises of Civil Government*)
1713	贝克莱《三篇对话》(*Three Dialogues*)
1714	莱布尼茨《单子论》(*Monadology*)
1739	休谟《人性论》(*Treatise*)
1750	孟德斯鸠《论法的精神》(*Spirit of the Laws*)
1764	里德《常识》(*Common Sense*)
1764	卢梭《社会契约论》(*Social Contract*)
1781	康德《纯粹理性批判》(*Critique of Pure Reason*)
1785	康德《道德形而上学基础》(*Groundwork of the Metaphysic of Morals*)
1804	费希特《人文科学理论》(*Wissenschaftslerhe*)
1807	黑格尔《精神现象学》(*Phenomenology of Spirit*)
1831	黑格尔去世

引用文献缩写与常例

General（常用书目）

HWP　Bertrand Rusell, *History of Western Philosophy*《西方哲学史》

PASS　*Supplementary Proceedings of the Aristotelian Society*

ST　Thomas Aquinas, *Summa Theologiae*《神学大全》, cited by part, question, and article

CHSCP　*The Cambridge History of Seventeenth-Century Philosophy*《剑桥17世纪哲学史》, ed. D. Garber and M. Ayers

Luther（路德）

E　*Erasmus-Luther: Discourse on Free Will*《伊拉斯谟与路德论自由意志》, ed. E. F. Winter (London: Constable, 1961), cited by page

WA　Weimarer Ausgabe, the standard edition of his works.

Machiavelli（马基雅维利）

P　*Il Principe*《君主论》, cited by chapter

Montaigne（蒙田）

ME　*Essais*《散文集》, cited by page in the Flammarion edition of 1969

More（莫尔）

U *Utopia*《乌托邦》, cited by page in the edition of E. Surtz (New Haven, Conn.: Yale University Press, 1964)

Ramus（拉莫斯）

L *Peter Ramus*: *The Logike* 1574《彼得·拉莫斯:1574 年的逻辑学》(Menton: Scolar Press, 1970), cited by page

Suarez（苏亚雷斯）

DM *Disputationes Metaphysicae*《形而上学的论争》 = vol. 25 of *Opera Omnia* (Hildesheim: Olms, 1965), cited by disputation, section and article

Bacon（培根）

B Oxford Authors *Bacon*《培根》, cited by page

Descartes（笛卡尔）

AT The standard edition of Adam and Tannery, cited by volume and page

CSMK The 3 – volume standard English translation, cited by volume and page

Hobbes（霍布斯）

L *Leviathan*《利维坦》, cited by page in the Oxford World Classics edition, ed J. C. A. Gaskin

G *Human Nature and De Corpore Politico*《人性与身体政治》, ed. J. C. A. Gaskin (Oxford World Classics, 1994), cited by page

Locke（洛克）

E　Essay on Human Understanding《人类理解论》, cited by page in the Oxford edition by P. H. Nidditch

T　Two Treatises on Government《政府论两篇》, cited by page in the Yale University Press edition of 2003

Pascal and Malebranche（帕斯卡尔和马勒伯朗士）

EM　*Essai de la Metaphysique*《形而上学的对话》, ibid.

LP　*Lettres Provinciales*《外省人的信》, ed. H. F. Stewart（Manchester: Manchester University Press, 1919）, cited by page

P　Pascal's *Pensées*《思想录》, cited by the number in the Oxford World Classics edition

R de V　*De la Recherche de la Verite*《真理的追求》in *Oeuvres Complètes de Malebranches*, ed. André Robinet（Paris: Vrin, 1958—1984）

TNG　Malebranche's *Treatise on Nature and Grace*《论自然与恩典》, cited by page of the Oxford translation of 1992

Spinoza（斯宾诺莎）

CPS　*The Cambridge Companion to Spinoza*《剑桥斯宾诺莎引论》, ed. D. Garett（Cambridge: Cambridge University Press, 1996）

E　References are given by page to Curley's Penguin translation of the *Ethics*《伦理学》(1996)

Ep　References are to the letters edited by A. Wolf

Leibniz (莱布尼茨)

A The Leibniz Clarke Correspondence《莱布尼茨与克拉克书信集》, ed. H. G. Alexander (Manchester: Manchester University Press, 1956)

D References to the *Discourse on Metaphysics*《形而上学》are to the Manchester edition of 1988

G References are given by volume and page to the Gerhardt edition of the complete works.

T *Theodicy*《神义论》, trs. E. M. Huggard (Lasalle, I11.: Open Court Press, 1985)

Berkeley (贝克莱)

BPW References are given by page to *Berkeley's Philosophical Writings*《贝克莱哲学著作集》, ed. D. A. Armstrong (New York: Collier Macmillan, 1965)

Hume (休谟)

T *Treatise of Human Nature*《人性论》, ed. S. Bigge and P. H. Nidditch; references are given by book, part and section.

E *Enquiry Concerning Human Understanding*《人类理解研究》, by the same editors; references are given by page numbers

W *Hume on Religion*《休谟论宗教》, ed. R. Wollheim (London: Collins, 1963)

Smith and Reid (斯密和里德)

I Thomas Reid, *Inquiry and Essays*《研究与论文集》, ed. R. E. Beanblossom and K. Lehrer

TMS Adam Smith, *Theory of Moral Sentiments*《道德情操论》(Oxford: Oxford University Press, 1976), cited by page

The Enlightenment（启蒙运动）

PD Voltaire, *Philosophical Dictionary*《哲学辞典》, ed T. Besterman (Harmonds-worth: Penguin, 1971), cited by page

EL Montesquieu, *Esprit des lois*《论法的精神》, ed. G. Truc (Paris: Payot, 1945)

Rousseau（卢梭）

SC References to the *Social Contract*《社会契约论》are by chapter and paragraph

Kant（康德）

A Reference by page number to the first edition of the *Critique of Pure Reason*《纯粹理性批判》

B Reference by page number to the second edition of the *Critique of Pure Reason*《纯粹理性批判》

G *Groundwork of the Metaphysics of Morals*《道德形而上学基础》cited by page of the Akademie edition

M *Critique of Judgement*《判断力批判》, ed. J. H. Meredith (Oxford: Oxford University Press, 1978)

Hegel（黑格尔）

LHP *Lectures on the History of Philosophy*《哲学史演讲集》, trs. E. S. Haldane and F. H. Simpson, 1966

PG *The Phenomenology of Spirit*《精神现象学》, trs. A. V. Miller, cited by page

PR *Philosophy of Right*《法哲学》, trs. H. B. Nisbet, ed. A. Wood (Cambridge: Cambridge University Press, 1991), cited by page

参考文献

General works（一般性文献）

BENNETT, JONATHAN, *Locke, Berkeley, Hume: Central Themes*《洛克、贝克莱、休谟:核心主题》(Oxford: Oxford University Press, 1971).

COPLESTON, FREDERICK, *History of Philosophy*《哲学史》, 9 vols. (London: Burns Oates and Search Press, 1943 – 7).

COTTINGHAM, JOHN, *The Rationalists*《理性主义者》(Oxford: Oxford University Press, 1988).

CRAIG, E. G., *The Mind of God and the Works of Man*《上帝心灵与人类作品》(Oxford: Oxford University Press, 1987).

GARBER, DANIEL and AYERS, MICHAEL, *The Cambridge History of Seventeenth-Century Philosophy*《剑桥 17 世纪哲学史》, 2 vols. (Cambridge: Cambridge University Press, 1998).

GRIBBIN, JOHN, *Science, a History* 1543—2001《科学:从 1543 年到 2001 年的历史》(Harmondsworth: Penguin, 2002).

KENNY, ANTHONY, *The God of the Philosophers*《哲学家的上帝》(Oxford: Clarendon Press, 1979).

——, *The Metaphysics of Mind*《心灵的形而上学》(Oxford: Clarendon Press, 1989).

KNEALE, WILLIAM and KNEALE, MARTHA, *The Development of Logic*《逻辑学的发展》(Oxford: Clarendon Press, 1979).

POPKIN, R. H., *The History of Scepticism from Erasmus to Spinoza*《从伊拉斯谟到斯宾诺莎的怀疑论历史》(Leiden: Gorcum van Assen, 1979).

SCHMITT, CHARLES B., and SKINNER, QUENTIN, *The Cambridge History of Renaissance Philosophy*《剑桥文艺复兴时期哲学史》(Cambridge: Cambridge University Press, 1988).

WOOLHOUSE, R. S., *The Empiricists*《经验主义者》(Oxford: Oxford University Press, 1988).

——, *Descartes, Spinoza, Leibniz: the Concept of Substance in Seventeenth-Century Metaphysics*《笛卡尔、斯宾诺莎和莱布尼茨:17 世纪形而上学的实体概念》(London: Routledge, 1993).

Sixteenth-Century Philosophy(十六世纪哲学)

COLEMAN, JANET, *A History of Political Thought from the Middle Ages to the Renaissance*《从中世纪到文艺复兴时期的政治思想史》(Oxford: Blackwell, 2000).

COPENHAVER, B. P. and SCHMITT, CHARLES B., *Renaissance Philosophy*《文艺复兴时期哲学》(Oxford:Oxford University Press, 1992).

MCCONICA, JAMES, *Renaissance Thinkers*《文艺复兴时期的思想家》(Oxford: Oxford University Press, 1993).

MACHIAVELLI, NICCOLÒ, *Il Principe*《君主论》(Milano: Mondadori, 1994).

MORE, THOMAS *Utopia*《乌托邦》, ed. Edward Surtz (New Haven, Conn.: Yale University Press, 1964).

Descartes（笛卡尔）

The standard edition is that of Adam and Tannery, 12 volumes in the revised edition of Vrin/CRNS, Paris, 1964—1976. The now standard English translation is that in 3 volumes published by Cambridge University Press in 1985 and 1991, the first two edited by J. Cottingham, R. Stoothoff, and D. Murdoch, and the third edited by the same and A. Kenny. A very convenient French edition is the single volume Pleiade text, ed. A. Bridoux (Paris: Gallimard, 1973). A lively English translation of selected texts is that by E. Anscombe and P. T. Geach, *Descartes, Philosophical Writings*《笛卡尔哲学著作集》(London: Nelson, 1969).

COTTTINGHAM, JOHN, *The Cambridge Companion to Descartes*《剑桥笛卡尔引论》(Cambridge: Cambridge University Press, 1992).

——(ed.), *Descartes: Oxford Readings in Philosophy*《笛卡尔:牛津哲学读本》(Oxford: Oxford University Press, 1998).

——, *Descartes*《笛卡尔》(Oxford: Blackwell, 1986).

CURLEY, EDWIN, *Descartes against the Sceptics*《笛卡尔反对怀疑论者》(Oxford: Blackwell, 1978).

DAVIES, RICHARD, *Descartes, Belief, Scepticism and Virtue*《笛卡尔:信仰、怀疑论与美德》(London: Routledge, 2001).

FRANKFURT, HARRY, *Demons, Dreamers and Madmen*《魔鬼、梦想家与狂人》(Indianapolis: Bobbs-Merrill, 1970).

GARBER, DANIEL, *Descartes' Metaphysical Physics*《笛卡尔形而上学的物理学》(Chicago: University of Chicago Press, 1992).

GAUKROGER, STEPHEN, *Descartes: An Intellectual Biography*《笛卡尔:思想传记》(Oxford: Clarendon Press, 1995).

KENNY, ANTHONY, *Descartes*《笛卡尔》(New York: Random House, 1968; reprinted by Thoemmes, 1993).

ROZEMOND, MARLEEN, *Descartes' s Dualism*《笛卡尔的二元论》(Cambridge, Mass.: Harvard University Press, 1998).

WILLIAMS, BERNARD, *Descartes: the Project of Pure Inquiry*《笛卡尔:纯粹研究的事业》(Harmondsworth: Penguin, 1978).

WILSON, MARGARET, *Descartes*《笛卡尔》(London: Routledge and Kegan Paul, 1976).

Hobbes(霍布斯)

The complete works of Hobbes were edited by W. Molesworth between 1839 and 1845, in 11 volumes of English works and 5 volumes of Latin works. Oxford University Press is producing a modern edition of his works, but so far only the following volumes have appeared: *De Cive*《论公民》(1984), *Writings on Common Law and Hereditary Right*《论普通法与世袭权著作集》(2005), and the correspondence, edited in 2 volumes by Noel Malcolm (1994). There are convenient editions of *Leviathan*《利维坦》(1996) and *Human Nature and De Corpore Politico*《人性与身体政治》(1999) by J. C. A. Gaskin (Oxford World Classics).

AUBREY, JOHN, *Brief Lives*《简单生活》, ed. Oliver Lawson Dick (Harmondsworth: Penguin, 1962; London: Folio Society, 1975).

GAUTHIER, DAVID, *The Logic of Leviathan*《利维坦的逻辑》(Oxford: Oxford University Press, 1969).

OAKESHOTT, MICHAEL, *Hobbes on Civil Association*《霍布斯论公民社会》(Oxford: Oxford University Press, 1975).

RAPHAEL, DAVID D., *Hobbes, Morals and Politics*《霍布斯:道德与政治》(London: Routledge, 1977).

SORELL, TOM, *Hobbes*《霍布斯》(London: Routledge 1986).

——, *The Cambridge Companion to Hobbes*《剑桥霍布斯引论》(Cambridge: Cambridge University Press 1996).

TUCK, RICHARD, *Hobbes*《霍布斯》(Oxford, Oxford University Press, 1989).

WARRENDER, HOWARD, *The Political Philosophy of Hobbes*《霍布斯的政治哲学》(Oxford: Oxford University Press, 1957).

Locke (洛克)

The Clarendon edition of the works of John Locke is planned to occupy 30 volumes, which will include his diaries and letters. The series is approaching completion (Oxford: Oxford University Press, 1975—) and all the major works are already published. The edition of the *Essay Concerning Human Understanding*《人类理解论》by P. H. Nidditch (1975) was brought out in paperback in 1975. A convenient paperback of *Two Treatises on Government*《政府论两篇》and *A Letter Concerning Toleration*《论宽容的一封信》(ed. Ian Shapiro) was produced by Yale University Press (New Haven, Conn.) in 2003.

AYERS, MICHAEL, *Locke*《洛克》, 2 vols. (London: Routledge, 1991).

CHAFPELL, VERE, *The Cambridge Companion to Locke*《剑桥洛克引论》(Cambridge: Cambridge University Press, 1994).

CRANSTON, MAURICE, *John Locke: a Biography*《洛克生平》(Oxford: Oxford University Press, 1985).

DUNN, JOHN, *The Political Thought of John Locke*《洛克的政治思想》(Cambridge: Cambridge University Press, 1969).

——, *Locke*《洛克》(Oxford: Oxford University Press, 1984).

MACKIE, JOHN, *Problems from Locke*《洛克的问题》(Oxford: Oxford University

Press, 1976).

ROGERS, G. A. J., *Locke's Philosophy: Content and Context*《洛克哲学:内容与语境》(Oxford: Oxford University Press, 1974).

WOOLHOUSE, R. S., *Locke*《洛克》(Brighton: Harvester, 1983).

YOLTON, JOHN, *John Locke and the Way of Ideas*《洛克与观念的方式》(Oxford: Oxford University Press, 1956).

——, *John Locke: Problems and Perspectives*《洛克:问题与视界》(Cambridge: Cambridge University Press, 1969).

——, *Locke, an Introduction*《洛克导论》(Oxford: Blackwell, 1985).

——, *A Locke Dictionary*《洛克词典》(Oxford: Blackwell, 1993).

Pascal and Malebranche(帕斯卡尔和马勒伯朗士)

The best complete edition of the works of Pascal is *Oeuvres Complètes*, ed. Louis Lafuma (Paris: Editions du Seuil, 1963). The numbering of the *Pensées*《思想录》in this edition is the one commonly used. There is an edition of *Les Provinciales* by H. F Stewart (Manchester: Manchester University Press, 1919), and a translation by A. J. Krail-sheimer (Harmondsworth: Penguin, 1967). A new translation of the *Pensées*《思想录》by Honor Levi has appeared in Oxford World Classics (Oxford University Press, 1995). The standard edition of Malebranche is *Oeuvres Complètes*, ed. André Robinet, in 20 vols (Paris: Vrin, 1958—1984). There is an English translation of the *Treatise on Nature and Grace*《论自然与恩典》by Patrick Riley (Oxford: Clarendon Press, 1992).

KRAILSHAIMER, ALBAN, *Pascal*《帕斯卡尔》(Oxford: Oxford University Press, 1980).

MCCRACKEN, C. J., *Malebranche and British Philosophy*《马勒伯朗士与英国哲学》(Oxford: Oxford University Press, 1983).

MESNARD, J., *Pascal, His Life and Works*《帕斯卡尔:生平与著作》(London: Collins, 1952).

NADLER, STEVEN, *Malebranche and Ideas*《马勒伯朗士与观念》(Oxford: Oxford University Press, 1992).

Spinoza (斯宾诺莎)

The standard edition is *Spinoza Opera*, ed. Carl Gebhardt, 4 vols. (Heidelberg: Carl Winter, 1925). A convenient 2 vol. English translation is *The Chief Works of Benedict de Spinoza*《斯宾诺莎重要著作集》, translated by R. H. M. Elwes (New York: Dover, 1951). A new edition of the Collected Works in English is being published by Princeton University Press, edited and translated by Edwin Curley, of which the first volume appeared in 1985. A Penguin translation of the *Ethics*《伦理学》was published in 1996. His correspondence, edited and translated by A. Wolf, was published in 1928 and reprinted (London: Frank Cass) in 1966.

BENNETT, JONATHAN, *A Study of Spinoza's Ethics*《斯宾诺莎伦理学的研究》(Indianapolis: Hackett, 1984).

CURLEY, EDWIN, *Spinoza's Metaphysics: An Essay in Interpretation*《斯宾诺莎的形而上学:一种阐释》(Cambridge, Mass.: Harvard University Press, 1969).

DELAHUNTY, R. J., *Spinoza*《斯宾诺莎》(London: Routledge and Kegan Paul, 1985).

DONAGAN, ALAN, *Spinoza*《斯宾诺莎》(Chicago: Chicago University Press, 1988).

HAMPSHIRE, STUART, *Spinoza*《斯宾诺莎》(Harmondsworth: Penguin, 1951).

WOLFSON, HARRY A., *The Philosophy of Spinoza*《斯宾诺莎的哲学》, 2 vols. (Cambridge, Mass.: Harvard University Press, 1934).

Leibniz (莱布尼茨)

The current standard edition of the philosophical writings is *Die Philosophischen Schriften*, in 7 vols. ed. C. I. Gerhardt (Hildesheim: Olms, 1963). In due course this will be replaced by the German Academy edition, *Samtliche Schriften und Briefe* (1923—). English editions of his writings include: *G. W. Leibniz: Philosophical Papers and Letters*《莱布尼茨:哲学论文与书信集》(Dordrecht: Reidel, 1969); *G. W. Leibniz: Discourse on Metaphysics and related Writings*《莱布尼茨:形而上学及其相关著作》, ed. and trs. R. Martin and others (Manchester: Manchester University Press, 1988); *Leibniz: Philosophical Writings*《莱布尼茨哲学著作集》, ed. and trs. G. H. R. Parkinson (London: Dent, 1973); *Leibniz: Logical Papers*《莱布尼茨逻辑论文集》, ed. and trs. G. H. R. Parkinson (Oxford: Clarendon Press, 1966); *Theodicy*《神义论》, trs. E. M. Huggard (Lasalle, Ill.: Open Court Press, 1985); *Monadology and other Philosophical Essays*《单子论与其他哲学文集》, trs. P. and A. M. Schrecker (Indianapolis: Bobbs-Merrill, 1965).

ADAMS, ROBERT, *Leibniz: Determinist, Theist, Idealist*《莱布尼茨:决定论者、有神论者与观念论者》(Oxford: Oxford University Press, 1994).

ARIEW, ROGER, *The Cambridge Companion to Leibniz*《剑桥莱布尼茨引论》(Cambridge: Cambridge University Press, 1995).

BROWN, STUART, *Leibniz*《莱布尼茨》(Brighton: Harvester Press, 1984).

ISHIGURO, HIDE, *Leibniz's Philosophy of Logic and Language*《莱布尼茨的逻辑与语言哲学》(London: Duckworth, 1972).

MATES, BENSON, *The Philosophy of Leibniz: Metaphysics and Language*《莱布尼茨的哲学:形而上学与语言》(Oxford: Oxford University Press, 1986).

PARKINSON, G. H. R., *Logic and Reality in Leibniz's Metaphysics*《莱布尼茨形而上学的逻辑与实在》(Oxford: Oxford University Press, 1965).

RUSSELL, BERTRAND, *A Critical Exposition of the Philosophy of Leibniz*《莱布尼茨哲学的批判性阐释》, 2nd edn. (London: Allen and Unwin, 1937).

Berkeley(贝克莱)

Berkeley's works have been published in 9 volumes by A. A. Luce and T. E. Jessop (Edinburgh: Thomas Nelson, 1948 – 57). His *Principles*《人类认识原理》and *Dialogues*《三篇对话》have appeared in Oxford World Classics (Oxford: Oxford University Press, 1999).

BERMAN, D., *George Berkeley: Idealism and the Man*《贝克莱:观念论与人》(Oxford: Clarendon Press, 1994).

MARTIN, C. B. and ARMSTRONG, D. M. eds., *Locke and Berkeley: A Collection of Critical Essays*《洛克与贝克莱:批判文集》(New York: Doubleday, 1968).

PITCHER, GEORGE, *Berkeley*《贝克莱》(London: Routledge and Kegan Paul, 1977).

URMSON, JAMES, *Berkeley*《贝克莱》(Oxford: Oxford University Press, 1982).

WARNOCK, GEOFFREY, *Berkeley*《贝克莱》(Harmondsworth: Penguin, 1953).

WINKLER, K., *Berkeley, An Interpretation*《贝克莱:一种阐释》(Oxford: Oxford University Press, 1989).

Hume(休谟)

The most complete current edition is *The Philosophical Works of David Hume*《休谟哲学著作集》, ed. T. H. Green and T. H. Grose (London: Longman Green, 1875). The Clarendon Press is publishing a new edition, in which the *Enquiries* are edited by Tom Beauchamp (1999, 2001) and the *Treatise* is edited by D. and M. Norton (2006). Convenient editions of the main works are *Treatise of Human Nature*《人性论》, ed. L. A. Selby Bigge and P. H. Nidditch (3rd edn.; Oxford: Oxford University Press, 1978), and *Enquiry Concerning Human Understanding*《人类理解研究》, ed. L. A. Selby Bigge and P. H. Nidditch (2nd edn.; Oxford: Oxford University Press, 1978). *Hume on Religion*《休谟论宗教》, ed. Richard Wollheim (London: Collins, 1963), is a useful selection, including *The Natural History of Religion*《宗教的自然史》 and *Dialogues Concerning Natural Religion*《关于自然宗教的对话》.

AYER, ALFRED J., *Hume*《休谟》(Oxford: Oxford University Press, 1980).

FLEW, ANTONY, *Hume's Philosophy of Belief*《休谟的信仰哲学》(London: Routledge and Kegan Paul, 1961).

KEMP SMITH, NORMAN, *The Philosophy of David Hume*《休谟哲学》(London: Macmillan, 1941).

PEARS, DAVID, *Hume's System*《休谟的体系》(Oxford: Oxford University Press, 1990).

STRAWSON, GALEN, *The Secret Connexion*《秘密的联结》(Oxford: Clarendon Press, 1989).

WRIGHT, J. P., *The Sceptical Realism of David Hume*《休谟的怀疑实在论》(Manchester: Manchester University Press, 1983).

Smith and Reid（斯密和里德）

A Glasgow edition of the works of Adam Smith is being produced by Oxford University Press; his *Theory of Moral Sentiments*《道德情操论》was published in this series in 1976. *The Wealth of Nations*《国富论》has appeared in Oxford World Classics, ed. K. Sutherland (Oxford: Oxford University Press, 1993). Reid's *Essays on the Intellectual Powers of Man*《论人的理智能力》and *Essays on the Active Powers of the Human Mind*《论人类心灵的积极能力》are available in modern reprints (Cambridge, Mass.: MIT Press).

LEHRER, KEITH, *Thomas Reid*《托马斯·里德》(London: Routledge, 1989).

RAPHAEL, D. D., *Adam Smith*《亚当·斯密》(Oxford: Oxford University Press, 1985).

The Enlightenment（启蒙运动）

Several of Voltaire's works are conveniently available in French in the Flammarion collection (Paris, 1964—), and in English translations in Oxford World Classics, and in Penguin Classics, which published his *Philosophical Dictionary*《哲学辞典》, ed. T. Besterman, in 1971. Rousseau's works are similarly available from Flammarion, and his *Discourse on Political Economy*《政治经济学》and the *Social Contract*《社会契约论》are in English in Oxford World Classics; his *Confessions* was published as a Penguin Classic in 1966. Lessing's *Laocoon*《拉奥孔》was published in a translation by E. A. McCormick in 1962, in the Library of Liberal Arts (Indianapolis: Bobbs-Merrill).

WADE, I., *The Intellectual Development of Voltaire*《伏尔泰的知识发展》(Princeton, NJ: Princeton University Press).

WOKLER, R., *Rousseau*《卢梭》(Oxford: Oxford University Press, 1995).

Kant(康德)

The standard critical edition of Kant is the Akademie edition (*Kant's Gesammelte Schriften*), published in 29 vols, since 1900 (Berlin: Reimer/de Gruyter). A convenient German pocket edition in 12 vols, was published by Insel Verlag (Wiesbaden, 1956). A Cambridge edition of Kant's works in English was begun in 1991, with the publication of *Metaphysics of Morals*《道德形而上学》(ed. M. Gregor); the *Critique of Pure Reason*《纯粹理性批判》, ed. and trs. Paul Guyer and A. W. Wood, was published by Cambridge University Press in 1998. Among earlier translations still used are *The Critique of Practical Reason*《实践理性批判》, trs. Lewis White Beck (Indianapolis: Bobbs-Merrill, 1956) and *The Critique of Judgement*《判断力批判》, trs. J. C. Meredith (Oxford: Oxford University Press, 1978).

BENNETT, JONATHAN, *Kant's Analytic*《康德的分析哲学》(Cambridge: Cambridge University Press, 1966).

——, *Kant's Dialectic*《康德的辩证法》(Cambridge: Cambridge University Press, 1974).

CAYGILL, HOWARD, *A Kant Dictionary*《康德词典》(Oxford: Blackwell, 1994).

GUYER, PAUL, *Kant and the Claims of Knowledge*《康德与知识论断》(Cambridge: Cambridge University Press, 1987).

——(ed.), *The Cambridge Companion to Kant*《剑桥康德指南》(Cambridge: Cambridge University Press, 1992).

KITSCHER, PATRICIA, *Kant's Transcendental Psychology*《康德先验心理学》(Oxford: Oxford University Press, 1990).

KÖRNER, STEPHAN, *Kant*《康德》(Harmondsworth: Penguin, 1955).

O'NEILL, ONORA, *Constructions of Reason: Explorations of Kant's Practical Philosophy*《理性的建构:康德实践哲学的阐释》(Cambridge: Cambridge University Press, 1989).

PATON, H. J., *The Moral Law*《道德法则》(London: Hutchinson, 1955).

SCRUTON, ROGER, *Kant*《康德》(Oxford: Oxford University Press, 1982).

STRAWSON, PETER, *The Bounds of Sense*《感觉的限制》(London: Methuen, 1966).

WALKER, RALPH, *Kant*《康德》(London: Routledge and Kegan Paul, 1978).

WOOD, ALLEN, *Kant's Rational Theology*《康德的理性神学》(Ithaca, NY: Cornell University Press, 1978).

Hegel (黑格尔)

The Deutsche Forschungsgemeinschaft has been bringing out a critical edition of Hegel's works since 1968 (Hamburg: Meiner). The most convenient German edition to use is the *Werkausgabe* in 20 vols. ed. E. Moldenhauer and K. Michel (Frankfurt: Suhrkamp, 1969—1972). Among English translations of Hegel's works are *Logic*《逻辑学》, trs. William Wallace (Oxford: Oxford University Press, 1975); *Phenomenology of Spirit*《精神现象学》, trs. A. V. Miller (Oxford: Oxford University Press, 1977); *Lectures on the History of Philosophy*《哲学史演讲集》, trs. E. S. Haldane and F. H. Simpson (3 vols. London: Routledge, 1966); *Philosophy of Right*《法哲学》, trs. H. B. Nisbet, ed. Allen Wood (Cambridge: Cambridge University Press, 1991).

FINDLAY, J. N., *Hegel: A Re-examination*《黑格尔:一种新解释》(London:

George Allen and Unwin, 1958).

INWOOD, MICHAEL, *Hegel*《黑格尔》(London: Routledge and Kegan Paul, 1983).

KAUFMANN, WALTER, *Hegel: A Re-examination*《黑格尔:一种新解释》(Garden City, NY: Doubleday, 1965).

POPPER, KARL, *The Open Society and its Enemies*《开放社会及其敌人》(London: Routledge and Kegan Paul, 1966).

ROSEN, MICHAEL, *Hegel's Dialectic and its Criticism*《黑格尔辩证法及其批判》(Cambridge: Cambridge University Press, 1982).

SOLOMON, ROBERT, *In the Spirit of Hegel*《黑格尔的精神》(Oxford: Oxford University Press, 1983).

TAYLOR, CHARLES, *Hegel*《黑格尔》(Cambridge: Cambridge University Press, 1975).

——, *Hegel and modern society*《黑格尔与近代社会》(Cambridge:Cambridge University Press,1979)。

WALSH, W. H. H., *Hegelian Ethics*《黑格尔伦理学》(London: Macmillan, 1969).

插图目录

原著页码

209 Fort William, Calcutta 威廉,加尔各答

British Library

218 Binocular Vision in Descartes 笛卡尔的双眼视觉机制

The Syndics of Cambridge University Library (René Descartes *La Dioptrique* 1637, M 10 42)

225 Kneller's portrait of John Locke in Christ Church hall 在基督教堂大厅的科勒的洛克肖像

The Governing Body of Christ Church, Oxford (LP94)

236 Berkeley as Bishop of Cloyne 克莱因主教贝克莱

By Permission of Lambeth Palace Library. Photograph: Courtauld Institute of Art

248 Illustration to the Codex Azcatitla 宗教手抄本插图

Bibliothèque nationale de France

254 Fr Henry Garnet S. J. on the scaffold before being executed 神甫伽内特行刑前站在断头台上

Mary Evans Picture Library

257 The title page of Escobar's *Moral Theology* 埃斯科巴《道德神学》的扉页

The Syndics of Cambridge University Library (Escobar *Liber Theologiae* Cc 6 15)

268 Portrait of Hegel 黑格尔的肖像

Time Life Pictures/Getty Images

278 Frontispiece of the first edition of More's *Utopia* 莫尔《乌托邦》第一版的卷首插图

The Syndics of Cambridge University Library (More *Utopia* Rel. c. 51. 3)

284 Piero di Cosimo, *A Hunting Scene* 科西莫《狩猎场景》

The Metropolitan Museum of Art, Gift of Robert Gordon, 1875 (75. 7. 2)

Photograph, all rights reserved, The Metropolitan Museum of Art

297 Rousseau watercolour 卢梭的水彩肖像

Akg-images

309 The Cheat with the Ace of Diamonds, *c.* 1635—1640 用方块牌作弊

Louvre, Paris, Giraudon/Bridgeman Art Library

320 Miracles at St Medard 圣梅达尔的奇迹

Bibliothèque nationale de France

328 Blake, *The Ancient of Days* 布莱克《古代岁月》

The Whitworth Art Gallery, The University of Manchester

索 引

A

B

C

D

E

F

G

H

I

J

K

L

M

N

O

P

Q

R

S

T

U

V

W

Z